D0361245

CADALSO: EL PRIMER ROMÁNTICO "EUROPEO" DE ESPAÑA

BIBLIOTECA ROMÁNICA HISPÁNICA

DIRIGIDA POR DÁMASO ALONSO

II. ESTUDIOS Y ENSAYOS, 215

RUSSELL P. SEBOLD

CADALSO: EL PRIMER ROMÁNTICO "EUROPEO" DE ESPAÑA

BIBLIOTECA ROMÁNICA HISPÁNICA
EDITORIAL GREDOS
MADRID

EDITORIAL GREDOS, S. A.

Sánchez Pacheco, 81, Madrid. España.

Depósito Legal: M. 32053 - 1974.

ISBN 84-249-0591-1. Rústica.
ISBN 84-249-0592-X. Tela.

Gráficas Cóndor, S. A., Sánchez Pacheco, 81, Madrid, 1974. — 4299.

A mis hijas Mary y Alice

PREFACIO A LA EDICIÓN ESPAÑOLA

Mientras corregía las últimas cuartillas de esta versión castellana de mi libro *Colonel Don José Cadalso* (Nueva York, Twayne Publishers, Inc., 1971), el cartero trajo un día a la redacción de la *Hispanic Review,* donde yo trabajaba, un enorme brazado de libros nuevos para la recensión; y entre ellos apareció uno, obra de un eminente dramaturgo de nuestros días, cuyo título me sorprendió, sin embargo, por su marcado dieciochismo y por su evidente relación con el tema del presente volumen. No deberíamos quizá sorprendernos de que lo dieciochesco asome en las obras de los más distinguidos dramaturgos actuales, pues ahí está Buero Vallejo que en varias obras suyas observa las unidades tan rigurosamente como un Moratín y en otra introduce a Goya como personaje. Mas mi sorpresa se debía también en parte a que yo ignoraba en absoluto la existencia de la obra que acababa de llegar, pues no se trataba en realidad de un libro nuevo, sino de la segunda edición de unas narraciones que, aunque pasaron casi inadvertidas por la crítica en su primera aparición, se estamparon, no obstante, en 1964, tres años antes de que yo emprendiera el libro que el lector tiene en sus manos.

Me refiero a *Las noches lúgubres* (2.ª ed., Madrid, Ediciones Júcar, 1973), de Alfonso Sastre, colección de cuentos de terror sobre el vampirismo, los vampiros y las brujas. Introduzco este tema aquí, no meramente porque tal clase de paralelo es siempre un arrimadero ideal para quien se ve en la necesidad de fabricar un prefacio a corto plazo; sino porque con la influencia de las *Noches lúgubres* del poeta-soldado dieciochesco sobre *Las noches lúgubres* del escritor de nuestra centuria, se me brinda una nueva confirmación de una de las conclusiones que se expresan en el Epílogo de este libro: a saber, que la tradición crítica popular y los escritores creadores, que desde hace siglo y medio vienen aludiendo, ya directa, ya indirectamente, al romanticismo de Cadalso y sus obras, están mucho más cerca de la verdad, que ese grupo de eruditos que sólo han querido ver en tales escritos posturas estoicas o intenciones didácticas y divulgadoras relacionadas con el patriotismo y la Ilustración.

No sólo el título de Sastre, sino también el lóbrego ambiente nocturno, de sombras, candelas moribundas y panteones, y algún detalle episódico de *Las noches lúgubres* de 1964 y 1973 recuerdan las *Noches* de Cadalso: por ejemplo, el terror del narrador de la primera parte de «Las noches del Espíritu Santo» al encontrarse encerrado con cierto deforme «engendro» o «monstruillo» humano recuerda el de Tediato al hallarse encerrado con lo que él toma por el cadavérico fantasma de uno de los muertos sepultados en la iglesia donde intenta desenterrar a su amada. El que Sastre vea en Cadalso un espíritu romántico se hace evidente desde la primera hoja de las referidas narraciones, porque al escoger un epígrafe de las *Noches lúgubres* dieciochescas, el escritor moderno lo agrupa junto con trozos de parecido tono sombrío tomados de obras de románticos, posrománticos, neorrománticos y autores de cuentos horrorosos como Mary Wollstonecraft Shelley, Edgar Allan Poe, Paul Féval, Guy de Maupassant y Bram Stoker. El personaje-narrador de la primera parte de «Las noches del Espíritu Santo», escritor de profesión, siente a menudo una nostálgica afinidad espiritual con Tediato-Cadalso, cuya desilusión romántica evoca al expresarse así: «Como el desdichado poeta de las *Noches lúgubres,* cada atardecer interrogo a la fugitiva luz: 'Y esta noche, ¿cuál será?' ¿Qué nueva agonía cabalgará sobre mis abandonados, nocturnos despojos? ¿Qué amenaza cruel o pesadilla?» (La misma forma interrogativa de este pasaje hace recordar la de varios soliloquios de Tediato.) Incluso el tópico romántico (de derivación místico-ascética) del encerramiento dentro de la propia alma, tan importante para el arte de las *Noches* cadalsianas (véase nuestro capítulo V abajo), se refleja en cierto momento en «Las noches del Espíritu Santo» al sentirse el referido narrador —según dice él— «instalado en la noche de mi propia alma». Y aún se encontrará algún otro paralelo entre las *Noches* de Cadalso y las de Sastre.

Cuando digo que es acertada la conclusión de la tradición crítica popular de que Cadalso es romántico, no quiero, en cambio, insinuar en modo alguno que me parezca aceptable la todavía frecuente noción de que el *Volksgeist* o espíritu popular de los españoles es por su naturaleza romántico, ni que sea válido tampoco el corolario de tal noción, de que en ese espíritu y en las condiciones y convenciones literarias nacidas de él se ha de buscar el desconocido germen que siguiendo no se sabe qué línea de desarrollo llega no se sabe cómo a ser lo que ahora denominamos romanticismo. Las cosas sencillamente no han sucedido así. Pese a ciertas apariencias, el romanticismo propiamente dicho es, por sus orígenes, después del clasicismo, quizá el más plenamente cosmopolita e internacional de los frutos del árbol literario europeo.

Desde hace más de cuarenta años, los más distinguidos investigadores, sobre todo los que se dedican a la literatura francesa (Louis Reynaud, Paul Van Tieghem, André Monglond, Charles Dédéyan, Henri Peyre, etc.), vienen arguyendo de modo cada vez más convincente que lo esencial del romanticismo es su nueva cosmología y que ésta derivó directamente de ese agregado de nuevas doctrinas filosóficas que tuvieron sus primeros orígenes en Inglaterra y luego se esparcieron por toda Europa recibiendo con el tiempo el nombre de Ilustración. Así no es nada sorprendente que los críticos se refieran al romanticismo como un fenómeno originado hacia el año 1770, esto es, cuando se habla de cualquier país occidental que no sea España; porque, salvo alguna vaga alusión al «prerromanticismo», los hispanistas siguen acatando casi universalmente esa superficial explicación de la formación del romanticismo español que lo hace provenir de influencias tardías y externas como la polémica de Böhl de Faber y José Joaquín de Mora, las teorías de los hermanos Schlegel y la vuelta de algunos desterrados políticos a raíz de la muerte de Fernando VII.

Existen, sin embargo, en la literatura dieciochesca española, abundantes datos, documentos y textos literarios que estudiados con los mismos procedimientos científicos que se han aplicado a la historia del romanticismo en otras literaturas, revelan que España no es una Cenicienta entre las naciones occidentales por lo que respecta al romanticismo y que de hecho la cosmología romántica aparece en la península tan pronto como en la mayoría de los países europeos, además de tener en Iberia las mismas fuentes filosóficas que en toda Europa. Ésta es una de las principales tesis del presente libro, en particular de sus capítulos cuarto y quinto; y por si algún lector tiene curiosidad por informarse más completamente de mis ideas sobre esta cuestión, he tratado otros aspectos de ella en mis tres ensayos: «Sobre el nombre español del dolor romántico» (en *Insula,* núm. 264, noviembre 1968, págs. 1, 4-5; o en mi libro *El rapto de la mente,* «El Soto», Madrid, Prensa Española, 1970, págs. 123-137); «Enlightenment Philosophy and the Emergence of Spanish Romanticism» (en *The Ibero-American Enlightenment,* Urbana, University of Illinois Press, 1971, págs. 111-140); y «El incesto, el suicidio y el primer romanticismo español» (en *Hispanic Review,* t. XLI, 1973, págs. 669-692). Ahora bien, es a estos comienzos cosmopolitas, paneuropeos del romanticismo español (encarnados primero por Cadalso) a los que aludo con el adjetivo «europeo» en el título de esta edición española. (La edición original en lengua inglesa habría llevado el mismo título a no ser que por regla de la colección en que se publicó, los títulos de los libros que la forman, no han de constar sino de los nombres de los escritores estudiados en ellos.)

Con el mismo adjetivo también distingo por insinuación entre el único romanticismo auténtico y varios pseudorromanticismos: No hay evidentemente otro romanticismo genuino sino aquel que es reconocible y caracterizable como una etapa más o menos unida en el desarrollo de cada literatura europea durante los últimos decenios de la centuria decimoctava y los primeros de la decimonona. En cambio, son pseudorromanticismos esas falsas interpretaciones con las que se quisiera hacer, ora que el romanticismo se remonte a la misma cuna de la raza ibérica, ora que en la década de 1770 Cadalso sea todavía un «romántico antes del romanticismo» y no tenga así nada que ver con el nacimiento de la nueva tendencia general, ni sea apto para influir en ningún romántico posterior.

Ni en este libro ni en los otros tres trabajos mencionados me he limitado simplemente a aplicar a la literatura española los criterios de quienes han hablado de los orígenes filosóficos dieciochescos del romanticismo en conexión con otras literaturas. He relacionado la cosmología romántica, así como el lazo sensual-espiritual que se da entre el poeta romántico y la naturaleza, con la corriente central y más típica del pensamiento de la Ilustración, quiero decir, la epistemología sensualista (que vino a subrayar el inductivismo de Bacon y así cimentó el hábito de la observación y la actitud experimental en el setecientos); y merced a este procedimiento, creo haber dado una explicación a la vez más completa y más sencilla de los orígenes «ilustrados» de la postura romántica, que las propuestas por los especialistas en el romanticismo de otros países.

Al firmar este prefacio, me es muy grato reconocer la deuda de gratitud que tengo con mi buen amigo y colega Gonzalo Sobejano, cuyos consejos y sugerencias me han facilitado mucho la preparación de esta versión española.

RUSSELL P. SEBOLD

Universidad de Pensilvania

Filadelfia, 24 febrero 1974

PREFACIO A LA PRIMERA EDICIÓN EN LENGUA INGLESA

La personalidad y las obras de Cadalso han suscitado las interpretaciones más contradictorias. La forma de su vida se ha comparado a la de una novela romántica. Por otra parte, las *Noches lúgubres* —sin duda su obra más romántica— se han celebrado recientemente como obra maestra de la alegoría estoica. Incluso se ha alegado que el tono de las *Noches lúgubres* difiere tan radicalmente del de los otros escritos de Cadalso, que es posible que él no sea autor de esos sombríos diálogos.

Ahora bien, aunque en casi toda obra literaria algún pasaje pueda sugerir una interpretación diametralmente opuesta a su sentido dominante, *todas* las obras de Cadalso son indudablemente más románticas que estoicas. No acepto, en cambio, la opinión de que sean más románticas que neoclásicas, porque eso sería como afirmar que yo soy menos hijo de mi padre que del padre de mi vecino. La oposición entre *neoclásico* y *romántico* ha sido creada por la indolencia de varias generaciones de críticos. En este libro he tratado de reconstruir la *evolución* natural de la técnica de Cadalso de lo neoclásico a lo romántico. Al hacerlo, he encontrado repetidas indicaciones de la unidad esencial de todas sus obras: dos libros en apariencia tan distintos como las *Noches lúgubres* y las *Cartas marruecas* incluso tienen fuentes comunes. (Naturalmente, el romanticismo de las *Cartas marruecas* es más patriótico, más generoso y, por decirlo así, más al estilo de Larra, que el de la poesía o las *Noches lúgubres.)*

Desde el principio parecía que ciertos aspectos de la personalidad de Cadalso estaban tan necesitados de una revisión, como lo estaban sus originalísimos esfuerzos creativos. Aunque resulta tan falsa como rebuscada la idea de que la misma vida de Cadalso fuera su «obra maestra», la forma de su vida sí se influyó por ciertos entusiasmos literarios y filosóficos que a su vez dejaron huella en sus escritos y en las vidas de sus íntimos en el mundo de las letras y la aristocracia. He examinado la personalidad de Cadalso a la luz de tres aspiraciones que fueron frecuentes en los escritores del siglo XVIII: la conversación brillante en la buena sociedad, la amistad verdadera y «la vuelta a la naturaleza». Los distintos *trozos de vida* que forman los tres primeros capítulos representan estos tres aspectos de la vida de Cadalso. Después he considerado su producción literaria como un ejemplo de la búsqueda de formas de expresión más personales, francas y universales por los escritores del período de la Ilustración.

De este modo también he podido relacionar la vida de Cadalso con el contexto de su tiempo sin desviarme del tema principal, además de asegurar cierta unidad de método entre las páginas biográficas y las críticas del presente volumen: en los tres primeros capítulos se usan varios conceptos literarios dieciochescos para iluminar la personalidad de Cadalso (esto es, su biografía espiritual); y en los capítulos restantes la información biográfica se usa frecuentemente para iluminar sus interpretaciones de las formas literarias del siglo XVIII. He considerado la posibilidad de empezar con un capítulo puramente narrativo sobre la vida de Cadalso. Pero se hizo evidente que casi toda la información biográfica conocida hoy tendría que introducirse de nuevo como material ilustrativo en los capítulos siguientes si se había de dar al lector una explicación clara de los aspectos más intrigantes de la psicología y el arte de Cadalso, y eso nos habría llevado a repeticiones aburridas. La solución se me ha dado omitiendo el resumen narrativo de los acontecimientos externos de la vida de Cadalso y entretejiendo tales hechos en el texto total. Así, no pierde nada el lector que se sienta picado por la curiosidad respecto a la vida de Cadalso.

He introducido en todos los capítulos datos completamente nuevos y otros que no se habían evaluado antes. También la Cronología contiene materiales que no aparecen en ninguna biografía de Cadalso publicada hasta la fecha. Sus fascinantes *Apuntaciones autobiográficas* se publicaron por primera vez mientras yo estaba todavía trabajando en los primeros capítulos, y, que yo sepa, las he utilizado por primera vez para aclarar ciertos aspectos antes oscuros de su personalidad y de sus escritos. Aunque he tratado de abarcar todos los aspectos importantes del arte literario de Cadalso, he tendido a hacer hincapié en su poesía y en el lugar que ocupan su poesía y las *Noches lúgubres* en la historia del romanticismo español; porque estas obras y su significado han sido descuidados, mal comprendidos o insuficientemente valorados. Para explicar adecuadamente lo que es romántico en la poesía de Cadalso, ha sido necesario plantear con considerable extensión el problema general de las causas filosóficas de la aparición del romanticismo europeo; porque se trata de un problema todavía muy mal comprendido, en especial entre los hispanistas. No he ahorrado al lector ninguna de las dificultades inherentes a tales problemas porque, aunque no escribí este libro sólo para los eruditos, creo que el lector general se siente tan interesado como cualquiera por las complejidades de la historia, la ideología y la técnica literarias, siempre que se le presenten en forma directa y atractiva.

RUSSELL P. SEBOLD

Universidad de Pensilvania

Filadelfia, 21 julio 1969

SIGLAS

Las siglas enumeradas a continuación son las que se han usado en el texto al citar las ediciones de las obras de Cadalso consultadas con más frecuencia. En las referencias insertadas en el texto, entre paréntesis, los números arábigos que siguen a las abreviaturas indican las páginas, y algunas veces el número arábigo va precedido de un número romano que indica el tomo citado.

AA = José Cadalso, «Apuntaciones autobiográficas», ed. Ángel Ferrari, *Boletín de la Real Academia de la Historia,* CLXI (1967), 111-143.

BAE = «Biblioteca de Autores Españoles» (Madrid, Ediciones Atlas). Los tres volúmenes más citados de esta colección, LXI (1952), LXIII (1952) y LXVII (1953) comprenden la antología de *Poetas líricos del siglo XVIII* de Leopoldo Augusto de Cueto, marqués de Valmar. La poesía de Cadalso se encuentra en el LXI, 243-276. Al referirnos a esta colección, las letras minúsculas (a, b, c) que siguen a los números de páginas indican las columnas.

BMV = José Cadalso, *El buen militar a la violeta,* en *Cartas marruecas* [y] *Los eruditos a la violeta,* «Colección Crisol» (Madrid, Aguilar, 1944), págs. 564-582.

CM = ———, *Cartas marruecas,* ed. Lucien Dupuis y Nigel Glendinning, «Colección Tamesis» (Londres, Tamesis Books Limited, 1966).

EV = ———, *Los eruditos a la violeta,* en un volumen con las *Cartas marruecas,* «Colección Crisol» (Madrid, Aguilar, 1944), páginas 337-563.

NL = ———, *Noches lúgubres*, ed. Nigel Glendinning, «Clásicos Castellanos» (Madrid, Espasa-Calpe, 1961).

O = ———, *Obras* (Madrid, Repullés, 1818), 3 vols.

OI = ———, «Obras inéditas», ed. R. Foulché-Delbosc, *Revue Hispanique*, I (1894), 259-335.

QC = ———, «Quince cartas inéditas», ed. Felipe Ximénez de Sandoval, *Hispanófila*, IV (sept. 1960), 21-45.

SG = ———, *Don Sancho García, Conde de Castilla. Tragedia española original* (Madrid, Isidoro de Hernández Pacheco, 1785).

CRONOLOGÍA

1741. 8 de octubre. Nacimiento de José Cadalso y Vázquez en Cádiz; hijo segundo de una familia acomodada que se ocupa del comercio exterior.

1743. 8 de octubre. Muerte de la madre de Cadalso[1]. Él luego es confiado a los cuidados de sus parientes en el hogar de su abuelo materno.

¿1747-1750? Primeros estudios escolares en una academia jesuítica de Cádiz donde daba clase un jesuita tío suyo.

1750-1754. Estudia en el Collège Louis-le-Grand, de los jesuitas, en París. Conoce a su padre por primera vez.

¿1755-1756? Sigue a su padre a Inglaterra. Aprende inglés. Se enamora por primera vez.

¿1757? Otro año de estudio en París.

1758-1760. Estudia en el Real Seminario de Nobles de Madrid dirigido por los jesuitas.

1760-1762. Segundo viaje por Europa con un compañero mayor contratado por su padre: Inglaterra, Francia, Flandes, Holanda, Alemania e Italia.

1761. Diciembre. Muerte de su padre en Copenhague.

1762. Cadete en el Regimiento de Caballería de Borbón.

---

[1] En apoyo de esta fecha Tamayo, en el prólogo a su edición de las *Cartas marruecas* en Clásicos Castellanos (Madrid, 1956), cita el testamento de la madre de Cadalso (págs. X-XI). En cambio, en sus *Apuntaciones autobiográficas*, el mismo Cadalso escribe: «Nací a mi tiempo regular, *muriendo mi madre del parto*» (AA, 116; el subrayado es mío).

1764. Ascenso a capitán. Correspondencia misteriosa con el jesuita Isidro López que más tarde fue acusado de promover el Motín de Esquilache.

1766. Salva la vida al conde de O'Reilly en el motín de Esquilache. Caballero de la Orden Militar de Santiago. Conoce a Jovellanos.

1768-1770. Desterrado de Madrid por seis meses como sospechoso de ser autor de la sátira titulada *Calendario manual,* que parece haber circulado en manuscrito y se consideraba ofensiva para las damas de la sociedad madrileña. Pasa dos años en Aragón, donde compone la mayor parte de los *Ocios de mi juventud.*

1770 Se enamora de la actriz María Ignacia Ibáñez. Para esta época ya era amigo de Nicolás Fernández de Moratín.

1771. Enero 21-25. María Ignacia desempeña el papel de Doña Ava en la tragedia de Cadalso titulada *Don Sancho García.* Abril 22: muerte de María Ignacia. Primera edición de *Don Sancho García.* Para entonces ya había conocido a los Iriarte.

1772. Acude asiduamente a la famosa tertulia literaria de la Fonda de San Sebastián en Madrid. Publicación de *Los eruditos a la violeta* y su *Suplemento.* Compone *El buen militar a la violeta,* terminado para el 1 de diciembre.

1773. Primera edición de los *Ocios de mi juventud.*

1773-1774. Cadalso en Salamanca. Amistad con Juan Meléndez Valdés, fray Diego González, José Iglesias de la Casa, Juan Pablo Forner y otros poetas residentes allí.

1774. Composición de las *Noches lúgubres* y las *Cartas marruecas* terminada antes de fines de octubre. (La primera obra es casi seguro que se había escrito antes que Cadalso fuese a Salamanca en 1773.)

1776. Ascenso a sargento mayor.

1777. Ascendido a comandante de escuadrón.

¿1778? Composición de los *Anales de cinco días.*

1779-1781. Destinado al campo de Gibraltar. Ayuda a planear el asedio. Actúa como enlace entre el campo de operaciones y el primer ministro conde de Floridablanca.

1782. Enero 12: asciende a coronel. Febrero 26: muere en el sitio de Gibraltar de una herida de granada [2].

---

[2] Véanse los interesantes documentos relativos a la fecha de la muerte de Cadalso, publicados por el profesor Nigel Glendinning, en la *Hispanic Review,* t. XLI (1973), págs. 420-424.

1789. Febrero 14 a julio 29: se imprimen por primera vez las *Cartas marruecas,* por entregas, en el *Correo de Madrid.*

1789-1790. Diciembre 16 a enero 6: se imprimen por primera vez las *Noches lúgubres,* por entregas, en el *Correo de Madrid.*

1790. Primera edición de *El buen militar a la violeta,* Sevilla.

1792. Se reimprimen las *Noches lúgubres* en el tomo I de una *Miscelánea erudita de piezas escogidas,* Alcalá de Henares.

1793. Primera edición en forma de libro de las *Cartas marruecas,* Madrid.

1798. Primera edición separada en forma de libro de las *Noches lúgubres* (el mismo volumen contiene también el *Don Sancho García),* Barcelona.

CAPÍTULO I

LA CONDESA-DUQUESA DE BENAVENTE Y LOS PLACERES DE LA CONVERSACIÓN

Hacia 1768 Cadalso conoció a la condesa-duquesa de Benavente, con quien tuvo «una sólida y verdadera amistad, cual yo nunca creí posible entre personas de distintos sexos» (QC, 27)[1]. Esta amistad que duró diez años o más, probablemente influyó en sus escritos tanto como su famosa pasión por la actriz María Ignacia Ibáñez, en cuya muerte se suele buscar la inspiración del macabro argumento de las *Noches lúgubres*. El trato de Cadalso con la condesa-duquesa se caracterizó por esa especie de conversación urbana y correspondencia literaria que forman la base de las *Cartas marruecas*.

Aunque muy de su siglo, doña María Josefa de la Soledad Alonso Pimentel Téllez Girón, condesa-duquesa de Benavente, era sin embargo una mujer muy original. Para su guar-

[1] Véase la clave que sigue a los prefacios para la explicación de QC y las otras siglas usadas al citar las obras de Cadalso. Salvo otra indicación, la información sobre la condesa-duquesa de Benavente procede del estudio de la condesa de Yebes, *La condesa-duquesa de Benavente. Una vida en unas cartas* (Madrid, 1955).

darropa y decoración de su casa se guiaba por las últimas modas de París y Londres. Pero según el poeta Iriarte hablaba y escribía en el más sencillo y puro español [2], evitando los galicismos afectados que se usaban en la conversación en los salones de toda Europa en el siglo XVIII. La condesa-duquesa rivalizaba en elegancia con la celebrada María Teresa Cayetana, duquesa de Alba, *arbiter elegantiarum* de la sociedad madrileña. Y sin embargo, según observación de Iriarte, era una verdadera amazona a caballo y en las cacerías. Dice que ella gustaba de explorar los valles solitarios y las alturas peligrosas y que no vacilaba en albergarse en las más incómodas posadas campestres. Algunos autores cuentan que incluso luchó junto a su marido en el bloqueo y reconquista de Menorca en 1781, y que en otra ocasión ayudó con ánimo a los hombres a amontonar sacos de arena para la defensa de una fortaleza asediada [3].

En todos los países de la Europa dieciochesca las damas aristocráticas desempeñaban un importante papel en los círculos literarios; y, a la manera de la lady Mary Wortley Montagu en Inglaterra, la marquesa de Deffand en Francia, o su predecesora española la condesa de Lemos-marquesa de Sarriá, la condesa-duquesa de Benavente prefería la compañía de los literatos. Tenía una mente aguda y masculina, y en las discusiones no estaba por debajo de ninguno de ellos. Según Iriarte, tenían como regla que cuando estaban a su mesa la más completa igualdad reinaba entre ellos, como entre conciudadanos de la «República de las Letras»; y «el necio cumplimiento / no tuvo atrevimiento / de pisar el umbral de aquella estancia». To-

---

[2] Tomás de Iriarte, «Epístola jocoseria a la Excma. Sra. Condesa de Benavente», en Emilio Cotarelo y Mori, *Iriarte y su época* (Madrid, 1897), Apéndice IV, págs. 478-483.

[3] Cotarelo, pág. 235; Yebes, pág. 13.

más de Iriarte y Ramón de la Cruz escribieron piezas para el teatro privado de la condesa-duquesa; y, de la gran biblioteca de la familia Osuna, María Josefa proporcionó a Leandro Fernández de Moratín algunos de los rarísimos libros y documentos que éste examinó para su estudio histórico sobre los *Orígenes del teatro español.* Con la ayuda de diplomáticos españoles como Bernardo de Iriarte, hermano del poeta, la condesa-duquesa compraba composiciones musicales originales de famosos compositores como Haydn, cuyas obras don Tomás se complacía en interpretar con el violín y el violoncelo. Desde los primeros años de su matrimonio con el marqués de Peñafiel y futuro duque de Osuna, la casa de la condesa-duquesa estaba adornada con pinturas de Rubens, Van Dyck y otros muchos pintores europeos. Más tarde llegaría a ser una de las principales clientes de Goya, lo cual indica la orientación española de sus gustos culturales cosmopolitas; y lo mismo se evidencia por el hecho de que durante uno de su embarazos tenía siempre a su lado un ejemplar de *Don Quijote.*

La condesa-duquesa participaba de aquel especial interés que sentían las damas «ilustradas» del siglo XVIII por la astronomía y las otras ciencias físicas; interés que produjo libros curiosos como el del conde Algarroti, *Il newtonianismo per le dame,* y llevó incluso a las aristócratas a realizar ellas mismas experimentos científicos. María Josefa y su marido importaron de Alemania e Italia algunos de los autómatas que estaban causando gran sensación en los salones europeos. Aceptaban dedicatorias de nuevos libros sobre cirugía; y recibían dibujos para goniómetros y otros instrumentos, así como proposiciones de inventores y científicos que veían en la condesa-duquesa y en el duque los protectores más adecuados para ayudar a llevar a la humanidad los beneficios de tales adelantos. A la edad de sesenta y un años, la condesa-duquesa se interesaba todavía de tal modo en la ciencia que encargó un nuevo telescopio a Londres en el momento más reñido del sitio de Cádiz, donde residía a la sazón.

Pero además la condesa-duquesa tenía otro interés más «poético» en el reino de la naturaleza. Siguiendo el ejemplo de ciertos aristócratas ingleses del siglo XVIII que entretenían su esplín con la melancólica perspectiva de románticos jardines, llenos de árboles muertos cuidadosamente plantados así, espesuras creadas por sus arquitectos, así como grutas, ruinas y ermitas igualmente falsificadas, la condesa-duquesa hizo embellecer su casa de campo «El Capricho» con un paisaje, mezcla de rústico y clásico, que combinaba cosas tales como grutas e islas habitables con templos de granito y estatuas de dioses grecorromanos y hasta una ermita que estuvo realmente habitada durante más de tres décadas, primero por un tal fray Arsenio y después por un fray Eusebio.

Relacionadas muy de cerca con este nuevo interés por la naturaleza incorrupta, estaban las aspiraciones de las sociedades humanitarias fundadas hacia fines del siglo XVIII, que trataban de resucitar las emociones naturales, tales como la generosidad, el amor al prójimo y el deseo de ayudarle. (¡En el año 1770 la Sociedad Económica de Madrid votó por unanimidad la conveniencia de alentar a la aristocracia a volver a la naturaleza!). La condesa-duquesa y su marido se encontraban entre los principales participantes en estos movimientos humanitarios. Ella fue la primera presidenta de la rama femenina de la Sociedad Económica de Madrid, o sea la Sociedad de las Damas de Honor y Mérito, y su marido el duque inauguró una sociedad humanitaria en las tierras patrimoniales de la casa de Benavente cuyo propósito era «reunir ya para siempre nuestros conatos en beneficio de la patria, o mejor decir de nuestros semejantes y de nosotros mismos». La digresión precedente tenía como propósito dar al lector alguna idea de los gustos y talentos intelectuales de María Josefa antes de preguntarnos hasta qué punto se formarían por sus conversaciones con Cadalso, a quien conoció cuando tenía sólo diecisiete años. Pero, lo que es aún más importante, ¿cómo influyeron en Cadalso estos intercambios de ideas? Tales son las preguntas que han de contestarse en el resto de este capítulo.

La influencia de Cadalso puede haber fomentado la igualdad cordial y la libertad que reinaban cuando él y otros literatos se reunían en torno a la mesa de la condesa-duquesa. Al menos, en sus *Cartas marruecas,* que según todas las probabilidades se leyeron al grupo en una de tales ocasiones, habla de la «amistad universal» y se manifiesta en contra de la adulación y a favor de la franqueza, por ejemplo: «mi sinceridad es tanta, que en nada puede mi lengua hacer traición a mi corazón» (CM, 45-80 y passim). Cadalso indudablemente especulaba sobre el «verdadero» significado del *Quijote* cuando estaba con sus amigos así, como lo hacía en sus escritos (CM, 131-132)[4], y puede que fuera él quien despertara en María Josefa su interés por Cervantes. A Cadalso le preocupa mucho el que «el atraso de las ciencias en España en este siglo... proceda de la falta de protección que hallan sus profesores» (CM, 21); y así él animaría a la condesa-duquesa y a su esposo a continuar patrocinando a los científicos. Las *Noches lúgubres* de Cadalso, así como ciertas poesías melancólicas que tenía sobre la naturaleza, debieron de influir en el gusto prerromántico

[4] Las *Cartas marruecas* y otras obras de Cadalso contienen también muchas reminiscencias estilísticas de Cervantes, que han sido estudiadas por Ramírez Araujo en el artículo registrado en la Bibliografía.

que la condesa-duquesa demostró en el jardín de su finca campestre.

En una epístola en verso titulada *Carta a Augusta, matrona que, inclinada a la filosofía, empieza a fastidiarse de la Corte,* que ahora se cree que se compondría pensando en una de las dos condesas-duquesas de Benavente, probablemente la condesa-duquesa viuda, madre de María Josefa, y que sin duda alguna se escribiría entre 1768 y 1770, después de ser desterrado Cadalso de Madrid por escribir y hacer circular una sátira ridiculizando las costumbres de la alta sociedad, éste invita a la encantadora y melancólica destinataria a unirse a él en el campo:

> Vente a la aldea; su sencilla vida
> a la naturaleza es parecida.
>
> Al campo y los placeres que presenta
> aprecia, busca, goza, experimenta.
>
> (BAE, LXI, 259a) [5]

[5] Glendinning observa que las alusiones al río Ebro en dicha *Carta* nos dan su fecha, puesto que Cadalso estuvo en Aragón desde 1768 a 1770 *(Vida y obra de Cadalso* [Madrid, 1962], pág. 126). Creo que Felipe Ximénez de Sandoval tiene razón al deducir que se dirigía a una de las condesas-duquesas *(Cadalso. Vida y muerte de un poeta soldado* [Madrid, 1967], págs. 147-148). Pero como María Josefa en aquel tiempo tenía entre diecisiete y dieciocho años y no estaba casada todavía y por lo tanto difícilmente podía ser llamada «matrona», la *Carta* debe de haberse dirigido a su madre doña María Francisca. Esta última era conocida también como doña Faustina (Yebes, página 100), y evidentemente Cadalso aprovechó las semejanzas semánticas y fonéticas entre *fausto* y *augusto (Carta a Augusta)* y sus diversas formas para apuntar la alusión a la madre. «La Benabent [sic]», mencionada en el *Calendario manual* de Cadalso (OI, 334), obra que contribuyó a su destierro a Aragón, y «la Benavente» que Cadalso considera en gran parte responsable de su destierro de 1768 (AA, 125) son sin lugar a duda la madre. La *Carta,* el *Calendario* (1768) y la referencia contenida en la autobiografía sugieren también la que es muy probablemente la fecha aproximada del comienzo de la amistad de Cadalso con estas dos damas.

Aun cuando María Josefa no haya conocido por primera vez la nueva moda rousseauniana del «retorno a la naturaleza» a través de la carta en verso de Cadalso a su madre, es bien posible que la natural benevolencia de la condesa-duquesa y del duque en su activo papel dentro de las sociedades humanitarias haya sido animada por el principio de Cadalso de que de ningún modo «ha depositado naturaleza el bien social de los hombres» en manos de los órdenes existentes de la sociedad, sino más bien en el poder de la «amistad» que «sólo se halla entre los hombres que se miran sin competencia» (CM, 82).

Al establecer una sociedad humanitaria en las tierras de la casa de Benavente, el futuro duque de Osuna realizaba el ideal del aristócrata socialmente consciente que Cadalso presenta en sus *Cartas marruecas*. Osuna era un hombre bueno y un buen ciudadano, y no un hombre bueno pero mal ciudadano, como cierto caballero que Cadalso condena por retirarse a su casa de campo a gozar de los placeres de la naturaleza de modo egoísta (CM, 152-159). Es seguro que la condesa-duquesa también se sentiría influida por las ideas de Cadalso sobre otras muchas cuestiones; pero, para mencionar sólo dos más, su cosmopolitismo puede deber algo a la idea de la ciudadanía mundial que Cadalso tenía en común con Goldsmith y otros escritores de la Ilustración; y el español puro que ella hablaba quizá se inspirara en parte en la insistencia de Cadalso en el purismo lingüístico; porque parece ser que éste, la condesa-duquesa y su marido estaban totalmente de acuerdo en cuestiones de lengua, y por lo visto usaban a las veces un español afrancesado como una cifra burlesca para su insistencia común en el castellano puro. Pero volveremos más tarde sobre estos temas.

En una palabra, la condesa-duquesa podría haber descrito su deuda con Cadalso del mismo modo que lo hizo Meléndez Valdés:

> Mi gusto, mi afición a los buenos libros... todo es suyo. Él... me abrió los ojos, me enseñó, me inspiró este noble entusiasmo de la amistad, me formó el juicio (BAE, LXI, cvi-cvii).

La correspondencia entre Cadalso y las dos condesas-duquesas se ha perdido en su totalidad. Mas eso no quiere decir en modo alguno que nuestros juicios sobre la influencia de Cadalso en las ideas y los gustos de María Josefa sean meras especulaciones; pues es un hecho innegable y verificado que su intercambio de juicios e impresiones era continuo, lo mismo cuando el escritor-soldado estaba destinado en Madrid que durante sus ausencias de la capital. Comentando la regularidad de este intercambio, Cadalso se refiere, en tono irónico, en una carta dirigida a Meléndez Valdés, a la existencia entonces, en Madrid, de las cartas por él «escritas a la excelentísima señora condesa de Benavente, entre cuyas admirables prendas se ha hallado una sola extravagancia, que ha sido estimar mis cartas y conversación» (QC, 27). Todas las cartas existentes de Cadalso se relacionan temáticamente con sus obras literarias; y él dice, en la misma carta a Meléndez, que no le importaría que su correspondencia con la condesa-duquesa y su madre se publicara en una colección de cartas suyas después de su muerte; lo cual indica claramente que tales cartas centraban su interés en los mismos asuntos que sus otras cartas y obras literarias. Otro indicio del probable contenido de las cartas que Cadalso dirigió a la condesa-duquesa puede deducirse del hecho de que, hacia 1774, sostenía una correspondencia similar con otra «dama joven y llena de talento, que me ha escrito a Montijo, filosofando mejor que muchos hombres que conozco preciados de filosofar» (QC, 28). Nos vienen a la mente las cartas de tendencia filosófica de Julie en la *Nouvelle Héloïse*, de Rousseau, y también las aficiones filosóficas de la condesa-duquesa madre, tales como se presentan en la *Carta a Augusta*. Iriarte nos dice que normalmente la condesa-duquesa hacía copiar las obras inéditas de sus amigos [6], y es casi seguro que la copia manuscrita de las *Cartas marruecas* que estuvo en la biblioteca del duque de Osuna hasta 1886 puede considerarse como otro testimonio de la admiración de la condesa-duquesa por las ideas de Cadalso [7]. (Esta copia, al parecer para ella, debió de hacerse sobre una de las del propio autor cuando se había hecho evidente que el Consejo de Castilla no iba a autorizar la publicación de la obra sin una demora especialmente larga.)

«Si se tuviese más cuidado en escribir las costumbres de la nación —resumía Cadalso—, esta amistad formaría época en semejante historia» (QC, 27). Este estrecho lazo entre la condesa-duquesa y Cadalso es en sí mismo fascinante, pues, a pesar de la importancia que él le daba, ningún biógrafo de ninguna de las dos figuras le ha dedicado más que una mención pasajera (la condesa de Yebes, en su biografía de la condesa-duquesa no la menciona en absolu-

---

[6] «Epístola jocoseria», Cotarelo, pág. 478.

[7] En *Vida* (pág. 133), Glendinning dice que la amistad de la condesa-duquesa con Cadalso puede explicar cómo llegó a incorporarse a la biblioteca de Osuna la copia manuscrita de las *Cartas marruecas*. Cuatro años más tarde, en el prólogo a su edición de las *Cartas*, parece haber pensado mejor sobre esta conjetura cuando dice que no hay pruebas de que el manuscrito estuviese en la biblioteca de Osuna al final del XIX (CM, xlix, nota 161). Pero Glendinning no tuvo en cuenta lo que nos dice Iriarte sobre la costumbre que tenía María Josefa de hacer copiar los manuscritos, y esto parece confirmar su primera suposición. La fidelidad aparente de la copia de Osuna al original perdido se demuestra en CM, xlviii-liv.

to). Mas no me interesa tanto el aspecto biográfico de esta amistad, como la luz que arroja sobre la forma de las ideas de Cadalso y la génesis de su estilo, en una obra como las *Cartas marruecas,* el intercambio de puntos de vista con grandes personajes como la condesa-duquesa. Para comprender a un autor hay que tratar de verle en el «contexto creativo» en el que sus obras se produjeron, y éste es el propósito que me ha guiado al reconstruir la amistad de Cadalso con la condesa-duquesa: esta amistad representa el ambiente humano en el que nacieron obras como las *Cartas marruecas.* El mentor —y Cadalso lo fue para un gran número de sus contemporáneos— comienza con ciertas ideas; después el giro de una frase sugerida por las personalidades de los que le escuchan, altera la implicación de una idea o suscita una cadena de ideas nuevas, y al final el intercambio ha dejado una huella casi tan profunda en el mentor como en sus discípulos. La sensibilidad de Cadalso respecto al temperamento de sus interlocutores nos la sugiere el hecho de que compuso semblanzas de veintitrés importantes amigos y conocidos, entre ellos la condesa-duquesa, su madre y su marido (AA, 134) —escritos que desgraciadamente se han perdido.

Para la segunda mitad del siglo XVIII, salvo algunos nombramientos diplomáticos y militares, la vieja aristocracia había cedido casi todos sus deberes oficiales a una nueva generación de funcionarios civiles de origen burgués. Los herederos de las grandes casas tenían así tiempo para leer y conversar, especialmente para conversar y refinar este arte exquisito. (El autor de la famosa *Poética* dieciochesca, Luzán, incluso escribió una *Retórica de las conversaciones,* en la que ofrecía los medios para adquirir primor y pulidez en el hablar.) Los aristócratas y otros elegantes llegaron a sentir una devoción por las ideas y la adquisición de conocimientos útiles mucho más entusiasta de lo que se podría imaginar si hubiésemos leído solamente *Los eruditos a la violeta.* Pero en conjunto los aristócratas de la Ilustración todavía no leían *in extenso,* pues el ritual social de su clase ocupaba gran parte de su tiempo. Además, el principal fin de la lectura era el de estimular la conversación, y por su parte preferían confiar en esta última para informarse de las últimas noticias sobre las conquistas del intelecto humano. Confrontado con estos lectores «ilustrados» pero poco asiduos, Cadalso observa que cualquier cosa que tienda a «aumentar el peso y tamaño del libro... es el mayor inconveniente que puede tener una obra moderna» (CM, 5). Al mismo tiempo que los libros perdían peso físicamente, su estilo también se fue haciendo más ligero, más rápido, más semejante al de la conversación elegante. En primer lugar, la censura eclesiástica había aflojado en cierto modo: desde 1760 aproximadamente, cada vez menos libros llevaban las largas y aburridas *censuras* y *aprobaciones* que los de períodos anteriores siempre habían incluido en sus páginas preliminares. En la primera mitad del siglo XVIII, incluso los literatos más mundanos, como Torres Villarroel e Isla, eran todavía clérigos que, ya fuese cultivando la sátira rebelde, ya el humorismo frailesco, o ya la moralización de *Cristo en mano e infierno por delante,* siempre escribían dentro del marco de la mentalidad teológica. En cambio, en la segunda parte del siglo los escritores eran en gran parte personas seglares de origen burgués o hidalgo (Cadalso, Iriarte, Moratín, padre e hijo, Meléndez, Jovellanos, etcétera), que estaban todavía más libres, si se sentían inclinados a ello, para moverse en los elegantes círculos laicos, para hablar el lenguaje de éstos y para adoptar sus gustos (así como para modelar ellos mismos este lenguaje y estos gustos).

En toda Europa, en el siglo XVIII, los géneros literarios más populares eran los que se basaban en las cartas, vehículo de la conversación entre los amigos alejados y quizá en muchos aspectos una manera tan eficaz de representar la conversación por escrito como lo es el diálogo. La *Pamela* y la *Clarissa* de Richardson, *La Nouvelle Héloïse* de Rousseau, el *Werther* de Goethe y *Les liaisons dangereuses* de Choderlos de Laclos, son solamente las más conocidas de las novelas epistolares que fueron objeto del entusiasmo de los lectores dieciochescos. Las *Lettres persanes* de Montesquieu, *The citizen of the world* de Goldsmith y las *Cartas marruecas* de Cadalso no fueron, en modo alguno, las únicas colecciones de esas cartas críticas pseudoorientales que se suponía escritas por viajeros orientales (personajes de ficción) que pasaban temporadas en países de Occidente. Alexander Pope, Horace Walpole, Voltaire, Diderot, Iriarte, Jovellanos y muchos otros escritores del XVIII sostuvieron correspondencias voluminosas. La *Correspondance littéraire,* del barón von Grimm, mantuvo informados a los soberanos de toda Europa sobre las últimas noticias culturales, dándoles así temas de conversación. En su segunda serie de ensayos, las *Cartas eruditas y curiosas,* Feijoo cambió al estilo epistolar, y ese cambio resultó muy apropiado en un escritor cuya compañía era apreciada por «los que gozamos de su amena, sabrosa y dulce conversación», y respecto a quien los que estaban a su alrededor observaban que «no se halla diferencia entre su conversación y escritos» [8]. La revista *El Pensador matritense,* publicada durante la década de 1760, contiene muchas cartas.

---

[8] *Aprobación* del R. P. Baltasar Díaz, en Benito Jerónimo Feijoo, *Teatro crítico universal* (Madrid, 1769), VII, xvi.

La literatura crítica de períodos anteriores que los españoles de la década de 1760 todavía leían y que se seguía publicando, era algunas veces epistolar, si bien no en la forma, al menos en el tono y la función: por ejemplo en 1764 el editor Ibarra publicó una nueva edición de *El hombre práctico,* una deliciosa colección de sesenta y un ensayos cortos de estilo sencillo, sobre el estado de las artes liberales en la Europa de 1680, que el tercer conde de Fernán Núñez, diplomático y militar, escribió para promover la educación de sus hijos. Otro género «conversacional» que siguió siendo popular hasta bien entrado el XVIII son los llamados *-ana* o colecciones de dichos tomados de la conversación de hombres famosos, tales como los *Scaligerana,* o frases de Scaliger, los *Menagiana,* o sea rasgos de ingenio de Gilles Ménage, etc. En las páginas preliminares de los *Longueruana* (1754) o dichos de Louis Dufour de Longuerue, el procedimiento del compilador se describe así:

> al volver a su casa anotaba todo lo que había oído decir a su amigo [Monsieur Dufour] y hacía uso de las propias expresiones de éste, por singulares que fuesen... esta colección es el resultado de lo que se decía en la conversación animada y libre, pasando de un tema a otro sin secuencia ni transición [9].

(Esto recuerda la minuciosidad estenográfica de Boswell al apuntar las conversaciones del doctor Johnson.) También Cadalso encuentra en sus cartas esa libertad «conversacional» para pasar de uno a otro tema «sin secuencia ni transición», como lo hace el compilador de las frases de Louis Dufour. Al analizar el género a que pertenecen las *Cartas marruecas,* el mismo Cadalso atribuye en gran parte «el mayor suceso de esta especie de críticas... al método epis-

---

[9] *Longuerana, ou recueil de pensées, de discours, et de conversations de feu M. Louis Dufour de Longuerue* (Berlín, 1754), I, xii-xiii.

tolar, que hace... su distribución más fácil» (CM, 3). En el capítulo VI veremos que existe también una razón filosófica para la libre organización interna de las *Cartas marruecas.*

Los contextos europeo y nacional, humano y literario, en que fueron escritas las *Cartas marruecas* eran conversacionales. Inspirada en las conversaciones con la condesa-duquesa de Benavente y otros interlocutores aristocráticos, la obra se escribió en una Europa que cultivaba fervorosamente todos los géneros conversacionales. En la «Protesta literaria» o epílogo a las *Cartas marruecas,* Cadalso alude a lo que ya hemos deducido, a saber, que una de sus intenciones era la de representar en el estilo de su obra el atractivo y facilidad de la conversación. Ha tenido un sueño en que unos amigos enfadados se quejaban de que, si escribiera otra obra más seria que estaba planeando, «esparcirías una densísima nube sobre todo lo brillante de nuestras conversaciones e ideas; lograrías apartarnos de la sociedad frívola, del pasatiempo libre y de la vida ligera». Le advertían después sus indignados amigos que iban a «prohibir a nosotros mismos, a nuestros hijos, mujeres y criados, tan odiosa lectura» (CM, 203).

Es muy significativa la mención de los sirvientes como lectores en este pasaje sobre el estilo, porque la meta estilística del ensayista popular del siglo XVIII —conversador por escrito— se representa por otra de las cualidades que los contemporáneos de Feijoo encontraban en sus escritos: «El más rudo entiende lo que dice, y el más sutil alaba el modo» [10]. Se hacía tanto hincapié en un estilo sencillo, sencillo aunque ingenioso, porque como el mismo Feijoo decía:

> mejor que los mejores libros es la buena conversación. La enseñanza que se comunica por medio de la voz es natural... La

---

[10] *Censura* del lic. don Pedro de la Torre, *Teatro crítico,* III, xxii.

> lengua escribe en la alma como la mano en el papel. Lo que se oye es el primer traslado que se saca de la mente... lo que se lee ya es copia de copia [11].

El problema del estilo para el ensayista dieciochesco interesado en imitar el tono conversacional, es esencialmente el mismo que tiene el poeta: crear con las palabras un mecanismo ingenioso que dé la impresión de una comunicación inmediata y espontánea. Indudablemente el siglo XVIII era más consciente que ningún otro de que el verdadero arte del estilo reside en el saber escribir esa clase de frase que puede leerse con tan poco esfuerzo, que la inteligencia comprende y reacciona tan pronto como la palabra impresiona la retina; los escritores dieciochescos también comprendían, mejor que los de otros siglos, que esos períodos al parecer tan sencillos y tan espontáneos como la conversación, son precisamente los más difíciles de escribir.

El hecho de que las *Cartas marruecas* nacieron de la conversación y tenían como fin el de estimular la conversación, se refleja por el uso constante en ellas del diálogo y el estilo indirecto (diálogos parafraseados). Estas formas aparecen en la obra de Cadalso mucho más frecuentemente que en las *Lettres persanes,* y quizá incluso más a menudo que en *The citizen of the world.* En la parte descriptiva y narrativa de la obra también se nos permite echar varias ojeadas a la clase de sociedad cuya conversación fue su principal inspiración, y esto nos lleva de nuevo al tema original del presente capítulo, la amistad de Cadalso con una de las damas aristocráticas que fomentaban las reuniones literarias en la capital española. Las notas mentales de Cadalso

---

[11] Feijoo, «La ambición en el solio», *Teatro crítico,* ed. Agustín Millares Carlo, BAE, CXLI (1961), 337a.

para la siguiente escena, descrita con una técnica que prefigura la de la novela del siglo XIX, es obvio que se tomaron en una reunión de ese tipo, quizá en casa de la condesa-duquesa:

> Entré cuando acababan de tomar café y empezaban a conversar. Una señora se iba a poner al clave; dos señoritas de poca edad leían con mucho misterio un papel en el balcón; otra dama estaba haciendo una escarapela; un oficial joven estaba vuelto de espaldas a la chimenea; uno viejo empezaba a roncar sentado en un sillón a la lumbre; un abate miraba al jardín, y al mismo tiempo leía algo en un libro negro y dorado; y otras gentes hablaban. Saludáronme al entrar todos, menos unas tres señoras y otros tantos jóvenes que estaban embebidos en una conversación al parecer la más seria (CM, 121-122).

Conversación, conversación, es lo que llena las *Cartas marruecas;* pues el lector es admitido también en otros animados salones, así como en grupos de amigos que se reúnen en cafés para sumergirse en vivos intercambios.

Pocos años después de acabar las *Cartas marruecas,* hacia 1778, Cadalso pasó seis meses en Madrid y éste fue socialmente uno de los períodos más brillantes de su vida.

> El Príncipe y Princesa [de Asturias, es decir, el futuro Carlos IV y María Luisa de Parma] tienen buena opinión de mí, como me lo han manifestado —escribía en aquel tiempo—. Sus favoritos Peñafiel [el esposo de la condesa-duquesa], Piñateli, Montijo son amigos míos (AA, 138).

En estos meses de Madrid se produjo una ruptura entre Cadalso y la condesa-duquesa:

> durante mi mansión de seis meses, me separé de la intimidad con la Benavente, por razón de la mudanza de su genio debida

> al influjo de Miguel Arriaga; pero quedamos regularmente, y conjeturo que siempre que me convenga estrechar, estará ella pronta (AA, 138).

Pero justamente antes de esta ruptura sin duda temporal, la relación entre ellos era especialmente cordial y de nuevo influyó en los escritos de Cadalso. Por entonces se le podía ver en las calles de Madrid dando escolta a la elegante dama de veintiséis años. Escribía al marqués de Peñafiel, que estaba fuera, tal vez en cumplimiento de sus deberes militares, informándole de la salud y actividades de la condesa-duquesa: «Yo he tenido hoy el honor de acompañarla la más grande partida de la jornada a la mesa, al paseo y al teatro» —dice en estilo galicista burlesco— (OI, 302).

El estilo de esta carta al consorte de la condesa-duquesa imita primero el español medieval y después el español afrancesado de los más afectados frecuentadores de los salones elegantes. El «español medieval» de la primera parte parece ser una alusión a la común insistencia de los tres amigos en el purismo lingüístico. En los salones, para burlarse con cierta impunidad de los afrancesados que por allí andaban, los tres debieron de usar una especie de contraseña, como podía ser el hablarse entre sí en esa misma jerga pretenciosa. Esto se sugiere por el hecho de que en esta carta Cadalso pasa del español medieval al español afrancesado, precisamente cuando empieza a describir el día que ha pasado con la condesa-duquesa en los sitios elegantes de Madrid. Mas la presencia de este español ridículamente afrancesado en una carta dirigida al marqués de Peñafiel, el usarlo en especial para hablar de «madama la marquesa» y el tono de la carta en general, son también claves para identificar los modelos reales para una escena muy interesante contenida en una obra corta que Cadalso escribió en la misma época en que escoltaba a la condesa-duquesa por Madrid. Me refiero a los *Anales de cinco días, o carta de un amigo a otro,* que Glendinning y otros eruditos han fechado como de 1778 ó 1779, aunque parece casi seguro que se escribió con referencia a 1778, si no durante ese año [12].

En los *Anales,* que están escritos en el mismo estilo epistolar, mezclado con el diálogo, que las *Cartas marruecas,* se ve al autor asistiendo a la *levée* y la *toilette* de una gran señora, seguramente la condesa-duquesa, a juzgar por ciertas alusiones contenidas en la obra. Por ejemplo, al ir hacia la casa de la señora, el autor pasa por la calle de Leganitos, que es donde vivió la condesa-duquesa hasta 1781 (O, III, 372) [13]. El autor dice que es muy amigo del marido de la dama, «Perico, que no es el de los Palotes, ni tan chico como Perico Urdemalas, ni tan grande como el zar Pedro» (O, III, 374), lo cual es una descripción bastante justa de la condición social de don *Pedro* Alcántara Téllez Girón, marqués de Peñafiel, conde-duque de Benavente y futuro duque de Osuna. El autor presencia la elección de vestido y zapatos por la gran señora, y ve cómo su peluquero de Picardía (la condesa-duquesa tenía un peluquero francés) da los últimos toques a su peinado de tres horas y media, mientras la dama considera un sombrero adornado con cintas, a modo de turbante de gasa, del mismo tipo que lleva

[12] Los *Anales* contienen la siguiente referencia a la época cuaresmal: «Vino la Semana Santa, y con ella se acabaron las diversiones» (O, III, 405). Cadalso estuvo en Madrid en 1778 hasta agosto (AA, 139), pero parece ser que o bien no estuvo en Madrid en los primeros meses de 1779, o bien se marchó antes de Semana Santa; pues, según Glendinning, pasó a servir en la Marina, al frente de 170 hombres, en marzo de 1779 *(Vida,* pág. 143). La Semana Santa no empezó aquel año hasta el 28 de marzo (Domingo de Ramos).

[13] Yebes, págs. 8, 14.

la condesa-duquesa en un dibujo de Goya (O, III, 377, 379, 383, 384, 386)[14].

Cadalso quizá venía asistiendo a estas reuniones matutinas en casa de los Benavente desde hacía unos diez años; pues ya en su *Carta a Augusta,* probablemente dirigida a la condesa-duquesa viuda, como he dicho antes, advierte a la encantadora señora que si se va a vivir al campo no tendrá «de fatuos una turba bulliciosa / que tu toaleta vea» (BAE, LXI, 259a). En cualquier caso, en la sesión descrita en los *Anales,* el autor ridiculiza sin piedad los galicismos que pone en boca del señor, la señora, los criados y el peluquero; lo cual sugiere que la obra es otra de las bromas de Cadalso a sus amigos, la condesa-duquesa de Benavente y su marido, lo mismo que la carta, mitad medieval, mitad afrancesada, dirigida al marqués de Peñafiel, o la conocidísima carta afrancesada de una señora a la moda citada en la carta XXXV de las *Cartas marruecas,* porque es muy probable que Cadalso, también cuando escribió esta carta, tuviera presente a la condesa-duquesa y la perenne broma lingüística que gastaban. (El español afrancesado no era sólo una broma lingüística entre los tres amigos puristas. Parece que Cadalso lo usaba también como una especie de metáfora para hacer burla del exotismo y preciosismo del atuendo a la moda de la condesa-duquesa, y la carta XXXV de las *Cartas marruecas* también tiene en común con los *Anales* la ridiculización de las modas francesas.)

Lo que quisiera destacar, al dar fin a este capítulo, es el hecho significativo de que una vez más, en la última obra de Cadalso, la conversación con la condesa-duquesa y otros nobles le lleva a un estilo epistolar de tono conversacional,

---

[14] Véase el dibujo de Goya, grabado por Fernando Selma, enfrente de la pág. 96 de Yebes.

con diálogos interpolados; pues la gran señora y su marido «Perico», en los *Anales*, prefieren la compañía de «hombres que saben jugar, cortejar y hablar de modas» (O, III, 373)[15].

---

[15] Aunque los eruditos en realidad no han puesto en duda la autoría cadalsiana de los *Anales*, han solido sentirse obligados a ofrecer argumentos para confirmarla. Véase, por ejemplo, Glendinning, páginas 147-148. Además del tema y la forma de los *Anales*, tan en armonía con los de otras obras de Cadalso, los eruditos podrían haber destacado también una serie de señales concretas de la presencia de la mano de Cadalso en esta obra de 1778: una referencia (O, III, 414) a la risa de Demócrito y las lágrimas de Heráclito (*Los eruditos a la violeta* están dedicados a Demócrito y Heráclito, y más tarde volveremos sobre este paralelo); la ridiculización constante del «siglo ilustrado», que es típico de Cadalso; un autorretrato (O, III, 402), que analizaré en el capítulo III, etc.

CAPÍTULO II

«CON PRENDAS DE MI AMOR REGLAS DEL ARTE»

> Verum enim amicum qui intuetur, tamquam exemplar aliquod intuetur sui.
>
> (Cicerón, *De amicitia,* VII)

> [Verus amicus] se ipse diligit et alterum anquirit, cuius animum ita cum suo misceat, ut efficiat paene unum ex duobus!
>
> (Cicerón, *De amicitia,* XXI)

Algunos versos originales y un ejemplar de la poesía de Garcilaso de la Vega —«Con prendas de mi amor reglas del arte»— fueron los regalos que Cadalso envió una vez a un joven poeta y amigo, probablemente Meléndez Valdés (BAE, LXI, 256b). Quizá el rasgo que mejor caracteriza a todos los miembros de la llamada Escuela de Salamanca (y les distingue más claramente de los poetas de la Escuela de Sevilla o de los que escribían en Madrid) sea su insistencia en el éxtasis, el carácter sagrado y el consuelo de la amistad: su poesía es poesía escrita por, para y sobre sus amigos. Si las escuelas literarias fueran realmente grupos organizados, como la palabra sugiere, habría que considerar a Cadalso como uno de los fundadores de la segunda Escuela de Salamanca, o sea la dieciochesca; y como tal, aparte de estimular en ella el fervoroso estudio de la poesía del Siglo de Oro y la filosofía moderna, su principal contribución al grupo fue el unir a los miembros en un profundo sentido de los deberes de la amistad.

Con pocas excepciones, los poetas de la Escuela de Salamanca alaban repetidamente esa exquisita forma de amistad que toda Europa había gozado desde que las principales obras de Rousseau (inspiradas en parte en ciertas ideas grecolatinas sobre la amistad) se publicaron en los primeros años sesenta del siglo. En la amistad veían, como Rousseau, la pasión más noble del hombre y casi todos ellos podrían haber hecho la misma afirmación que él hizo, es decir, que «no sé por qué capricho de la naturaleza, la amistad para mí siempre se aventaja al amor». También estaban de acuerdo con Voltaire en que la verdadera amistad es «un contrato sin palabras entre dos personas virtuosas y sensibles», sobre todo sensibles [1].

El tierno lazo que unía a los poetas de Salamanca está quizá más fielmente dibujado en el ardiente elogio con que Cienfuegos, miembro de la tercera generación de la Escuela, dedica a sus amigos la edición de 1798 de sus *Poesías*. Se dirige a ellos como a

> los cariñosos compañeros de mi vida, los dueños absolutos de mi corazón, los que ... me franquean recíprocamente sus almas para que lea yo en ellas su amistad y sus virtudes ... ¡Oh amigos míos! ¿podría yo no daros un testimonio público de mi amor y de mi agradecimiento, cuando si alguna belleza

---

[1] Jean-Jacques Rousseau, *Julie, ou la Nouvelle Héloïse*, «Classiques Garnier» (París, Garnier, s. a. [1935?]), I, 167; Voltaire, *Dictionnaire philosophique*, ed. Benda-Naves, «Classiques Garnier» (París, 1961), pág. 15.

> moral hay en mis poesías, toda entera la he copiado de vuestros hermosos corazones? ... Recibid, pues, oh idolatrados amigos, en este pequeño tributo, el desahogo de un corazón hondamente penetrado de vuestra amistad ... me consideraré muy laureado si la posteridad dice algún día: Fue buen amigo NICASIO ÁLVAREZ DE CIENFUEGOS (BAE, LXVII, 7a).

Más que amistad, esta devoción solícita era una forma de amor platónico. Pero a la vez se asemejaba también al amor romántico, ya que encontraba sus expresiones más conmovedoras cuando se describía sobre el fondo de la muerte y la eternidad. Además, como después veremos, los poetas de Salamanca encontraban en este nuevo tipo de amistad rousseauniana la misma gratificación para sus inclinaciones narcisistas que hallarían en el amor los románticos de un período posterior.

Quisiera llamar la atención sobre la afirmación de Cienfuegos de que había *leído* lo que estaba escrito en las almas de sus amigos. Se trata precisamente de la misma clase de imagen platónica que los poetas habían usado en otro tiempo para describir su amor hacia sus damas ideales. Por ejemplo, en su Soneto V, Garcilaso de la Vega escribe:

> Escrito está en mi alma vuestro gesto,
> y cuanto yo escrebir de vos deseo;
> vos sola lo escrebistes, yo lo leo [2].

Solamente en una época al mismo tiempo más sencilla y más sofisticada que la nuestra, podía un hombre expresar su profundo amor por otro hombre tan sin rubor como lo hicieron los poetas del siglo XVIII. Jovellanos, que tenía más en común con los poetas de Salamanca que con los de Se-

---

2 *Garcilaso de la Vega y sus comentaristas. Obras completas del poeta acompañadas de los textos íntegros de los comentarios,* ed. Antonio Gallego Morell (Granada, 1966), pág. 89 [2.ª edic., Madrid, Gredos, 1972].

villa, en su epístola en verso suelto *Jovino a sus amigos de Sevilla,* pregunta:

> Pero el sensible corazón, al casto
> fuego de la amistad solamente abierto,
> ¿se habrá de avergonzar de su ternura? [3].

El poeta español casi parece hacerse eco de las palabras de un poeta francés poco conocido que había declarado francamente su honda afección por su amigo unos años antes:

> J'en fais l'aveu sans que ta modestie / Puisse en gronder... (Lo confieso y tu modestia / no puede hallar causa para reprochármelo...) [4].

Para el tiempo de Emerson la falsa modestia había hecho todavía más difícil el hablar de los extáticos goces de una amistad perfectamente compartida, excepto en lo abstracto, y aunque tal clase de amistades todavía se den entre personas sensibles del mismo sexo, es cierto que nunca un hombre hablaría ya de sus sentimientos por un amigo como lo hace Cadalso de los suyos por Meléndez Valdés e Iglesias. En una carta que se ha publicado recientemente, Cadalso declara que el tipo de tierno cariño que siente por ellos puede ser tan apasionado como cualquier forma de amor, puesto que las almas carecen de sexo, como añade en una frase latina al final del siguiente pasaje:

> Las expresiones que en ellas [en las cartas de Batilo y Arcadio] veo, de estimación hacia mí... me deleitan, porque las considero hijas de una tierna amistad, la cual siendo como es

[3] Gaspar Melchor de Jovellanos, *Poesías,* ed. José Caso González (Oviedo, 1961), pág. 154.

[4] Jean-Joseph Vadé (d. 1757), *Épître sur l'amitié,* en *Anthologie poétique française,* ed. M. Allen, volumen dedicado al siglo XVIII (París, 1966), pág. 231.

entre nosotros finísima, produce delirios así como el amor, porque *animae carent sexu* (QC, 32)[5].

Cadalso prodiga la misma ternura en la amistad que en el amor y espera tanto de la primera como del segundo, como se puede ver por lo que escribía, en sus *Apuntaciones autobiográficas*, sobre Joaquín Oquendo, favorito del conde de Aranda, como lo era él también: «nos prometimos una amistad eterna», y por estar en aquel tiempo «desembarazado totalmente de amor, me dediqué únicamente a cultivar la amistad de Oquendo». En otra ocasión en que arriesgó su seguridad personal para ayudar a Oquendo, escribía: «Primero es mi amigo que mi fortuna» (AA, 127, 129, 131).

Aunque la Escuela de Salamanca no consideraba la amistad como algo limitado a la juventud, veía una clara relación estética entre la imagen de la juventud y la exquisitez de los lazos amistosos:

> Si el tiempo pudiese revocarse —escribía Cadalso a Meléndez en una de las varias cartas en lengua latina—, yo quisiera revocar también las cosas de mi juventud, mis años, desde luego, mi apariencia, mis conocimientos de la lengua latina, la alegría de mi corazón y mis labios... para tener más años para gozar del dulce tiempo de tu juventud y de la refinada poesía nacida de tu talento (OI, 300-301).

La importancia de la imagen juvenil para el concepto que los poetas de Salamanca tenían de la amistad se refleja también en el hecho de que Meléndez Valdés tomó su nombre poético *Batilo* del de un hermoso joven de Samos, amigo

---

[5] En el texto de esta carta, tal como se reproduce en *Hispanófila* y en el Apéndice del libro de Ximénez de Sandoval, *Cadalso* (pág. 353), aparece el error *anima* por *animae*. Yo he restaurado lo que, según se confirma por la gramática, tenía que ser la lección original de la carta de Cadalso.

del poeta griego Anacreonte, o quizá algo más que amigo, como parece reflejarse en la sensual *Oda a Batilo* compuesta por éste y, como observa Cadalso irónicamente en una carta a Iriarte, al referirse a esa elección más bien desafortunada de nombre poético por su discípulo:

> el susodicho Batilo fue un muchacho a quien el viejo malvado Anacreonte quería un poquito más que como a prójimo, al ejemplo de Júpiter para con Ganimedes, Apolo para con Jacinto, Alejandro para con Efestión, Sócrates para con Alcibíades, y etc. (OI, 318).

(Esta broma es una de las varias indicaciones de que la relación de Cadalso con los poetas de Salamanca fue puramente platónica, a pesar del tono sensual de sus palabras sobre la amistad y las conocidas tendencias homosexuales de Iglesias)[6].

Al leer las descripciones de la amistad escritas por Cadalso o sus amigos, se recuerda una y otra vez a Rousseau y a Emerson. En la *Nouvelle Héloïse*, Saint-Preux exclama dirigiéndose a su amigo el lord Bomston:

> Pero ¡amistad, Dios mío, amistad! Sentimiento radiante y celeste, ¿qué palabras son dignas de ti? ¿Acaso lo que se dice al amigo es alguna vez igual a lo que se siente al estar a su lado? Dios mío, ¡qué maravillas no se expresan en el apretón de una mano, en una ardiente mirada, al sentirse estrechado contra el corazón de un amigo por un abrazo, o en el suspiro que le sigue!... Los amigos, por decirlo así, quisieran refugiarse el uno dentro del otro[7].

---

6 Véase mi estudio «Dieciochismo, estilo místico y contemplación en *La esposa aldeana* de Iglesias de la Casa», en *Papeles de Son Armadans*, núm. 146 (mayo, 1968), 125-128, 132-133; o en mi libro *El rapto de la mente: poética y poesía dieciochescas*, «El Soto», núm. 14 (Madrid, 1970), págs. 204-207, 310-312.

7 Rousseau, *Nouvelle Héloïse*, ed. cit., II, 185-186.

Esta misma necesidad de «refugiarse el uno dentro del otro» se sugiere en el siguiente pasaje de una de las poesías de Cadalso:

> En todo el mundo no hay consuelo tanto,
> como contar a un leal amigo
> el motivo del llanto,
> sin arte, sin respeto, sin testigo.
>
> (BAE, LXI, 254a)

Emerson, en el mismo tono que Rousseau, pregunta al principio de su ensayo sobre *La amistad (Friendship):*

> ¿Qué hay tan placentero como aquellos chorros del afecto que para mí crean de nuevo un mundo joven? ¿Hay algo tan delicioso como el encuentro justo y firme de dos seres en una sola idea, en un solo sentimiento? [8].

Esa posibilidad de encontrar de nuevo un mundo joven es precisamente la promesa que la amistad de Meléndez ofrece a Cadalso; y «el encuentro de dos seres en una sola idea, en un solo sentimiento» no podría expresarse de modo más eficaz que en la reelaboración por Cienfuegos de la vieja imagen platónica de leer en el alma de otro.

Para representar la «unidad» rousseauniana que encontraban en la amistad, Cadalso y su escuela resucitaban también otras imágenes poéticas asociadas desde el Renacimiento con el concepto platónico de que los seres perfectos son como espejos de la divinidad o de los prototipos eternos de la virtud y la belleza, y que cuando dos seres así se sienten atraídos el uno al otro, en realidad lo único que sucede es que descubren el uno en el otro el mismo reflejo de lo

---

[8] *The Complete Essays and Other Writings of Ralph Waldo Emerson,* ed. Atkinson-Mac Dowell, «The Modern Library» (Nueva York, 1950), págs. 223-224.

divino que han sentido en sí mismos. Aunque el proverbio *El buen amigo es espejo del hombre*, citado por Covarrubias así como por Correas, se remonta por lo menos al período del Renacimiento, en las literaturas modernas el concepto platónico del hombre como espejo de la perfección divina siempre había estado asociado más bien con el amor cortesano que con la amistad.

En relación con el amor, las imágenes basadas en tal visión platónica todavía no dejaban de ser frecuentes en el uso poético español en los tiempos de Cadalso. Por ejemplo, en la tragedia *Raquel* (1778), de García de la Huerta, la heroína asegura a su amante, el rey Alfonso VIII, que ni el tiempo, ni el destierro, ni la ausencia, ni las torturas, ni el martirio, ni el miedo, ni las amenazas, ni los desastres, ni siquiera la dura cuchilla de la muerte

> serán bastantes a borrar del pecho,
> de tanta fe depósito y archivo,
> la imagen vuestra que por tantos años
> labró el amor, el trato y el destino [9].

Sin embargo, en el poema que encabeza las ediciones separadas de sus *Ocios de mi juventud*, Cadalso usa de modo diferente esta imagen. Apostrofa a su poesía, al enviársela a un amigo, y la palabra clave *archivo* aparece en un nuevo contexto:

> Llegad a su pecho,
> archivo del mío.
>
> (BAE, LXI, 269a)

Cadalso también sugiere la idea platónica de las almas perfectamente unidas, en el verso: «¡Oh, tierno amigo de este

[9] Vicente García de la Huerta, *Raquel*, ed. Antonio Papell, «Clásicos Ebro» (Zaragoza, 1950), pág. 66.

pecho mío! » (BAE, LXI, 254b); en su tragedia *Don Sancho García,* la condesa deposita una gran confianza en su confidente y amiga Elvira porque «su pecho es uno con el pecho mío» (SG, 36); y se encuentran ideas semejantes en las *Cartas marruecas.*

Quizá no sea sorprendente que algunas de las expresiones más cordiales de los sentimientos de éxtasis característicos de las almas platónicamente ligadas, se encuentren en pasajes en que los poetas de Salamanca reiteran la idea del precepto de Horacio sobre la necesidad de tener cuidado al elegir al amigo a quien se haya de entregar una composición poética para que la juzgue, a fin de que se distinga bien entre el falso amigo y el verdadero («inter- / noscere mendacem, verumque... amicum»), escogiendo a uno que sepa desempeñar el papel de crítico severo pero justo («fiet Aristarchus») *(Ars poetica,* vv. 425, 450). Pero hay que hacer notar ante todo que los poetas salmantinos practicaban este precepto con la mayor seriedad, y que Cadalso era para ellos un amigo al estilo horaciano y crítico por excelencia. En una carta a Nicolás Fernández de Moratín, que había enviado varios sonetos originales desde Madrid, Cadalso escribe:

> Los sonetos se leerán en la academia de Meléndez y su compañero [Iglesias] que juntos me hacen tertulia dos horas todas las noches leyendo nuestras obras o las ajenas y sujetándose cada uno de los tres a la rigurosa crítica de los otros dos (OI, 305).

La verdad es, sin embargo, que Cadalso dirigía aquellas conversaciones, como nos revela Iglesias en una carta a Ramón de Cáseda, al recordar su propia deuda con Dalmiro y la de todos

> los demás amigos que tuvieron la dicha de aprender a pensar con solidez y buen gusto con el motivo de la amistad de nuestro Cadalso, como usted sabe de experiencia (QC, 44).

Para los poetas de Salamanca el simple hecho de enseñar un poema manuscrito a otro significaba la existencia de una profunda relación espiritual entre los dos. Jovellanos, que era una especie de miembro correspondiente de la Escuela, nos dice que por lo que se refiere a sus poemas, «viéronlos solamente aquellos pocos a quienes una íntima y sensible amistad y una perfecta confrontación de sentimientos y de ideas tuvo siempre abiertas las puertas de mi corazón»[10]. Pero la muestra más segura de la devoción rousseauniana con que los poetas salmantinos se entregaban a la práctica del viejo precepto horaciano de buscar el consejo crítico de un amigo leal está en las reminiscencias melancólicas, a veces ardientes y llorosas, con que recordaban años más tarde aquellas sesiones de lectura poética a que acudían todas las noches. En una epístola poética, en verso suelto, dirigida a Meléndez e Iglesias en 1775, cuando estaba a punto de partir para una nueva y sangrienta expedición a Argelia, el capitán Cadalso preguntaba:

> ¿Serán éstos los últimos renglones
> que he de escribir con mano que enlazada
> con las vuestras un tiempo fue dichosa
> y prenda de un cariño mutuo y firme?
> ....
> ¿No más pisar entre mis dos amigos
> en pláticas gustosas e inocentes
> las orillas que baña el Padre Tormes?
> ....
> ¿No más pasar la noche obscura y larga
> de enero juntos con preciosos libros

10 Jovellanos, *Poesías*, ed. cit., pág. 89.

de gustoso moral escrito en verso
por Mendoza, León, Lope, Argensola?
(OI, 265)

En marzo de 1782, dos semanas después de la muerte de Cadalso, es evidente que Meléndez estaba pensando en aquellas frías pero cordiales veladas de enero; pues en una carta que ya se ha citado en parte en el capítulo I, nos dice que la muerte de Cadalso

> es una pérdida común para todas las almas sensibles ... Sin él, yo no sería nada. Mi gusto, mi afición a los buenos libros, mi talento poético, mi tal cual literatura, todo es suyo. Él me cogió en el segundo año de mis estudios, me abrió los ojos, me enseñó, me inspiró este noble entusiasmo de la amistad y de lo bueno, me formó el juicio; hizo conmigo todos los oficios que un buen padre con su hijo más querido (BAE, LXI, cvi-cviji, n. 2).

En casi ningún período literario nos sorprende ver el amor contrastado temáticamente con la muerte, y en ninguno menos que en el período romántico, puesto que el amor y la vida, o la fuerza de la vida, son sinónimos en muchos aspectos. Pero estamos menos acostumbrados a ver la amistad colocada en semejante contexto, o a ver la amistad de dos amigos como una trágica alianza contra la eternidad. La *Oda en la desgraciada muerte del coronel don José Cadalso, mi maestro y tierno amigo,* de Meléndez Valdés, es una muestra particularmente clara de la nueva relación entre la amistad y la muerte que la Escuela de Salamanca aportó a la poesía española. Meléndez se dirige a su amigo muerto en el apasionado tono retórico de la Época de la Sensibilidad, llamándole por su nombre poético:

¡Imagen cara! ¡idolatrado amigo!
¡Dalmiro, mi Dalmiro! ¡Sombra fría!

Aguarda, espera, tente;
tu cuerpo abrazaré, le daré abrigo,
te prestaré mi aliento, el alma mía,
dividida en los dos, tu seno aliente.
(BAE, LXIII, 239b)

Deseo destacar el hecho de que los dos combatientes en esta lucha contra la muerte se unen por un alma común. En la *Nouvelle Héloïse,* escrita diez años antes, Saint-Preux, desilusionado de la vida, hace observar a su amigo Édouard Bomston, quien está igualmente desengañado, que sería un exquisito consuelo para dos amigos «exhalar al mismo tiempo las dos mitades de su alma» [11], es decir, su alma común.

La exclusividad voluptuosa de estas amistades frente a la muerte depende en parte de la impresión del poeta de que el corazón de su amigo es una copia *(archivo)* del suyo, «la semblanza de mi ser... reiterada en forma ajena», por decirlo con palabras de Emerson [12]. Mas la búsqueda de la otra mitad de la propia alma —tema tan frecuente en la poesía de la Escuela Salmantina— se transforma finalmente en una forma de narcisismo rousseauniano, o quizá no sea demasiado pronto para decir narcisismo romántico. En cualquier caso, desde su situación en el período romántico, Emerson concluye:

> En último término, el amor es sólo el reflejo de la propia valía de un hombre por otros hombres. A veces los hombres han cambiado nombres con sus amigos, como si quisieran significar que cada uno amaba en su amigo su propia alma [13].

---

11 Rousseau, *Nouvelle Héloïse,* I, 401.
12 Emerson, *Essays,* ed. cit., pág. 299.
13 *Ibid.,* pág. 234.

El aspecto narcisista de estas amistades de los poetas de Salamanca quizá nunca sea más evidente que cuando el amigo superviviente desafía a todas las fuerzas de la eternidad para lanzar arrebatados lamentos sobre el perdido objeto de su devoción, como ocurre en el caso de Meléndez, cuyas palabras sugieren que en realidad él se siente tan turbado por el problema de su propia supervivencia como por la pérdida de Cadalso. Quintana demuestra el mismo interés narcisista en su propia supervivencia, en su oda *En la muerte de un amigo*, al preguntarse si ha de ser el último de su numeroso círculo de amigos en morir, y si así ha de contemplarse como «destinado a... verme en todos acabar» [14].

La influencia de Rousseau en el concepto de la amistad que tenía la Escuela de Salamanca, es de especial interés; porque el narcisismo de la amistad rousseauniana es, creo yo, la fuente del narcisismo del amor romántico, no sólo en general, sino específicamente en las *Noches lúgubres* de Cadalso, como veremos más tarde. Lo cierto es que la relación amorosa entre Saint-Preux y Julie es mucho menos exquisita en este sentido que la amistad entre Saint-Preux y Bomston, o entre Julie y Claire; y la relación entre Saint-Preux y Julie, por ser un lazo más carnal que espiritual, no podía con la misma facilidad dar origen a esa especie de autocontemplación psíquica a través de formas ajenas que de repente invadió la literatura durante el último tercio del siglo XVIII. «Feliz en tu desgracia —felicita Julie a Saint-Preux, a quien ha desterrado de su presencia—, has encontrado la compensación más preciosa que pueden conocer las almas sensibles. El cielo, en tu aflicción, te ha concedido un amigo» [15]. Mas según el hombre europeo de la

[14] Manuel José Quintana, *Poesías*, ed. Narciso Alonso Cortés, «Clásicos Castellanos» (Madrid, 1958), pág. 143.

[15] Rousseau, *Nouvelle Héloïse*, I, 206.

Época de la Sensibilidad iba teniendo cada vez más dificultad en distinguir entre sus infortunios y los de los otros y, según su compasión por los demás se iba convirtiendo en compasión de sí mismo, su capacidad de amistad y conmiseración (que Rousseau concebía como el instinto pasivo secundario del hombre) se encontraba cada vez más en peligro de ser asimilada a su instinto activo primario, o sea el de la propia conservación. Así, la edad que quizá mejor describió la fugaz belleza de la perfecta amistad, no logró mejor que cualquier otra llevarla a la práctica.

> ¿Adónde te has refugiado, santa amistad? —se pregunta Cadalso en las *Cartas marruecas*—. ¿Dónde te hallaremos? ¡Creíamos que tu asilo era el pecho de cualquiera de estos dos, y ambos te destierran! (CM, 109).

CAPÍTULO III

EL DANDY Y EL FILÓSOFO

Ya han marchitado mi vida
las nieves de veinte inviernos.
(Gregorio Romero Larrañaga, *Poesías*, Madrid, 1841)

Uno de los más interesantes pasajes autobiográficos de las *Cartas marruecas* es el siguiente:

> yo he tenido algunas temporadas de petimetre ... yo era algo extremado y riguroso en la observancia de las leyes de la moda, me acuerdo que llevaba la hebilla tan sumamente baja, que se me solía quedar en la calle (CM, 138).

Un curioso documento citado por Dupuis y Glendinning en una nota sobre este párrafo no deja duda alguna sobre la insistencia de Cadalso en brillar por la elegancia de su atuendo: en los primeros meses de 1759, cuando estaba todavía estudiando en el Real Seminario de Nobles de Madrid, compró once pares de zapatos; luego, más tarde, en el mismo año, compró trece pares más. ¡Veinticuatro pares de zapatos en un solo año! Su inclinación al dandismo también se distingue claramente por el meticuloso corte militar del atavío que ostenta en el conocido retrato de él pintado por P. de Castro Romero, conservado ahora en el Museo Provincial de Cádiz.

La elegancia del siglo XVIII era una elegancia muy cosmopolita; y Cadalso, que antes de los veintiún años había visitado Inglaterra, Francia, Holanda, Flandes, Italia y Alemania, en dos largos viajes por el continente, indudablemente no hace más que pintarnos el retrato de sí mismo y sus conocidos, cuando describe así las costumbres del típico caballero de su tiempo:

> toma café de Moca exquisito en taza traída de la China por Londres, pónese una camisa finísima de Holanda, luego una bata de mucho gusto tejida en León de Francia; lee un libro encuadernado en París; viste a la dirección de un sastre y peluquero francés; sale con un coche que se ha pintado donde el libro se encuadernó; va a comer, en vajilla labrada en París o Londres las viandas calientes, y en platos de Sajonia o China las frutas y dulces ... asiste a una ópera italiana, bien o mal representada, o a una tragedia francesa, bien o mal traducida (CM, 99).

Ya hemos visto que Cadalso era muy conocedor de las fantasías de la moda femenina. Pero parece haberle divertido especialmente esa afición caprichosa de las damas dieciochescas por los animalitos exquisitos y exóticos que ha sido documentada por pintores como Mengs y Goya, por ejemplo, en el retrato, del primero, de la marquesa del Llano vestida como campesina manchega con un papagayo (Academia de Bellas Artes de San Fernando), o en el retrato, debido al segundo, de la duquesa de Alba con un perrito blanco y lanudo adornado con un lazo rojo que hace juego con el lazo del mismo color que lleva su dueña en el vestido blanco (Colección Alba, Palacio de Liria). En *Los eruditos a la violeta,* Cadalso concede la posibilidad de que las damas se interesen alguna vez por las conversaciones filosóficas «como no vaya por allí algún papagayo con quien hablar, algún perrito a quien besar, algún mico con quien jugar», etc. (EV, 380-381). En la misma obra da instrucciones al galán de su época sobre la técnica de componer una oda anacreóntica «a la muerte de algún gatito, perrito o papagayo de alguna persona a quien queráis un poco más que como a prójimo», y da como modelo su deliciosa traducción del *Funus passeris* de Catulo, que publicó de nuevo un año más tarde en sus *Ocios* (EV, 460-461).

No había puerta en Madrid que estuviera cerrada para oficial joven de tan brillantes prendas. El futuro Carlos IV se fijó en él por primera vez hacia la mitad de la década de 1760, cuando fue llamado a palacio para traducir la explicación, en lengua inglesa, de una magnífica esfera del sistema copernicano que el Príncipe de Asturias acababa de recibir de Londres (AA, 122). Poco después también se fijó en Cadalso el poderoso conde de Aranda, presidente del Consejo de Castilla y jefe del Gobierno militar, principal autor del destierro en masa de los jesuitas españoles, que siguió al Motín de Esquilache de 1766, y más tarde embajador en París y amigo de Voltaire. (El director de la escuela en que estudió Cadalso en París era amigo de Voltaire y había sido padrino de éste cuando se le nombró miembro de la Academia Francesa [AA, 116]). El modo en que Cadalso cuenta cómo se las ingenió para conseguir la amistad de Aranda muestra muy a las claras su destreza para abrirse camino en la sociedad:

> viendo la gran fama que el conde presidente tenía, parecióme útil introducirme con él, y hallé motivo, porque enamorándose de un caballo mío, que le vendí, tuve ocasiones de hablarle (AA, 124).

El favor que a Cadalso dispensaba el conde de Aranda creció durante el destierro de aquél en Aragón porque en este período el presidente del Consejo de Castilla, que era de origen aragonés, pasó una temporada en Zaragoza y con frecuencia invitaba al joven oficial a comer a su mesa (AA, 127). Los días que no iba a casa del conde, Cadalso comía en la del capitán general de Aragón, es decir, la primera autoridad militar de la provincia (AA, 127). El escándalo que acompañó al destierro de Cadalso —el hecho de que se decretó a causa de su sátira contra la aristocracia de Madrid— hizo que su persona constituyese el principal tema de conversación de la nobleza local, y que él llegara a ser la celebridad favorita de ésta, como lo había sido antes de los aristócratas madrileños. También le ayudó a ganar la aprobación local el marqués de Hermosilla, en otra época fiel amigo de su padre en el Real Sitio de Aranjuez (AA, 126). (En todo caso, a pesar de alguna alusión a la melancolía durante este período, el «destierro» de Cadalso fue todo menos un período de soledad y graves crisis espirituales, como se ha sugerido algunas veces.)

Los lazos de Cadalso con las damas de la aristocracia fueron, según todas las apariencias, numerosos y muy celebrados, y muchos de ellos estaban lejos de ser platónicos. Al contar los sucesos de su vida al principio de 1766, menciona ciertas

> diversiones que me acarrearon una grave enfermedad en la Corte, de la que no me levanté sino después de mucho tiempo y poco antes del Motín [de Esquilache, marzo 23-26, 1766] (AA, 123).

No mucho después comenzaron sus relaciones con la marquesa de Escalona, pero aquella aventura «se acabó luego que vi que en la marquesa no había cosa que dominase mi espíritu, ni complaciese mucho mi carne» (AA, 123). Por otra parte, su vanidad se sentía halagada por el amor que la marquesa sentía por él, ya que se goza en observar que, varios años más tarde, cuando la noble señora le reconoció en un baile de máscaras, en la noche del 10 de diciembre de 1770, estaba «enamorada todavía mentalmente de mí... [aunque] corporalmente de don Antonio Cornel» (AA, 128), que era otro favorito del conde de Aranda. La intimidad de la amistad de Cadalso con Aranda y la red de relaciones personales que había sabido crearse en los más altos niveles se evidencian por el hecho de que el presidente del Consejo de Castilla fue su confidente en sus relaciones con la marquesa de Escalona (AA, 127).

Pero de vez en cuando cierto aire distraído del refinado capitán sugería una impaciencia espiritual ante las vaciedades de la vida elegante. En los *Anales de cinco días*, Cadalso describe el paseo de la tarde por el Prado, donde los caballeros iban a hablar con las damas a través de las ventanillas de sus carrozas; y en mitad de la descripción, el lector se encuentra con un curioso autorretrato del autor, que según creo, nunca hasta ahora se ha identificado como tal. La figura descrita en el diálogo que cito a continuación parece haberse quedado a un lado, apartada de las vivas conversaciones entre damas y caballeros y más interesada en sus propios pensamientos que en las palabras de éstos:

> —¿Quién es este buen mozo con vestido de paisano a lo militar, con espada y bastón?
>
> —Ése es abogado de mucho mérito, y es un gran caballero, muy cabal en todas sus cosas. Sabe cuántas son cinco; hace versos dulces, castizos y llenos de todo el ardor poético. Muchos le emulan porque sabe; pero él ignora el arte de vengarse de sus enemigos; o los desprecia, o los perdona. Siendo su cuna capaz de producirle elevados asientos, más que ella se los facilitará su sabiduría; y es cosa rara que siendo tan lite-

> rato, sea al mismo tiempo tan afable con todos; porque en el *siglo ilustrado* la gran ciencia consiste principalmente en despreciar a todos, y no mostrar afabilidad a ninguno (O, III, 402-403).

(Con la palabra *abogado* Cadalso alude al estudio del derecho público que emprendió en Francia y en otros países[1], así como a su largo servicio en un consejo de guerra, a partir de 1770. También alude a su noble ascendencia vizcaína, de la que estaba enormemente orgulloso, y a otros aspectos mejor conocidos de su vida. Las cualidades morales que menciona aquí son las de su ideal ético, el *hombre de bien,* que analizaré en el capítulo VI.)

El efecto que produce la lectura de este pasaje de los *Anales* no difiere del todo del que se experimenta al contemplar la figura de San Esteban en *El entierro del Conde de Orgaz* del Greco, con ese ingenioso perspectivismo por el que la figura del mártir se repite en el complicado bordado de su propia capa, puesto que Cadalso no sólo es el modelo para la figura descrita en el diálogo, sino también uno de los dos personajes que participan en el mismo diálogo sobre el dandy distraído. De todos modos, este autorretrato parece ser uno de los varios intentos de Cadalso de verse a sí mismo objetivamente y de alcanzar cierta comprensión de los diferentes niveles de su propia psicología. Por ejemplo, ¿por qué este elegante oficial y amigo de la aristocracia se siente «encarcelado dentro de sí mismo», según él propio se describe bajo el disfraz de su *alter ego* literario, Nuño, en las *Cartas marruecas?* ¿Por qué confiesa, bajo el mismo disfraz, que «días ha que vivo en el mundo como si me hallase fuera de él» (CM, 9, 26)?

---

1 Véase Glendinning, *Vida,* págs. 114, 203.

El aire distraído de la figura del paseo no deja de parecerse en algo al de Chateaubriand cuando con gesto melancólico y apoyado lánguidamente en una mesa de mármol, éste recibía los saludos de unos personajes poco interesantes que habían sido invitados a una recepción en la Embajada Francesa en Roma cierto martes de 1829. De repente vio ante sí a una señora inglesa a quien no conocía y que desapareció de nuevo entre la asamblea, después de haber observado enigmáticamente: « ¡Señor de Chateaubriand, realmente es usted terriblemente desgraciado! ». Al apuntar el episodio, Chateaubriand declara su enorme sorpresa pero, confiesa que se sintió «agradecido, con todo, por aquellas misteriosas palabras» [2]. Benjamín Franklin, contemporáneo de Cadalso, no vaciló en «agradecer a Dios su vanidad entre las otras comodidades de la vida» [3]. El temperamento de Cadalso era, sin embargo, más semejante al de Chateaubriand que al de su contemporáneo, porque la actitud del escritor español parece presagiar el día en que los románticos, sin renunciar desde luego a su vanidad personal, llegarían a pesar de todo a sentirse tan desilusionados de la fatuidad de la vanidad humana, que preferirían el tedio como objeto de su más profunda gratitud.

No mucho después de haber terminado las *Cartas marruecas,* hacia fines de octubre o principios de noviembre de 1774, Cadalso escribió varias cartas desencantadas, cuyas quejas recuerdan la actitud de aislamiento espiritual de su personaje Nuño:

> Crea usted, querido Arcadio —escribe a Iglesias, llamándole por su nombre poético—, crea usted que para despreciar el mundo y seguir mi espíritu filosófico, me sobran experiencias

[2] Chateaubriand, *Mémoires d'outre-tombe* (París, 1860), V, 44-45.

[3] Benjamín Franklin, *Autobiography,* ed. Leonard W. Labaree et al. (New Haven & London, 1964), pág. 44.

> tales cuales no deseo que jamás las tenga persona alguna a quien yo ame (OC, 34).

En otra carta a Arcadio, fechada el 6 de noviembre de 1774, Cadalso habla de su desencanto de Madrid y considera cómo le gustaría vivir después de retirarse del servicio militar:

> No sé si dije a usted en mis anteriores lo que me ha fastidiado la Corte durante mi última mansión. No sería en ella donde solicitase mi retiro; mientras más se conocen más se aborrecen semejantes moradas, y más para quien desde niño tuvo lances de hombre, y de joven desengaños de viejo. Otro paraje más cómodo, más sincero, más uniforme será el que yo elija, o por mejor decir es el que he elegido para descansar lo restante de mi vida; y entre otros amigos menos brillantes y magníficos, pero más sencillos y verdaderos daré mi último aliento cuando muera (OC, 35-36).

Estos pasajes recuerdan una de las habituales distinciones de los moralistas entre los vicios de la ciudad y las virtudes del campo, tan frecuentes en la literatura española a partir de la publicación, en 1539, del *Menosprecio de corte y alabanza de aldea,* de fray Antonio de Guevara. Pero si se examinan las palabras de Cadalso más detenidamente, resulta claro que hay en ellas muy poco que tenga que ver con la virtud y el vicio o que admita una interpretación filosófica, es decir, general. En realidad, ambos pasajes son confesiones de un desencanto y tedio puramente egoístas, y la tradición guevaresca de condenar los vicios urbanos y alabar las virtudes rurales se usa aquí simplemente como vehículo cómodo para expresar tales sentimientos. La tradición guevaresca tiene aquí la misma función que tienen ciertos elementos estilísticos tomados de los moralistas ascéticos que Cadalso utiliza en las *Noches lúgubres,* cuyas distintas fuentes literarias examinaremos más tarde. Irving

Babbitt ha observado que «nadie ha llevado más allá que los románticos rousseaunianos el arte de hablar, en el tono de la consagración religiosa, de lo que por su esencia es egoísta» [4].

En su queja de que «tuvo... de joven desengaños de viejo», Cadalso se anticipa a actitudes románticas como las de Octave, personaje autobiográfico de Musset en *La confession d'un enfant du siècle* (1836), quien rememora cómo a los dieciocho años se sentía rodeado de las ruinas de tantos placeres engañosos, que al final «me encontré que yo mismo era una ruina» y quien, un año o dos después, todavía temía los efectos «de la funesta experiencia que para mi edad he tenido y el terrible combate de mi juventud con mi tedio» [5]. El empalago que Cadalso experimentó durante su visita a Madrid en septiembre de 1774, se reitera simplemente en sus palabras sobre los amigos de la ciudad y los amigos del campo, las cuales implican más bien que una distinción moral, la búsqueda de una forma de expresión apropiada para su desencanto egoísta.

Lo que Cadalso llama su «inclinación filosófica» es en parte su necesidad de ese consuelo que toda alma sensible encuentra a las veces en la perspectiva de un apartamiento contemplativo. Mas también es en parte la reacción un tanto rencorosa de un ardiente devoto de la sociedad sofisticada en los momentos en que se siente hastiado del trato de los elegantes, o desilusionado en sus ambiciones sociales. Si en realidad Cadalso hubiera sido en el corazón un anacoreta, habría forzado el asunto de su retiro del servicio militar, en lugar de seguir presentándose para nuevos as-

[4] Irving Babbit, *Rousseau and Romanticism,* «Meridian Books» (Nueva York, 1955), pág. 184.

[5] Alfred de Musset, *La confession d'un enfant du siècle* (París, 1881), págs. 39, 180.

censos. En relación con esto, quisiera recordar al lector que cuatro años después de haber escrito a Iglesias sobre su deseo de encontrar un tranquilo retiro de filósofo, todavía era capaz de disfrutar de la compañía de la elegante condesa-duquesa de Benavente y de los placeres de la alta sociedad de Madrid, como hemos visto por su correspondencia y por los *Anales de cinco días.*

La idea de abandonar el falso brillo de la sociedad es un tema que Cadalso ya había tratado con efectos consoladores antes de 1770, como hemos visto por su *Carta a Augusta,* escrita en el momento de su mayor amistad con el poderoso Aranda y otras personas de gran distinción; una combinación de circunstancias que revela que su búsqueda de un retiro tranquilo era en gran parte un mero drama o gesto del mismo tipo que la mezcla de elegante ruralismo y sentimentalismo sofisticado con que Rousseau, en la *Nouvelle Héloïse,* había conquistado a los frecuentadores de los salones de toda Europa. Se encuentra ya también en la tragedia cadalsiana *Don Sancho García,* el tratamiento del tema del retiro filosófico; pues en ella el personaje Alek confiesa que «humildemente / en mi casa, tranquila e inocente / mi vida pasaré» porque la vida de la capital «que consume los años como instantes / divierte al joven y al anciano enfada» (SG, 29-30). Lo más irónico es que este elogio del retiro y la meditación fuera pronunciado por primera vez en una representación privada en la lujosa residencia de Aranda en Madrid.

Ya he dicho que en las *Cartas marruecas* se representa a Nuño como «separado del mundo y, según su expresión, encarcelado dentro de sí mismo» (CM, 9). Sin embargo, durante la estancia de Gazel en España, Nuño le lleva a una serie de reuniones elegantes, presentándole en cada ocasión «a toda esa amable tertulia» (CM, 46). Nuño, uno de los tres disfraces literarios de Cadalso (Dalmiro, Tediato, Nuño), es, en este aspecto, un curioso antecedente de ese aburrido dandy romántico Larra, que presentaría a su primo en los mejores círculos («introdújele por fin en las casas de mejor tono»), como cuenta en *La Sociedad*, pero que al mismo tiempo confesaría que personalmente

> yo hago con el mundo lo que se hace con las pieles en verano; voy de cuando en cuando, para que no entre el olvido en mis relaciones, como se sacan aquéllas tal cual vez al aire para que no se albergue en sus pelos la polilla [6].

Quejándose de lo que podríamos llamar su tedio prelarresco, Nuño escribe en una carta a Gazel:

> Yo continúo haciendo la vida que sabes, y visitando la tertulia que conoces. Otras pudiera frecuentar, pero ¿a qué fin?... Los lances de tanta escena como he presenciado, o ya como individuo de la farsa, o ya como del auditorio, me han hecho hallar tedio en lo ruidoso de las gentes;

y en la misma carta continúa clasificando a los que frecuentan tales tertulias como «cansados», «vanos», o «insufribles» (CM, 81-82).

La sociedad era para Cadalso y Larra un ritual fastidioso pero, al mismo tiempo, delicioso; puesto que su desdén por ella, junto con su frecuentación de ella, les permitían exhibir públicamente su sentido egoísta de su propia superioridad. Cadalso, seguro del efecto que producía al moverse en la sociedad madrileña, nos cuenta que al principio llegó a sus umbrales «con todo el desenfreno de un francés, y toda la aspereza de un inglés» (AA, 118). Una persona no puede saborear del todo su propia virtud, ni la delicadeza

---

[6] Mariano José de Larra, *Artículos completos*, ed. Melchor de Almagro San Martín, «Colección Joya» (Madrid, 1944), pág. 144.

de su propia sensibilidad, sino contemplándolas en contraste con las afectaciones y la estupidez de sus prójimos; y así no es extraño que Nuño encuentre inspiración para algunos de sus más elocuentes elogios de la austeridad y la soledad justamente cuando se encuentra en medio de reuniones elegantes (por ejemplo, CM, 47-48), de igual modo que Cadalso debió de deleitarse más tarde en servir como modelo para la figura pensativa que aparece en el paseo de la tarde descrito en los *Anales.* En ambos casos pueden ponerse en duda los motivos de tal reserva.

Volviendo a hablar como si fuese un Larra del siglo XVIII, en una carta de 1777, Cadalso expresa sardónicamente su desdén por la vida militar describiéndola como un

> oficio en que sin duda alguna... se me alargarán las orejas, me crecerá el vello, criaré callo en las manos y pies, y se me trocará la voz en rebuzno, como ha sucedido a otros muchos de mis gloriosos antecesores (OI, 313).

Específicamente, estas palabras traen a la memoria un pasaje como aquel en que Larra anuncia su decisión de hacer que su criado hable en uno de sus artículos; porque, después de todo, si «los fabulistas hacen hablar a los animales, ¿por qué no he de hacer yo hablar a mi criado?» [7]. Mas la razón de que tengan aquí interés las palabras de Cadalso sobre la vida militar, es que constituyen otro indicio bien claro de que se deben interpretar con gran cuidado todas sus observaciones sobre sus circunstancias y sus compañeros. En esa misma carta en que confiesa su desencanto de la vida de soldado, apunta de paso que está trabajando en las últimas páginas de un extenso libro técnico titulado *Nuevo sistema de táctica, disciplina y economía para la caballería española.*

---

[7] *Ibid.*, pág. 203.

Es muy obvio que la personalidad de este «ermitaño» sociable es tal, que no se le puede dar una interpretación monista. Por esta razón, la opinión de Nigel Glendinning, que considera a Cadalso como un estoico practicante y convencido, suena, cuando menos, a falsa. Al tratar de defender su interpretación unitaria frente a las contradicciones inherentes al carácter de Cadalso, Glendinning cae en contradicciones terminológicas tan manifiestas como la de hablar de un «estoicismo activo»[8]. De hecho, Cadalso consideraba el carácter español como totalmente incapaz del resuelto dominio de las emociones y el desprecio por la adversidad que caracterizan al estoico:

> España es, digámoslo así, la patria menos patriota del mundo. Aquí se ponderan y lloran mucho las pérdidas nacionales; y se escurece en silencio toda época gloriosa; esto es inexplicable. A lo menos había de ser igual la frialdad para lo próspero y adverso; pero *no es tan filosófica la nación* (QC, 30; el subrayado es mío).

Se ha abusado increíblemente del término *estoico* en la historiografía española; y estas palabras olvidadas de Cadalso, en una carta a Iglesias, son un claro indicio del alcance de tal error.

El hecho de que es un mero artificio literario para Cadalso el tema guevaresco de la oposición entre la Corte y la aldea, es tan evidente por su abierto desprecio por los pueblos como por su confesión poco convincente de desencanto de Madrid. Guevara recomienda que el cortesano deseoso de alcanzar la virtud se retire a la aldea donde haya nacido para emprender allí su nueva vida[9]. Sin embargo,

---

[8] Véase mi recensión de la edición de Dupuis-Glendinning de las *Cartas marruecas*, *MLN*, LXXXIII (1968), 334-341.

[9] Véase Antonio de Guevara, «De la vida que ha de hazer el cortesano en su casa después que uviere dexado la Corte», *Menosprecio*

la reacción de Cadalso ante los típicos pueblos de España es de desdeñoso horror, como revelan esas cartas suyas en las que se refiere a la vida en los diversos pueblos donde estuvo destacado: «Esto ya ve usted cuánto dista de infundir dulzura en el estilo»; la correspondencia de los amigos «disipará sin duda el tedio que inspira este lugar»; «es tal el tedio que inspira este pueblo, que ni aun para escribir tengo gusto»; «Ésta es la provincia más triste, más calurosa, más enferma, más inhospitable de España», y Cadalso no tiene dudas de que está «en uno de los pueblos más melancólicos de ella», y así «estoy sumamente melancólico» (QC, 29-36; OI, 315, 316).

La «aldea» que Cadalso opone a la Corte como retiro deseable, es la Atenas española, la magnífica ciudad de Salamanca, sede del centro docente que en otro tiempo era considerado, junto con Oxford, París y Bolonia, como una de las cuatro universidades de Europa; y la intención de Cadalso al oponerla a Madrid, no es desde luego la de señalar su horror ante los vicios desenfrenados que pueda haber en la capital, sino que es bastante más egoísta. En una carta a su amigo Iglesias, que parece haberse escrito a finales de 1774, y en cualquier caso después de su estancia en Salamanca, Cadalso, quejándose como de costumbre de su aburrimiento escribe:

> [Usted] me asegura que me quieren las gentes de Salamanca ... Lo cierto es que he quedado con suma afición a ese pueblo, en cuyos habitantes he hallado ingenio, bondad y cierto agasajo natural, que sin duda sale del conjunto de las dos prendas primeras. Yo llegué a él seco y fastidiado de los artificios de la Corte y necedad de los cortesanos, con que

---

de corte y alabanza de aldea, ed. Martínez de Burgos, «Clásicos Castellanos» (Madrid, 1952), págs. 55-66.

experimenté para mi espíritu el mismo beneficio en la mudanza de morada, que el que va chico de Madrid a Valencia en la diferencia de clima para su cuerpo (QC, 37).

Recordando a Salamanca en otra carta a Iglesias, escrita aproximadamente en la misma época, esta vez en latín, Cadalso revela de nuevo que lo que deseaba evitar era lo que en ese momento parecía la empalagosa vacuidad de la vida madrileña, más bien que sus vicios:

Aunque he visto las costumbres y las ciudades de muchos hombres, alcanzaré el fin de mi vida en tu patria (si me lo permiten los hados), lejos de los negocios, los palacios y las diversas especies de necedades humanas (OI, 298).

En una carta al mismo amigo, escrita quizá un poco antes que las dos que acabo de citar, Cadalso describe cómo le gustaría vivir a los cincuenta años, usando al parecer sus recuerdos de Salamanca y aquellas cordiales sesiones de lectura poética con Meléndez, Iglesias y otros para completar su imagen mental de su retiro ideal: Le gustaba pensar en sí mismo como viviendo a esa edad

en una aldea saludable y tranquila, con buenos libros y un criado o dos fieles, en la vecindad de los amigos verdaderos a quienes visitaré en su casa o recibiré en la mía; siempre alegres, sociables, comunicándonos todas las especies que nos ocurran, o bien de invención propia, o bien del trato con los muertos; creciendo en edad, ¡qué viejos seremos tan amables y tan buenos! (QC, 32-33).

El modo de vida que se imagina Cadalso para su retiro ideal es a la vez más lujoso y cordial que el del cortesano retirado de Guevara, a quien se recomienda que al apartarse del mundo busque la conversación de hombres sabios «porque muy gran parte es para ser uno bueno acompañarse con hombres buenos», y a quien sólo se concede el derecho de «leer en algunos libros buenos, así historiales como doctrinales»[10]. Ya he dicho que la mayoría de las palabras de Cadalso sobre el retiro al campo eran sencillamente un escapismo consolador al que se entregaba en esos momentos en que se sentía aburrido con la monotonía de la sociedad o se encontraba en una situación personal irritante. La prueba de esto es que todavía en 1777 ó 1778 Cadalso escribía sobre su futuro en los términos fríos y analíticos que siguen:

> Tener una casa buena y cómoda en una provincia agradable, con una renta competente, sería sin duda más conveniente y seguro que hacer fortuna ... Pero mientras tanto, no perder ocasión. En mi edad que aún no es grande, en mis introducciones que son buenas y en el concepto que tengo entre las gentes, me puedo prometer fortuna (AA, 138).

También es oportuno observar que este contraste entre una preferencia marcada por la vida activa, libre y elegante del caballero soldado, por un lado, y un deseo *aparente* de serenidad y recogimiento, por otro, puede rastrearse ya en la adolescencia de Cadalso, como nos revela su ardid para escaparse del Seminario de Nobles que los jesuitas dirigían en Madrid y en el que él estaba interno:

> Entré en él de dieciséis años muy cumplidos, después de haber andado media Europa, y haber gozado sobrada libertad en los principios de una juventud fogosa. Desde el mismo día empecé a tratar el modo de salir de aquella casa, que no se me podía fingir sino como cárcel ... En esto tuve por casualidad noticia de que mi padre aborrecía con sus cinco sentidos a la Compañía de Jesús. Finjo vocación de jesuita (habiéndole propuesto varias veces mi deseo de ser soldado). Estas insinuaciones cada una por sí le volvieron loco, y mucho más la

10 *Ibid.*, págs. 62-63.

> combinación de las dos vocaciones tan diferentes. Sacóme desde luego del Seminario ... me hizo pasar a su berlina, y en ella sin hablar una sola palabra, atravesé calle de Toledo, plazuela del Ángel, calle de las Carretas, calle de Alcalá, y salí por la misma puerta a una hacienda que llaman la Alameda. Allí había un coche de colleras, con un equipaje completo para mí, y una especie de entre compañero y tutor; y me dijo mi padre: «Pase usted a ese coche y vaya usted con el señor a Londres». Y no pude contener la risa al desenlace de tan extraña escena, y dije: «Quede usted con Dios, que voy a un paraje excelente para quitar vocaciones de jesuita» (AA, 118-120).

La imagen mental que Cadalso tenía del retiro campestre ideal del filósofo satisfacía al mismo tipo de necesidad al que respondían la elegante rusticidad del jardín inglés de la condesa-duquesa de Benavente en su propiedad de «El Capricho», el artificial ruralismo de la aldea de juguete de María Antonieta en Versalles o el curioso origen de la lujosa «Casita del Labrador» de Carlos IV en Aranjuez, con sus nada sencillos mármoles y estatuas traídos de Italia. Sería aventuradísimo fiarse del sentido material de unos elogios de la vida del campo escritos por un dandy sofisticado de la misma década de 1770 en la que la Sociedad Económica de Madrid votaba unánimemente para animar a la aristocracia a volver a la naturaleza, citando, como ejemplos de la vida sencilla que debía imitarse, las exquisitas casas de recreo que el celebrado arquitecto neoclásico Juan de Villanueva acababa de terminar en El Escorial para el Príncipe de Asturias, el futuro Carlos IV, y su hermano el Infante Gabriel [11].

No obstante, sería igualmente erróneo desechar esta visión de la «naturaleza» como una hipocresía frívola y despreciable inventada en los salones. No es ni más ni menos

[11] Citado por la condesa de Yebes, *op. cit.*, pág. 58.

sincera que las refinadas anacreónticas u otras formas de poesía pastoril que los poetas dieciochescos de las diversas literaturas continentales cultivaron con tanto fervor hasta muy entrado el período prerromántico. Pero sería más a propósito considerar la visión de la naturaleza de Cadalso, de la Sociedad Económica o de los poetas anacreónticos desde el punto de vista de su autenticidad histórica, o propiedad, que desde el de su sinceridad.

Los hombres de ciencia del siglo XVIII hicieron más que los de cualquier período anterior por conquistar la naturaleza, reduciéndola a principios racionales universalmente válidos; y la visión estilizada de la naturaleza representada por la anacreóntica dieciochesca, la «casita» de mármol y los efectos «naturales» tan cuidadosamente elaborados por los jardineros de aquella época, pueden considerarse como símbolos artísticos de la nueva conquista científica de la naturaleza por el hombre: por una parte, tenemos la conquista y sistematización de la naturaleza por la ciencia; por otra, su conquista y sistematización por el arte. La perfección racional del paisaje en los poemas anacreónticos del siglo XVIII queda como una medida de la nueva confianza con que el hombre setecentista, el conquistador científico, se paseaba por la naturaleza; porque el poeta de esa centuria veía estas pequeñas odas pastoriles como una especie de prefiguración simbólica de la utopía a la que sin duda llegaría la raza entera merced a la ciencia moderna. El hecho de que la nueva época veía tal simbolismo en las viejas formas pastoriles heredadas de centurias anteriores, se deduce de su cultivo por unos entusiastas estudiosos de la filosofía y ciencia nuevas como Cadalso y Meléndez, y de su uso en ciertas poesías en las que se proponía la mejora de la agricultura y otras reformas que habían de llevarse a cabo mediante la aplicación de los métodos científicos.

La visión «anacreóntica» de la naturaleza expresada en la arquitectura de los jardines, en la pintura, en la poesía, o concebida sencillamente como una imagen mental, es al mismo tiempo auténtica en el sentido de que es representativa de lo que la palabra *naturaleza* sugiere para la persona culta y sensible de cualquier período histórico. Para tal persona la naturaleza no es el aventamiento del grano, ni es el dar de comer a los cerdos —cosas que Cadalso parece haber visto con demasiada frecuencia en los pueblos—, sino que,. al contrario, es un lugar solitario en el cual ella pueda comunicarse con otras almas por medio de la lectura, o con la suya propia a través de la meditación y la composición literaria. En la *Nouvelle Héloïse,* Saint-Preux confiesa: «Le he tomado tanto cariño a aquel lugar salvaje que hasta llevo allí el papel y el tintero»[12]. Y también Dalmiro-Cadalso era aficionado a la lectura solitaria de la poesía en la naturaleza, como revela en sus *Ocios:*

> Sentado al pie de un álamo frondoso,
> en la orilla feliz del Ebro undoso,
> ¡cuántas horas pasé con los sentidos
> en tan sabrosos metros embebidos!
>
> (BAE, LXI, 248a-b)

La naturaleza de Saint-Preux y la de Cadalso en esta oda sobre su vocación poética no son radicalmente diferentes de la naturaleza civilizada o «literarizada» que se encuentra en la poesía anacreóntica. Pienso en anacreónticas como la de Cadalso, *Vuelve, mi dulce lira,* en la que los pastores más simples rompen a cantar las canciones del refinado poeta y en la que, al menos simbólicamente, no hay nada falso si se tiene en cuenta la noción de la naturaleza que puede tener el sensible habitador de las ciudades:

---

12 Rousseau, *Nouvelle Héloïse,* I, 67-68.

Ya te esperan pastores,
que deseosos viven
de escuchar tus canciones
que con gusto repiten.

(BAE, LXI, 273a)

La imagen guevaresco-rousseauniana de la superioridad moral del filósofo que vive en su retiro tenía varios sentidos y funciones en la vida y las obras de Cadalso. Le servía como una metáfora para representar esa sensación de soledad espiritual que es común a todas las almas creadoras, le servía como instrumento para expresar su impaciencia ante las formas más vacías del rito social; e incluso de hecho le atraía alguna vez hacia esa soledad de la naturaleza de la que a intervalos sienten cierta necesidad todos los escritores sensibles. Mas, como ya hemos dicho, se trata en todos estos casos, o de una naturaleza que es en sí susceptible de la mano civilizadora del poeta, o de una naturaleza que él mismo «romantiza» en ciertas composiciones suyas, como más tarde veremos. La posibilidad del apartamiento permanente en un retiro solitario parece representar la preferencia vital de Cadalso con el mismo grado de exactitud con que la naturaleza intelectualizada de la anacreóntica representa la naturaleza real. La insistencia del siglo XVIII en el ideal natural fue constante, pero paralelamente se hizo igual hincapié en el cultivo del gusto y la elegancia en la vida diaria y de la inteligencia y el ingenio en toda clase de actividades —cualidades que inevitablemente llegaron a influir en el concepto que esa época tenía de la naturaleza— y el coronel Cadalso, hombre a la moda, era un devoto practicante de esta doble fe de lo natural y lo refinado.

CAPÍTULO IV

EL «BLANDO NUMEN» DE LOS VERSOS DE DALMIRO Y LAS PRIMERAS PUNZADAS DEL DOLOR ROMÁNTICO

La poesía de Cadalso contiene ejemplos de la mayoría de las formas estróficas de origen italiano que tanto se han cultivado en España desde que el endecasílabo se naturalizó durante el Renacimiento, así como ejemplos también muy numerosos de las formas líricas tradicionalmente españolas con sus versos hexasílabos, heptasílabos y octosílabos. Todos los géneros, el lírico (pastoril, y no pastoril), el narrativo, el épico burlesco, el satírico, el didáctico, el ocasional y el epistolar, están representados en los temas de la poesía de Dalmiro. El valor estético de ciertos poemas contenidos en los *Ocios de mi juventud* es tal, que pueden sostener el más exigente análisis estilístico y estructural. Mas la importancia de la obra poética de Cadalso radica en el papel que juega en la evolución de la poesía española; porque suple un indispensable lazo de unión entre la poesía del Siglo de Oro y la del siglo XVIII, y a la vez sugiere nuevas pistas a los poetas que vienen después. Por lo tanto, trataré de estas obras de una manera general, refiriéndome a sus principales fuentes, teorías estéticas e innovaciones estilísticas y temáticas. Ya tendremos suficiente oportunidad de aplicar los procedimientos del sistemático análisis estilístico y estructural a los escritos de Cadalso cuando lleguemos a las *Noches lúgubres* y las *Cartas marruecas.*

I. CADALSO Y EL «PRÍNCIPE DE LOS POETAS CASTELLANOS»

Hay un poema de Cadalso titulado *Sobre el ser la poesía un estudio frívolo, y convenirme aplicarme a otros más serios* (BAE, LXI, 250a). Cadalso expresa la misma idea en el prólogo a sus *Ocios* cuando cita los nombres de varios célebres españoles que lograron distinción en otras esferas, a la vez que en la poesía, con objeto de demostrar «lo compatible que es esta diversión con las ocupaciones mayores» [1]. Tales declaraciones son características de esas figuras de la Ilustración que unían el cultivo de las letras a cargos públicos o al servicio a la Corona. Por ejemplo, en su *Autobiografía,* Benjamín Franklin relata cómo descubrió que un amigo suyo deseaba «hacer fortuna» escribiendo versos y cómo él y otro compañero «le aconsejaron no pensar en otra cosa que no fueran los negocios para los que se había educado... Yo aprobaba el divertirse con la poesía de vez en cuando para mejorar el lenguaje propio, pero nada más» [2]. En una carta sobre la poesía que escribió en su juventud, don Gaspar Melchor de Jovellanos, el gran jurista, estadista y polígrafo español del siglo XVIII, observa sobre la poesía

---

[1] Cadalso, *Ocios de mi juventud* (Madrid, 1781), 4.ª pág. sin numerar.

[2] Benjamín Franklin, *Autobiography,* ed. cit., pág. 90.

en general: «siempre he mirado la parte lírica de ella como poco digna de un hombre serio»[3].

Recientemente, las declaraciones de Cadalso sobre la frivolidad de la poesía se han interpretado impropiamente para sugerir que él considerara sin valor la creación poética y para deducir a la vez de esto la hipótesis de que él estuviera consciente de una supuesta falta de sensibilidad poética en sí mismo. Sin embargo, los ejemplos citados arriba hacen sobradamente claro que tales declaraciones son simples fórmulas de los tiempos. Fuera de esto, el único significado que puede atribuirse al hecho de que Cadalso haga tales declaraciones, es que son una de las muchas exteriorizaciones del conflicto racionalista-intuitivo, o racionalista-romántico, que se da en su psicología; conflicto sobre el que volveremos más adelante en este capítulo, y particularmente en el capítulo VI cuando hablemos de las *Cartas marruecas*. Además, debería tenerse en cuenta que, como señal de este conflicto, las declaraciones sobre la frivolidad de la poesía están identificadas con el menos dinámico de los elementos opuestos que se hacen guerra en la psique de Cadalso, y siendo esto así, ellas no pueden ser causa de que vacilemos en nuestro examen de sus obras en verso.

Lo cierto es que Cadalso tenía para su siglo un concepto muy moderno del sentido y las funciones de la poesía. En una oda anacreóntica dirigida *A un amigo, sobre el consuelo que da la poesía,* sugiere la noción de que en la experiencia poética uno encuentra el mismo *quid* de la existencia del hombre como ser sensible superior:

> Mi dulcísimo amigo,
> a ti y a mí quitarnos

[3] Jovellanos, *Poesías,* ed. cit., pág. 90.

los versos, con que alegres
esta vida pasamos,
era quitar la yerba
al verde y fresco prado,
el curso al arroyuelo,
y a las aves el canto.

(BAE, LXI, 272c)

La poesía es tan esencial para el hombre, como la yerba lo es para el prado, como el curso para el arroyo, como los cantos para los pájaros: es decir, que la poesía es una función de la misma existencia del hombre, es lo que da al hombre realidad como tal hombre. Esta visión de la poesía como quintaesencia del ser del hombre es un interesante antecedente del papel cada vez más metafísico que la palabra poética ha venido jugando durante los últimos 150 años. Estoy pensando en la afirmación de Bécquer de que el poeta es «el invisible / anillo que sujeta / el mundo de la forma / al mundo de la idea», y en la súplica de Juan Ramón Jiménez de «Que mi palabra sea / la cosa misma, / creada por mi alma nuevamente»[4]. Los dos primeros versos del poema de Cadalso sobre la poesía y el consuelo, que hemos citado en este párrafo, también sugieren la idea de que la experiencia poética tiene por su naturaleza que compartirse con otro, lo cual nos acerca un poco más al tema de este apartado.

En el capítulo II hablamos de la búsqueda del compañerismo espiritual por los poetas salmantinos, en la medida en que tal búsqueda se relacionaba con su trato y conversación vivos y diarios como amigos íntimos y cultivadores del verso. La poesía de Cadalso está llena de referencias a este trato y conversación. Mas la peregrinación en busca de

---

[4] Gustavo Adolfo Bécquer, *Rimas*, ed. José Pedro Díaz, «Clásicos castellanos» (Madrid, 1963), pág. 23; Juan Ramón Jiménez, *Segunda antología poética* (Madrid-Barcelona, 1920), pág. 275.

un alma gemela también aparece en un nivel puramente estético en muchos de sus poemas. El leer y el escribir (no ya actos extraliterarios recreativos y creativos del poeta puesto que se han incorporado ahora a la misma *res poetica* de la obra) señalan los caminos que recorrerá Dalmiro en busca de su alma gemela. Los mismos versos que escribe parecen partir para tierras lejanas como peregrinos: «Canción, dile a mi amigo»; «En alas de la fama / tus versos llegarán a mis oídos», escribe, refiriéndose en este caso a la poesía de Meléndez; y de nuevo dirigiéndose a uno de sus propios poemas: «Id, versos dichosos, / id, consuelos míos, / .... / Llegad preguntando / por mi buen amigo, / .... / Llegad a su pecho, archivo del mío», etc. (BAE, LXI, 264a, 265b, 268a-269a). Lo importante aquí no es la correspondencia o comunicación concreta que pueda haber entre dos amigos que residan a una distancia físicamente determinable el uno del otro, sino la sensación de la experiencia psíquica compartida, junto con esa clase de autognosis que suele ir unida a la comunicación entre dos almas sensibles.

En otros poemas, Dalmiro vuelve por los caminos de la imaginación a otros siglos para buscar el compañerismo espiritual que le hace falta para la experiencia poética. Nos dice que se consolaba leyendo los tiernos versos de poetas de otras épocas como Ovidio y Garcilaso:

> Y mis males yo mismo celebraba
> por la delicia que en su cura hallaba;
> así como se alienta el peregrino
> cuando encuentra con otro en el camino,
> y con gusto el piloto al mar se entrega
> si otro con él el mismo mar navega,
> como se alivia el llanto si un amigo
> de nuestras desventuras es testigo.
>
> (BAE, LXI, 248b)

En 1765, unos tres años antes de que Cadalso empezara a componer los poemas publicados más tarde en los *Ocios de mi juventud,* la Imprenta Real de Madrid imprimió la poesía de Garcilaso de la Vega en la primera edición de cualquier tipo que se había hecho de ella en ciento siete años (era la primera edición separada que se había hecho en ciento treinta y tres años)[5]. Es muy probable que esta nueva edición de la Imprenta Real, publicada cuando Dalmiro aún estaba en sus primeros años veinte, fuese el primer contacto que tuvo con los blandos versos del «Príncipe de los Poetas Castellanos». En cualquier caso, llegó a ser tal su identificación con el poeta renacentista, que el acto de la creación poética se convirtió en Cadalso en una especie de reencarnación espiritual de Garcilaso. La relación de Cadalso con Garcilaso es en cierto modo similar a la afinidad espiritual que en los primeros años del siglo Torres Villarroel había sentido con Quevedo y que había representado como una especie de unión «mística» usando elementos estilísticos tomados de los místicos españoles[6].

Cadalso eligió a Garcilaso como modelo para *imitar,* o «emular», que es lo que este verbo en realidad significa de acuerdo con el lenguaje técnico de los teóricos clásicos y neoclásicos[7]. El verso «Con prendas de mi amor reglas del

[5] Véase «Bibliografía garcilasiana», *Garcilaso y sus comentaristas,* ed. cit., pág. 673.

[6] Véase Diego de Torres Villarroel, *Visiones y visitas de Torres con don Francisco de Quevedo,* ed. Russell P. Sebold, «Clásicos Castellanos» (Madrid, 1966), págs. lx-lxxi.

[7] Véase Russell P. Sebold, «Contra los mitos antineoclásicos españoles», *Papeles de Son Armadans,* núm. 103 (Oct. 1964), 83-114, especialmente 89-92, o en *El rapto de la mente,* págs. 29-56, especialmente 34-38; y Torres Villarroel, *Visiones,* ed. cit., págs. lvii-lix. Para los teóricos clásicos y neoclásicos el verbo *imitar* significa «copiar» solamente cuando se aplica a la relación entre el modelo real y la obra literaria.

arte», en el que la frase «reglas del arte» representa un ejemplar de la poesía de Garcilaso enviado a un poeta joven, sirve para identificar tanto el modelo de Cadalso como el del discípulo. En la misma composición, Cadalso pide al destinatario de sus dones que no juzgue que el enviar su propia poesía unida a la de Garcilaso signifique «que el orgullo necio mío / me finja que le iguale en el Parnaso» (BAE, LXI, 256b); y de hecho las «reglas» que encontró Cadalso en la poesía de Garcilaso, más bien que cualesquiera preceptos poéticos de los ordinarios, parecen haber sido, en cambio, ciertos paralelos espirituales que posiblemente le permitieran «emular» al maestro en otras formas y otros temas, si bien no podía igualarle en los suyos.

Marcel Blanc ha hecho una distinción entre las *fuentes* de Racine y el *modelo* de Racine que nos puede ser útil aquí también. Hace notar que aunque Racine tomó muchos temas de Eurípides (su fuente principal), su modelo, es decir, su ideal de belleza poética, era Sófocles. Esta distinción tiene que ver con la definición clásica de la *imitación,* pues por ella se ha de entender que aunque Racine no pudiera aspirar a «igualar o superar» a Sófocles si trataba los mismos temas que éste, tenía, eso sí, buenas probabilidades de sobrepasar a Eurípides en el tratamiento de sus temas si aplicaba a éstos las técnicas de Sófocles [8].

En Cadalso se encuentran de vez en cuando reflejos temáticos de Garcilaso, a la par que algunos ejemplos de la imitación estilística, por ejemplo:

---

8 Véase Marcel Blanc, «La perfection classique ou l'aiguillon de Dieu», en *French Classicism. A critical Miscellany,* ed. Jules Brody (Englewood Cliffs, N. J., 1966), págs. 167-168.

GARCILASO	CADALSO
que otra cosa más dura que la muerte me halla y ha hallado[9].	.... mal más fuerte que cuantos he nombrado, y que la muerte. (BAE, LXI, 248a)
¡Oh dulces prendas, por mi mal halladas, dulces y alegres cuando Dios quería! ... ... Pues en un hora junto me llevastes todo el bien que por términos me distes, llevadme junto el mal que me dejastes[10].	Mientras vivió la dulce prenda mía, Amor, sonoros versos me inspiraste. ... ... Mas ¡ay! que desde aquel aciago día que me privó del bien que tú admiraste, al punto sin imperio en mí te hallaste, y hallé falta de ardor a mi Talía. (BAE, LXI, 268a)

Pero Garcilaso es solamente uno entre los muchos poetas de quienes Cadalso tomó tales elementos. Los otros poetas que él mismo menciona, en el prefacio y cuerpo de los *Ocios de mi juventud,* como inspiradores suyos son Homero, Anacreonte, Virgilio, Ovidio, Horacio, Marcial, Tibulo, Propercio, Catulo, Juan de Mena, Boscán, Hurtado de Mendoza, Ercilla, fray Luis de León, Fernando de Herrera, los Argensolas, Guillén de Castro, Lope de Vega, Espinel, Quevedo, Rebolledo, Villegas, Milton y Tasso. (Si las nociones usuales sobre la poesía dieciochesca española fueran correctas, podríamos sorprendernos un poco más de que Cadalso no mencione ni un solo poeta francés en sus *Ocios.)* El

[9] *Garcilaso de la Vega y sus comentaristas,* pág. 112.
[10] *Ibid.,* pág. 92.

gran número de estas fuentes sugiere una vez más que la importancia excepcional de Garcilaso como influencia en Cadalso no depende en modo alguno de que él haya sido simplemente proveedor de temas y elementos estilísticos.

Lo que en realidad sucedió, es que la afinidad espiritual que Cadalso sentía por Garcilaso le llevó a elegir la poesía de éste como su *modelo* o ideal de belleza poética, del mismo modo que Racine había elegido las tragedias de Sófocles como criterio de excelencia. Al tratar de ajustar todos sus versos al canon de belleza poética que había derivado de las obras de Garcilaso, Cadalso «garcilasaba» los préstamos que tomaba de otras fuentes, asimilándolos a los elementos que había recibido del «Príncipe de los Poetas Castellanos» (basándose a veces en una interpretación muy especial de Garcilaso, como veremos en la última parte de este capítulo). Por ejemplo, no puede haber dos formas de poesía más diferentes que los magníficos endecasílabos italianizantes de Garcilaso con su sonora rima consonante, y los sencillos hexasílabos y heptasílabos de tipo popular con rima asonante que también a las veces cultivaron Villamediana, Góngora, Lope, Villegas y otros poetas del Siglo de Oro. Y sin embargo, no existe poema que recuerde más claramente a Garcilaso que el romancillo en hexasílabos de Cadalso *Id, versos dichosos,* del que ya he citado arriba algún verso; es la canción III de Garcilaso, o una inconfundible recreación de ella, en miniatura (aunque también hay probablemente en esta composición alguna influencia del primer poema de los *Tristes* de Ovidio).

¿Cuál era el rasgo que Cadalso consideraba más esencial en la personalidad y versos de Garcilaso? ¿Poseía Cadalso el mismo rasgo? Y si era así, ¿qué importancia tenía esto para su sentimiento de proximidad espiritual a Garcilaso? ¿Y cómo se manifiesta este sentimiento en los versos del poeta dieciochesco? En un poema autobiográfico, hacia el principio de los *Ocios,* Cadalso explica que su propósito al hacer versos era buscar un consuelo a sus aflicciones, y habla de «mi sollozo blando» (BAE, LXI, 250a). Es muy significativo que Cadalso, en uno de sus poemas introductorios, subraye la blandura de su poesía, y también que sus discípulos y contemporáneos descubrieran en sus versos la misma característica. En su oda XI, *Al Capitán don José Cadalso, de la dulzura de sus versos sáficos,* Meléndez Valdés usa el adjetivo *blando* y el sustantivo *blandura* tres veces para caracterizar la poesía de su mentor: se dirige a Cadalso observando que «Siguen tus *blandos* ayes arrullando»; que el ruiseñor «en *blandos* píos remedar parece / las gracias de tu canto»; y que los poemas de Cadalso «sólo respiran plácida *blandura,* / sólo afectos amables» (BAE, LXIII, 187b)[11]. En una carta escrita por Meléndez Valdés e Iglesias de la Casa, después de la muerte de su querido amigo, confiesan que «a él solo deben Arcadio y Batilo que las musas les den sus *blandas* inspiraciones», y continúan lamentando la pérdida de su maestro, cuya «*blanda* persuasión corría de su boca, como la miel que liban las abejas en los días del floreciente abril» (QC, 42). Otro amigo del grupo, un tal Huerta, se dirige a Cadalso en un poema en latín con el vocativo «blando Cadalso» *(blande Cadalse)*[12].

Cuando Cadalso a su vez dedica una canción a la obra de su discípulo, *A Meléndez Valdés sobre la dulzura de sus poesías,* destaca la misma cualidad en los versos del poeta

---

[11] Los presentes subrayados son míos, como también lo son en los demás casos en que *blando, blandura,* etc., aparecen impresos en letra cursiva.

[12] Citado por Oliver (Nigel) Glendinning, «'Ortelio' en la poesía y en la vida de Cadalso». *Revista de literatura,* núms. 27-28 (jul.-dic. 1958), 22.

joven: es decir, «el metro *blando* y amoroso acento», y se compadece de los locos «que intenten competir con tu *blandura*» (LXI, 265b).

Quisiera pedir al lector que se fije ahora en la relación obvia que hay entre los siguientes hechos: 1) durante la estancia de Cadalso en Salamanca, él y Meléndez fueron constantes compañeros; 2) Cadalso subraya en la poesía de Meléndez la misma cualidad que éste y sus otros discípulos han encontrado en la suya; y 3) los poemas que escribieron Cadalso y Meléndez cada uno sobre la dulzura o blandura de los versos del otro son de una similitud impresionante, incluso en sus títulos. Creo que en estos hechos tenemos los elementos básicos con que reconstruir una de las lecciones de poesía que movieron a Meléndez y a Iglesias a hablar de su maestro con tal admiración y cariño. El par de poemas que ya hemos mencionado, *Al Capitán don José Cadalso, de la dulzura de sus versos sáficos* y *A Meléndez Valdés, sobre la dulzura de sus poesías,* son sin duda el resultado de un entusiasta cambio de ideas entre Cadalso y los otros miembros del pequeño grupo que se reunía en Salamanca para leer y comentar la poesía, a quienes Cadalso como mentor llevaría a la conclusión de que la cualidad esencial de los versos líricos era la blandura.

Es digno de notarse que *tierno, ternura, cándido, sencillo* y otros sinónimos de *blando* y *blandura* también son frecuentes en los versos de Cadalso y Meléndez. Usando uno de estos sinónimos, Cadalso da una descripción de su poesía en un poema que se había escrito antes que fuera a Salamanca: «Mi lira canta la ternura sola» *(Ocios de mi juventud,* BAE, LXI, 249b). (Este verso quizá haya servido de modelo para otro de Meléndez que ya se ha citado con relación a la blandura de los poemas de Cadalso: «sólo respiran plácida blandura».) En otro poema publicado en los *Ocios,* en 1773, y así también escrito antes de su residencia en Salamanca, Cadalso reduce su poesía a su última esencia recurriendo de nuevo a la palabra que había de llegar a ser la clave definitoria de su escuela: habla de «mi *blando* numen» (BAE, LXI, 249a).

Pero, ¿cuál fue el estímulo para las conversaciones sobre la blandura poética que tuvieron lugar durante la residencia de Cadalso en Salamanca? No puede haber comentario sobre la poesía sin que se base en algún texto poético concreto. En realidad Cadalso está insistiendo en la importancia de un texto para la teorización y comentario literarios cuando nos dice, en aquellos versos dirigidos a un discípulo, que las obras de Garcilaso son las «reglas del arte». Fuera o no Meléndez el poeta joven a quien estas líneas iban dirigidas, parece seguro que Cadalso le recomendó la obra del poeta renacentista como modelo; porque Dalmiro estaba acostumbrado a comparar a Batilo con Garcilaso como, por ejemplo, en el verso: «Meléndez nacerá, si murió Laso» (BAE, LXI, 263b). Admirando tan profundamente la poesía de Garcilaso, indudablemente Cadalso la introduciría como tema en muchas de las conversaciones mantenidas en su «academia» poética en Salamanca; y quizá en alguna reunión hasta la hiciera objeto de un estudio comparativo semejante al que parece sugerirse en uno de los poemas de los *Ocios,* cuya publicación se autorizó sólo tres meses antes que Dalmiro conociera a Meléndez. En el poema *Sobre no querer escribir sátiras,* Cadalso caracteriza a Anacreonte como «dulce», a Ovidio como «triste», a Catulo como «amoroso», a Lope como «fino» y a Garcilaso como «blando» (BAE, LXI, 257b). *Blandura:* el rasgo que Cadalso consideraba como esencial a su propia poesía, el rasgo que sus compañeros habían encontrado en sus versos, y el rasgo que al parecer todos de común acuerdo consideraban como la quintaesencia de la buena poesía lírica. No cabe duda que el criterio de la blandura y la palabra clave de la Escuela de Salamanca *(blando)* figuran entre las «reglas del arte» que Cadalso y sus seguidores derivaron de los versos de Garcilaso.

La palabra *blando* se encuentra con cierta frecuencia en la propia poesía de Garcilaso, especialmente en composiciones tan conocidas como la primera égloga y las canciones tercera y cuarta. En el primero de estos poemas Salicio «se quejaba tan dulce y *blandamente*»; y en la canción tercera, de tan perenne popularidad, «hacen los ruiseñores / renovar el placer o la tristura / con sus *blandas querellas*» [13]. Mas la profundidad y exactitud del análisis que Cadalso y sus discípulos hicieron de los versos del poeta renacentista se revelan del todo sólo cuando recordamos cierto pasaje de la quinta canción de Garcilaso, la preciosa *Flor de Gnido.* Garcilaso habla de sí mismo y de su musa en tercera persona:

> Por ti, *su blanda musa,*
> en lugar de la cítara sonante,
> tristes querellas usa,
> que con llanto abundante
> hacen bañar el rostro del amante [14].

Quiere decirse que el mismo «Príncipe de los Poetas Castellanos» había considerado sus versos como caracterizados sobre todo por «su *blanda* musa»; y queda ahora bien claro que la descripción que Dalmiro nos da de su propio talento al hablar de «mi *blando* numen» está modelada sobre la frase de Garcilaso que acabo de citar de la *Flor de Gnido.*

---

[13] *Garcilaso y sus comentaristas,* págs. 111-140.

[14] *Ibid.,* pág. 120. El subrayado es mío.

Esta adaptación del lema del poeta renacentista parece deberse al hecho de que Cadalso le eligió como *modelo* en el mismo sentido en que Marcel Blanc usa esta palabra. Es decir, que Cadalso estaba más interesado en imitar el «alma» de la poesía de Garcilaso que su forma o contenido. Aunque esta relación especial entre Cadalso y Garcilaso nunca ha sido identificada hasta ahora, cierto crítico decimonónico quizá haya percibido su existencia. El autor del prólogo a la edición de 1818 de las *Obras* de Cadalso observa que en la poesía de Dalmiro «se vio renacer... la ternura de Garcilaso» (OI, iii). ¿Por qué sentía Cadalso una afinidad espiritual tan fuerte por Garcilaso? ¿Y cómo podían los versos del poeta renacentista ser tan singularmente significativos para un poeta de la Ilustración? Éstas son dos de las preguntas que trataremos de contestar en los apartados restantes de este capítulo. Mas de momento quisiera comentar un poco más extensamente el hecho de que Garcilaso fue elegido como *modelo* por un poeta neoclásico español.

Es probable que esta elección se viera influida por la *Poética* de Ignacio de Luzán (1737), que los poetas neoclásicos ni consultaban con un fervor tan fanático como nos quieren hacer creer nuestros manuales, ni leían con tan poca frecuencia como ciertos críticos modernos intentan demostrar citando las observaciones de Leandro Fernández de Moratín y Quintana sobre el gran crítico de la primera mitad del siglo XVIII. Luzán menciona o cita a Garcilaso cinco veces en cada uno de sus capítulos «De la dulzura poética» y «Reglas para la dulzura poética»; pues *dulzura* es en el siglo XVIII un sinónimo de *blandura,* o sea esa cualidad de la poesía que suscita una reacción emocional [15]. El lector ya habrá notado el uso de *dulzura* en este sentido

---

[15] Véase Ignacio de Luzán, *Poética* (Zaragoza, 1737), págs. 80-92.

en algunos de los pasajes citados anteriormente, por ejemplo, en los títulos de los poemas que Cadalso y Meléndez dedicaron el uno a la poesía del otro. Cadalso también usa *dulzura* en este sentido en *Los eruditos a la violeta,* concretamente cuando habla de Garcilaso. El maestro de «violetos» está aconsejando a los petimetres que son sus discípulos, y les dice: «Alabad la *dulzura* de Garcilaso» (EV, 361).

El número de referencias a Garcilaso en los dos capítulos de Luzán sobre la *dulzura poética* (diez) es varias veces mayor que el número de alusiones a cualquier otro poeta antiguo o moderno en esos mismos capítulos; y como ejemplo de dicha cualidad afectiva se cita a Garcilaso casi con exclusión de cualquier otro poeta español. También es significativo que en el primero de esos capítulos Luzán cite al padre Bernard Lamy sobre cierta especie de comunión entre las almas semejante a la que ocurre entre Cadalso, Meléndez e Iglesias, o entre Cadalso y Garcilaso a través de la palabra impresa: «Los hombres —traduce Luzán— están enlazados el uno del otro con una rara simpatía, la cual hace que naturalmente se comuniquen sus pasiones, vistiéndose recíprocamente de los pensamientos y afectos de aquellos con quienes tratan». Luzán comenta este pasaje como sigue: «Ésta es la dulzura poética, y éste su fundamento y su origen».

¿Leería Cadalso estos capítulos de Luzán a sus discípulos en una de esas cordiales reuniones nocturnas? Es muy probable que lo hiciera así. En cualquier caso, parece cierta la influencia de Luzán en el análisis y la *imitación* de Garcilaso realizados por Cadalso. El profundo lazo entre el clásico Garcilaso y el neoclásico Cadalso también parece refutar la idea de ciertos críticos modernos de que Luzán no fuera un neoclásico, sino el representante de un espíritu clásico que pudo haber sido decisivo si alguna vez de hecho hubiera influido en la escuela neoclásica. Fuera clásico o neoclásico Luzán, es evidente que influyó en los neoclásicos de la segunda mitad del siglo XVIII. *Clásico* y *neoclásico* no son en modo alguno términos antagónicos, ni en la teoría ni en la práctica literarias; el uno no es sino una renovación del otro, y ambos se orientan hacia un concepto unitario, universal y eterno de la doctrina y la creación poéticas. Ya he dicho en otra ocasión que el término *neoclasicismo* sólo se interpreta de modo exacto, en el contexto de la literatura española, cuando se le da su significado más literal: «Nuevo clasicismo español»[16]. Entre otras cosas, Cadalso fue un «nuevo clásico español».

II. LA POÉTICA EN LA ÉPOCA DE CADALSO

El poema dedicatorio que Cadalso escribió a su discípulo al enviarle un ejemplar de Garcilaso nos ayudará también a aclarar cómo fue posible que el autor de los *Ocios* hallara su principal inspiración en un poeta clásico como Garcilaso y, sin embargo, llegara a ser el primero y quizá el más típico de los prerrománticos españoles. Cadalso dice que enviando a su amigo los «dulces versos del divino Laso», es lo mismo que si le enviara las «reglas del arte». Esta comparación, por otra parte insignificante, revela que el concepto cadalsiano de la poética es de signo ortodoxo y por lo tanto liberal.

Desde el período romántico muchos han mirado a Aristóteles como una especie de «metomentodo» intelectual que

[16] Véase mi estudio «Contra los mitos antineoclásicos españoles», página 113 (pág. 55 de *El rapto de la mente).*

se arrogaba a sí mismo la autoridad para fijar *a priori* reglas a la poesía. En cambio, en el siglo XVIII, en su *Essay on criticism,* Pope destaca el empirismo de Aristóteles llamando la atención sobre sus «Just precepts thus from great examples given» (Justos preceptos de grandes ejemplos así derivados) (Pte. I, v. 98). Es decir, que la *Poética* es sólo un conjunto de observaciones de lo que hicieron naturalmente los poetas antes que hubiese cualesquiera reglas que seguir. En los escritos de tales poetas, Aristóteles *descubrió* las «reglas». Por ejemplo, Aristóteles hace notar que «Una vez que se hubo introducido el diálogo, la misma naturaleza *descubrió* la métrica apropiada. Pues el yámbico es, de todos los metros, el más coloquial»; y considera, en cuanto a la duración de la obra, «que el límite está fijado por la naturaleza del drama mismo» [17]. El mundo natural en torno nuestro y el poder del intelecto humano para interpretar ese mundo de una forma natural, son las únicas restricciones que impone la *Poética* al poeta que sepa leer a Aristóteles correctamente.

Es sabido que la mayoría de los preceptistas del Renacimiento y el siglo XVII dieron una especie de sesgo «cartesiano» al cuerpo de doctrinas poéticas heredadas de la antigüedad, limitando esos principios a aplicaciones como las que ya se habían hecho, o a otras preconcebidas como racionales. Según Pope, tales críticos

> Bold in the practice of mistaken rules, / Prescribe, apply, and call their masters fools. / ...... / Some drily plain, without invention's aid, / Write dull receipts how poems may be made (Audaces en la práctica de reglas equivocadas / aplican y prescriben, y llaman tontos a sus maestros / ...... / Algunos ano-

---

[17] Aristóteles, *Poética,* trad. S. H. Butcher (Nueva York, 1950), páginas 7, 12. Los subrayados son míos.

> dinos, sin la ayuda de la inventiva / escriben necias recetas de cómo hacer versos) (Pte. I, vv: 110-115).

En su *Poética,* Marco Girolamo Vida (1485-1566) se exceptuó a este sesgo «cartesiano», al parecer antes que ningún otro, y fue así el heraldo de la interpretación liberal dieciochesca de la poética, pues proclamaba:

> Nam mihi nunc *reperire* apta, atque *reperta* docendum / Digerere ...... / ...... Praeterea haud lateat te nil conarier artem, / Naturam nisi ut assimulet, propiusque sequatur. / Hanc unam vates sibi propusuere magistram: / Quicquid agunt, hujus semper vestigia servant (Pues ahora me toca *descubrir* principios adecuados y, una vez *descubiertos,* para la enseñanza / arreglarlos ...... / ...... Después, ten muchísimo cuidado de no emprender nada en arte / que no imite y siga de cerca la naturaleza. / Esta única maestra se propusieron los poetas: / En todo lo que hacen, siguen de ella los pasos)[18].

En el siglo XVIII casi todas las ramas de la ciencia humana estaban influidas por la nueva filosofía de la observación que nació del método inductivo de Bacon y alcanzó su apogeo con Locke y los sensualistas posteriores; y esta nueva mentalidad trajo un nuevo examen de la teoría poética y un retorno a un concepto de ésta que era más aristotélico y menos rígido que el que había imperado durante el siglo de Descartes. La noción de que podían «descubrirse» reglas nuevas ya no había de ser excepción. Según el florecimiento de las ciencias naturales en el siglo XVII y XVIII iba aumentando el caudal de conocimientos, el verbo *descubrir* también se iba enriqueciendo con una connotación nueva, incluso más importante que la geográfica, que era la principal que había tenido en el Renacimiento. Sin

---

[18] Marci Hieronymi Vidae, *De arte poetica libri tres* (Oxford, 1723), págs. 31-32, 52.

tardar mucho, los críticos literarios también comenzaron a usar *descubrir* en este sentido nuevo, o quizá solo renovado, puesto que, como hemos visto, Aristóteles lo había usado ya de modo muy semejante. En el año 1709, por ejemplo, Pope, proclamó que

> Those rules of old *discover'd,* not devised, / Are nature still (Esas reglas de antaño *descubiertas,* no inventadas, / son naturaleza todavía) (Pte. I, vv. 88-89).

En 1746, en *Les Beaux-Arts réduits à un même principe,* el abate Charles Batteux afirma, refiriéndose a las artes, que

> los hombres de ingenio que más adelantan en ellas, no hacen más que descubrir lo que ya existía; no son creadores sino por lo que han observado ... Las artes, pues, no crean las reglas; ellas no penden de su capricho, sino que están invariablemente trazadas por el ejemplar de la naturaleza [19].

Tomás de Iriarte, buen amigo de Cadalso, con quien éste mantenía una correspondencia literaria regular, escribió en 1773: «según observó un insigne escritor moderno, aquellas leyes no fueron inventadas, sino *descubiertas;* pues la naturaleza las da de sí» [20], en lo cual está menos influido por los versos de Pope citados en este párrafo, que por las palabras del doctor William Warburton, el conocido editor dieciochesco de Pope, en una nota suya sobre los mismos

---

[19] Batteux, *Las bellas artes reducidas a un principio* (publicado como el t. I de los *Principios filosóficos de la literatura o curso razonado de bellas letras y de bellas artes* del mismo autor), trad. de Agustín García de Arrieta (Madrid, 1797), págs. 15, 18. No está a mi disposición un ejemplar del original francés.

[20] Iriarte, *Los literatos en Cuaresma,* en *Colección de obras en verso y en prosa* (Madrid, 1805), VII, 73. En esta obra Iriarte también cita a Pope en inglés, y según el plan anunciado al principio de la obra, Pope había de aparecer en ella como personaje. Véanse págs. 8-9.

versos, en la monumental edición de 1751, la cual dice: «estas reglas del arte... no fueron inventadas por la especulación abstracta, sino *descubiertas* en el libro de la naturaleza».

En otros términos, los críticos del siglo XVIII consideraban tan lícito que el poeta dedujera nuevos preceptos poéticos de sus observaciones de la naturaleza, como lo era que el naturalista dedujera nuevas leyes físicas de esos hechos y fuerzas que habían permanecido perennemente inadvertidos en el seno de la naturaleza. Influidos por la nueva filosofía de la observación, los poetas y críticos del período de la Ilustración eran también a su manera naturalistas, descifradores de los principios de la naturaleza, descubridores y experimentadores. Por lo menos un crítico literario del siglo XVIII expresaba su confianza en el organicismo restaurado de la poética comparando las nuevas bases de ésta con las de la ciencia newtoniana [21]. Lo único que se exigía al poeta que empleaba una nueva regla, era que lograse con ella algo que tuviera valor artístico:

> If, where the rules not far enough extend / (Since rules were made but to promote their end), / Some lucky license answer to the full / The intent proposed, that license is a rule (Si donde las reglas no se extienden suficientemente / [puesto que las reglas se hicieron sólo para conseguir su fin], / Alguna licencia feliz responde del todo / a la intención propuesta, aquella licencia es una regla) *(Essay on criticism,* pte. I, versos 146-149).

La idea es que «aquella licencia es una *nueva* regla», pero Pope no pudo desde luego encajar el adjetivo en el metro del verso. Otro curioso indicio de la compatibilidad de la

[21] William Guthrie, *Essay upon English Tragedy* (Londres, 1747), página 6.

innovación literaria con la interpretación setecentista de las «reglas» es el hecho de que Iriarte reúne en un solo grupo al supuesto iconoclasta de las reglas y «romántico» Lope de Vega, con otros preceptistas que normalmente son considerados como diametralmente opuestos a éste: «ni Aristóteles, ni Horacio, ni Lope de Vega, ni Boileau, ni otro maestro alguno hicieron más que exponer con método lo mismo que aprobará cualquiera entendimiento sano» [22].

Hay que tener constantemente en cuenta que los críticos clásicos, así como los de orientación clásica, entienden por *naturaleza,* unas veces la «naturaleza de la poesía», y otras «la naturaleza, el mundo en torno nuestro». En ciertos casos, es difícil determinar cuál quieran significar; en algunos pasajes se refieren a ambas cosas; en otros, la sola palabra *naturaleza* implica también el tercer sentido de «juicio natural» o «talento natural»; puesto que la poética es una descripción de las distintas fases del proceso creador instintivo, merced al cual el poeta juega el papel de *natura naturans,* rehaciendo el mundo para crear un microcosmo artístico, o sea una especie de *natura naturata* propia en miniatura. Por lo tanto, la poética es también en cierto modo una epistemología estética que expone los procedimientos naturales del espíritu humano mediante los que los poetas de todos los tiempos y lugares han procurado comprender y recrear el mundo en torno suyo. Alberto Lista escribió:

> Estas reglas son las mismas que se deducen de la naturaleza de los sentimientos humanos y de la del instrumento con que se expresan: estas reglas son las que siguieron por instinto, aunque todavía no existiese el arte, los Homeros, los Pilpay y los vates y bardos primitivos de los pueblos [23].

22 Iriarte, *loc. cit.*
23 Lista, *Ensayos literarios y críticos* (Sevilla, 1844), I, 166.

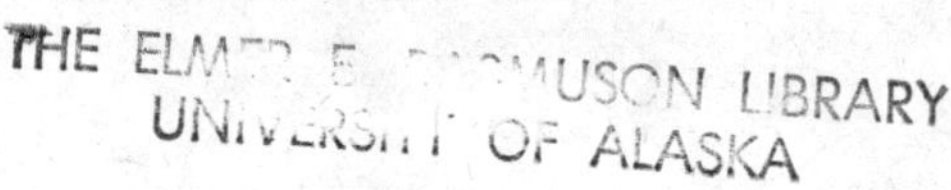

(No debe olvidarse que tales bardos primitivos fueron también a menudo objeto de la emulación de los románticos.)

Los tres significados de *naturaleza* que acabamos de distinguir —mundo, técnica poética y juicio— están implícitos a lo largo del *Essay on criticism*, pero Pope caracteriza sucintamente los tres en los conocidos versos:

> Unerring nature, still divinely bright,
> One clear, unchanged, and universal light,
> Life, force, and beauty, must to all impart,
> At once the source, and end, and test of art.
>
> (La naturaleza infalible, divina aún y brillante,
> una luz clara, universal y constante,
> debe impartir a todo vida, fuerza y belleza,
> del arte a un mismo tiempo fuente, fin y certeza.)
> (Pte. I, vv. 70-73)

Así pues, cuando Pope recomienda que el poeta aplique su juicio a la observación de la naturaleza, se refiere, ya junta, ya separadamente, tanto al mundo como a las obras de los poetas de épocas anteriores; pues el resultado es esencialmente el mismo, bien si estudiando a Homero y a los otros grandes poetas, vosotros «Thence form your judgment, thence your maxims bring, / And trace the muses upward to their spring» (De ahí formáis vuestros juicios, de ahí creáis vuestras reglas, / y seguís el rastro a las musas hasta su fuente), o bien si vais directamente al mundo natural en busca de vuestras reglas, en vez de a los poetas, porque «To copy nature, is to copy them» (Copiar la naturaleza, es copiarlas a ellas) (pte. I, vv. 126-127, 140).

El renovado sentido orgánico de la poética había de ejercer una influencia creciente en el mundo literario español según avanzara el siglo XVIII. Feijoo fue el primer crítico español en reiterar la libertad esencial de la poética clásica, cuando formuló su «regla superior... distinta de aquellas comunes», en *El no sé qué,* de 1734, la cual, como he demostrado en otra parte, fue influida por la denodada afirmación de Pope sobre el principio de la licencia poética [24]. En otro ensayo Feijoo afirma:

> Para ningún arte dieron los hombres, ni podrán dar jamás, tantos preceptos, que el cúmulo de ellos sea comprensivo de cuanto bueno cabe en el arte. La razón es manifiesta, porque son infinitas las combinaciones de casos y circunstancias, que piden, ya *nuevos preceptos,* ya distintas modificaciones y limitaciones de los ya establecidos. Quien no alcanza esto, alcanza poco [25].

La importancia del nuevo concepto de la licencia poética y su papel en la formulación de reglas nuevas, en lo relativo a la poesía de Cadalso, quedará clara en el próximo apartado de este capítulo cuando, para emplear una frase de Pope (Pte. I, v. 153), hablemos de la nueva «gracia más allá del alcance del arte» que Dalmiro «arrebató» para su propia poesía y para la de todo su tiempo.

Por de pronto bastará observar la influencia de la nueva poética en la recomendación de Cadalso de que su discípulo busque las «reglas del arte», no en alguna *ars poetica,* sino en los versos de algún gran poeta que en la libertad haya logrado un soberano poder sobre su técnica y sus materiales. No deseo en absoluto dar a entender que Cadalso menospreciara o censurara las diversas artes poéticas, antiguas o modernas. Era sencillamente una cuestión de preferencia, como se puede juzgar por el hecho de que Cadalso

---

[24] Véase mi estudio «Contra los mitos antineoclásicos españoles», páginas 104-105, nota 25 (págs. 47-48 de *El rapto de la mente).*

[25] Feijoo, «Introducción de voces nuevas», *Cartas eruditas y curiosas,* en *Obras escogidas,* BAE, LVI (Madrid, 1952), 507a. El subrayado es mío.

trabajó durante algún tiempo en un *Compendio de arte poética,* que había planeado para la instrucción de Meléndez, incorporando a él tal vez alguna de las enseñanzas de Pope sobre el tema (QC, 27)[26]. El hecho de que Cadalso observó asimismo la otra naturaleza que Pope distingue, es decir, el mundo en torno nuestro, es sobradamente evidente por su propia poesía de fondo naturalista, especialmente los poemas escritos durante su destierro aragonés (1768-1770). Mas también se manifiesta su preocupación por observar el mundo natural en el reconocimiento de Iglesias y Meléndez de que

> a él deben [Arcadio y Batilo] el ver con los ojos de la filosofía y la contemplación las maravillas de la naturaleza; él fue el primero que sublimó nuestros tiernos ojos hasta los cielos y nos hizo ver en ellos las inmensas grandezas de la creación (QC, 42).

Con la excepción de las tres unidades y uno o dos preceptos más, referentes únicamente al teatro, no hay apenas ninguna especie de obra en verso o poema en prosa, de cualquier período literario, que no pudiera haberse escrito teniendo un ejemplar de cualquiera de las muchas artes de la poesía abierto y a la vista (y en la actualidad los mismos dramaturgos —Albee, Beckett, Buero Vallejo, Weiss— vuelven a observar las unidades cada vez con mayor frecuencia, aun cuando eviten llamarlas así). Las reglas se refieren a esas etapas del proceso de escribir que son naturales y esenciales para todos los escritores de todos los

---

[26] Unos cuatro años después de haber escrito Cadalso la carta citada en el texto, Meléndez Valdés, en una carta de 14 de septiembre de 1778 dirigida a Jovellanos, afirma que conocía el *Essay on Criticism* de Pope y que pensaba analizarlo en un estudio crítico comparativo de varias artes poéticas que esperaba escribir.

tiempos, tales como la formulación de un buen plan antes de empezar a trabajar, la creación de un estilo que se entienda fácilmente sin caer en lo vulgar, la evitación de demasiadas palabras extranjeras o anticuadas, la poda y el pulimento repetidos del propio estilo, la búsqueda de efectos más poéticos haciendo que el sonido de las palabras forme como un eco de su sentido, la selección de modelos reales apropiados para los personajes, el ajuste del habla de un personaje a su nivel social, la consecución de la verosimilitud en los argumentos, y otros muchos *desiderata* que no dejan en modo alguno de ser tan importantes para el romántico y el realista como para el neoclásico. En los siglos XIX y XX, se encuentra el contenido de esas viejas reglas parafraseado en los escritos autocríticos de poetas tan diferentes como Poe, Bécquer, Valéry, Juan Ramón Jiménez, T. S. Eliot, García Lorca y Melville Cane. Además, con la posible excepción de su período «cartesiano» (e incluso Boileau no fue universalmente rígido), la disciplina de la poética siempre ha puesto la lógica interna de la obra individual por encima de la lógica de su género, como, por ejemplo, sugiere Luzán al recordar el argumento de Sócrates de que una cuchara de madera es más bella que otra de oro si ha de servir para revolver el contenido de una olla de barro [27].

Lo mismo la poética de Aristóteles que la del período de la Ilustración dejan al poeta casi enteramente libre, salvo para cometer esos errores en los que se cae siguiendo ciertos malos caminos que sabemos ser tales por la *experiencia* de poetas anteriores; y en ciertas ocasiones incluso por esos senderos se puede viajar con éxito con «alguna licencia feliz». En las reglas de la poesía, como dice Pope,

---

27 Luzán, *Poética,* ed. cit., pág. 94.

> Nature, like liberty, is but restrain'd / By the same laws which first herself ordain'd (La naturaleza, igual que la libertad, no está restringida / sino por esas mismas leyes que ella primero dictó) (*Essay on Criticism*, pte. I, vv. 90-91).

No obstante, la naturaleza gozaba de suficiente libertad, en el siglo XVIII, para permitir que la literatura evolucionara fácilmente hacia el romanticismo; pues la aparición del romanticismo no se produjo tanto por la revolución como por la evolución. (En España, lo mismo que en las demás naciones europeas, estaban ya presentes, muchos años antes de rayar el siglo XIX, todos los elementos esenciales del romanticismo.) El elemento de «revolución» que haya en el romanticismo español sólo se manifiesta a última hora, cuando los románticos del siglo XIX eligieron a ciertos neoclásicos muertos como cabezas de turco contra las que podían proclamar impunemente su propia «originalidad», olvidando deliberadamente el hecho de que muchos de los neoclásicos se habían anticipado a *sus* «nuevas» técnicas [28].

Para demostrar hasta qué punto la insistencia dieciochesca sobre la libertad natural en la poesía facilitó la transición al romanticismo, quisiera destacar el hecho de que existía en la doctrina neoclásica un íntimo lazo entre el espíritu humano y la naturaleza, semejante al que Schelling y otros filósofos y escritores románticos establecieron más tarde al afirmar que la naturaleza y el espíritu forman un gran todo orgánico en el que la naturaleza es espíritu dinámico y visible, y el espíritu es naturaleza invisible. La íntima relación entre esas dos definiciones neoclásicas de la *naturaleza,* ora como el mundo natural en torno nuestro, ora como el talento natural dentro de nosotros, sugieren ya

---

[28] Véase mi estudio «Contra los mitos antineoclásicos españoles», especialmente págs. 100-106 (págs. 43-49 de *El rapto de la mente).*

una posición que en muchos aspectos es análoga a la de la filosofía de la identidad de Schelling. Sin embargo, en su *Advancement and reformation of modern poetry* (1701), John Dennis parece estar aún más cerca de la posición romántica cuando escribe:

> Así como la Naturaleza es orden, regla y armonía en el mundo visible, la Razón es lo mismo en la creación invisible... Naturaleza y Razón en una acepción más amplia es la Naturaleza [29].

La única diferencia entre esta posición y la romántica es sencillamente una cuestión de matiz: mientras Dennis habla de un lazo entre la naturaleza y lo que el siglo XVIII llamaba todavía el alma racional, los románticos solían concebir este lazo como existente entre la naturaleza y la imaginación o el intelecto pasivo, según lo llamaba Aristóteles. Mas lo importante es que la identificación del alma humana con la naturaleza «en una acepción más amplia», en el período neoclásico, representa uno de varios escalones que son indispensables para llegar a ese «panteísmo egocéntrico» [30] mediante el cual la melancolía y las lágrimas de los poetas románticos se reflejarían con compasión en el espejo universal de la naturaleza y sus infinitas caras; y esta compasión universal y su consecuencia directa, el desarrollo de un yo mundial por el cual el poeta llega a transformarse en alma y conciencia del mundo, son después de todo quizá las cualidades más esenciales del romanticismo. La filosofía sensualista contribuyó de dos modos a que se manifestaran

---

[29] Citado por Richard P. Cowl, *The Theory of Poetry in England ... from the Sixteenth to the Nineteenth Centuries* (Londres, 1914), página 70.

[30] Véase Américo Castro, *Les grands romantiques espagnols* (París, 1922), pág. 13.

muy pronto estos rasgos románticos: 1) por su liberalización de la poética, que he trazado brevemente en el presente apartado, y 2) por la influencia directa que ella ejerció en la misma *res poetica,* como veremos en el último apartado de este capítulo.

Las reglas juegan un papel muy importante en la transición del neoclasicismo al romanticismo, pero las diferencias entre lo neoclásico y lo romántico son mucho más profundas y sutiles que la mera aceptación o rechazamiento de las reglas. Ya he indicado que el concepto de la poética y las reglas cambió tan radicalmente porque el intelecto europeo abandonó su orientación cartesiana sustituyéndola por la sensualista de Locke. Este factor fundamental, la mentalidad general de un período, que puede ser la causa de que en él se interpreten de un modo nuevo los principios eternos del arte literario, es el que determina también si la poesía de tal período ha de caracterizarse por la razón y la reserva, o por el color y la emoción personal. (Las reglas de por sí no tienen nada que ver con esto último.) En un brillante ensayo epistolar retrospectivo de 1805, Jovellanos distingue entre el punto de vista artístico de los «idealistas» (cartesianos) y el de los «naturalistas» (sensualistas, observadores de la naturaleza) haciendo notar que debido a estos últimos

> Los poemas, las novelas, las historias y aun las obras filosóficas del día, están llenas de descripciones de objetos y acciones naturales y morales que encantan por su verdad y su gracia y, sobre todo, por la fuerza con que despiertan los sentimientos del corazón [31].

---

[31] Jovellanos, «Sobre la arquitectura inglesa y la llamada gótica», *Obras,* ed. Miguel Artola, BAE, LXXXVII (Madrid, 1956), 379b.

En contestación a esa idea vulgar de que interviniendo las reglas, inevitablemente se frustrará todo intento de crear cualidades como las que Jovellanos admira, yo repetiría las palabras del maestro en la Fábula LX de Iriarte, *El volatín y su maestro,* en la cual se trata alegóricamente de la función de las reglas: «¡Lo que es auxilio juzgas embarazo, / incauto joven...» (BAE, LXIII, 19a). Las reglas son como los cinceles del escultor: éstos sirvieron lo mismo a Miguel Ángel que a Rodin. Las reglas en sí son, por un lado, más sofisticadas y significativas, y por otro, menos restrictivas y mucho menos importantes, de lo que se supone generalmente; porque, si recapitulamos, en lo esencial sólo forman una descripción de aquellos aspectos del proceso creativo natural que son los mismos para todos los poetas, en todos los tiempos, en todos los lugares: «Pues aquellos que primeramente predicaron las reglas de la literatura ... sabían que todo buen genio escribiría y juzgaría según la Naturaleza, hubiéranse o no fijado algunas reglas» —escribió Henry Felton en su *Dissertation on reading the classics and forming a just style* (1713)[32].

III. EL CORDERO Y EL LEÓN

> ... su verdadero título debiera ser *Alivio de mis penas;* porque los hice todos en ocasión de acometerme alguna pesadumbre.
>
> (Cadalso, *Ocios de mi juventud,* Prólogo)

La más importante de las obras poéticas prerrománticas de Cadalso no puede estudiarse en este capítulo, porque no

---

32 Citado por Bonamy Dobrée, *English Literature in the Early Eighteenth Century 1700-1740* (Oxford, 1959), pág. 311.

está escrita en verso. Me refiero a las *Noches lúgubres,* cuyo estilo, tema y enfoque son los de un poema en prosa. Sin embargo, éste es el mejor lugar para ocuparnos de la transición de Cadalso del neoclasicismo al prerromanticismo, ya que algunas de sus obras en verso sirvieron de preparación para las *Noches,* y ya que incluso algunas de sus poesías más neoclásicas están penetradas de un nuevo sentimentalismo.

Cadalso escribió toda su obra durante la llamada Época de la Sensibilidad. En los primeros años del siglo XVIII, como reacción contra el inflexible estoicismo de los períodos precedentes, el conde de Shaftesbury proclamaba que la benevolencia es inherente al hombre, que la virtud es una consecuencia espontánea de la buena voluntad natural del hombre hacia los demás, y que la compasión y la sensibilidad ilimitada para las alegrías y las penas del prójimo son los distintivos más nobles de la naturaleza humana. Al mismo tiempo la influencia del sensualismo de Locke y de la *Opticks* de Newton aportaba una creciente participación de los sentidos en el arte de la descripción; y esto a su vez llevaba a pinturas más vivas de esos objetos que suscitan la emoción, así como a representaciones más ingenuas de ese lacrimoso sentimiento de compañerismo que fue estimulado por la nueva inquietud por el Hombre, nuestro *hermano.* Shaftesbury no solamente fue el heraldo del humanitarismo dieciochesco; sino que en un pasaje cuya relación con la historia literaria quizá no se haya considerado nunca, parece también haber presentido el nacimiento de esa forma de placer que la literatura sentimentalista de las últimas décadas del siglo había de encontrar tan exquisita, es decir, la contemplación de la inocencia amenazada por un peligro terrible y siniestro:

> Donde se puede mantener una serie o sucesión continua de tiernos y amables afectos, incluso en medio de espantos, horrores, penas y dolores, la emoción del alma es todavía agradable. Seguimos contentos aún con este melancólico aspecto o sentido de la virtud... Nos damos cuenta por nosotros mismos de que el remover nuestras pasiones de tan lúgubre modo, el comprometerlas en nombre del mérito y del valor y el ejercer el afecto social y la compasión humana que poseamos, da el deleite más elevado [33].

En 1721, en las *Lettres persanes* de Montesquieu, Rica reflexionaba:

> Nunca he visto a nadie derramar lágrimas sin por ello enternecerme: me siento tan benévolo hacia los desgraciados, que es como si no existieran otros hombres sino ellos [34].

En 1727, en *Summer*, la segunda parte de *The Seasons* en publicarse, James Thomson hablaba de «The heart-shed tear, the ineffable delight / Of sweet humanity...» (La lágrima que brota del corazón, el inefable deleite de la dulce humanidad...); y en 1827, en *Spring*, veía un reflejo del nuevo «afecto social» de Shaftesbury en el mundo animal, cuando describía los «melting sentiments of kindly care» (derretidos sentimientos de tierno cuidado) de las golondrinas por sus pequeños [35]. En 1733, en la Epístola III del *Essay on man* (vv. 147-154), Pope se hacía eco de las palabras de Shaftesbury en la importancia que concedía al papel del

---

[33] Anthony Ashley Cooper, Earl of Shaftesbury, *Characteristicks of Men, Manners, Opinions, Times* (Londres, 1711), II, 106-107 *(An Inquiry Concerning Virtue and Merit*, pte. II, sec. 1). La *Inquiry* fue publicada primero, en una forma menos completa, en 1699.

[34] Montesquieu, *Œuvres complètes*, ed. Roger Caillois, «Bibliothèque de la Pléiade» (París, 1956), I, 318.

[35] *The Works of Cowper and Thomson* (Filadelfia, 1831), 2 vols. en 1, II, 7b, 21a.

«amor social» en el desarrollo del hombre antes y después de su salida del «estado de la naturaleza», otro término que lo mismo Pope que Shaftesbury usaron mucho antes que Rousseau. En 1755, en el *Discours sur l'origine et les fondements de l'inégalité parmi les hommes,* Rousseau ensalzaba la *piedad natural,* «que nos llama sin reflexión en ayuda de aquellos a quienes vemos sufrir; ella es la que en el estado de la naturaleza ocupa el lugar de las leyes, las costumbres y la virtud, con la ventaja de que nadie está tentado a desobedecer su dulce voz; ella es la que impide al robusto salvaje llevarse al niño débil o al anciano frágil el sostenimiento ganado a duras penas» [36]. En *Candide* (1758), Voltaire describe los sentimientos de Cacambo al salir de viaje al servicio de su amo:

> Estaba al punto de la desesperación por tener que separarse de un amo tan bueno, que había llegado a ser su íntimo amigo, pero su placer en serle útil se sobreponía a su pena en dejarle. Se abrazaron derramando juntos sus lágrimas... Este Cacambo era un hombre muy bueno [37].

En 1762, Henry Home, más conocido como el lord Kames, en sus *Elements of Criticism,* ponía de relieve el bien que se seguirá para la sociedad si nosotros «instintivamente nos regocijamos con el feliz y lloramos con el doliente», y si recordamos que «un niño, obediente en todo a los impulsos de la naturaleza, no oculta ninguna de sus emociones; el salvaje y el payaso, que no tienen otra guía que la pura naturaleza, abren sus corazones a la vista de todos

---

[36] Rousseau, *Discours,* «Classiques Larousse» (París-Nueva York, 1941), pág. 41.

[37] Voltaire, *Roman et contes,* ed. Henri Bénac, «Classiques Garnier» (París, 1958), pág. 184.

entregándose a todos los signos naturales»[38]. En la *Nouvelle Héloïse* de Rousseau, que es del mismo año, Saint-Preux escribe a Julie sobre sus estudios: «todo lo que no diga nada al alma, no merece tu atención». En otra carta, sufriendo la exquisita angustia de los que tienen el espíritu delicado, Saint-Preux exclama: «¡Oh Julie! ¡qué fatal regalo del cielo el haber recibido un alma sensible!». Más adelante su discípula demuestra haber aprovechado sus lecciones cuando medita: «Nadie sabe... cuánta dulzura se encuentra en apiadarse de sí mismo en las propias penas y de los demás en las suyas»[39]. En su comedia lacrimosa *El delincuente honrado* (1773), que escribió mientras Cadalso estaba trabajando en sus obras principales, Jovellanos hace que uno de sus personajes repruebe a los duros de corazón: «Si las lágrimas son efecto de la sensibilidad del corazón, ¡desdichado de aquel que no es capaz de derramarlas!»[40].

Es muy probable que Cadalso conociera todos los textos ingleses y franceses que acabo de citar, puesto que hizo extensas compras de libros en París y Londres en los primeros años de la década de 1760 (AA, 120). Estaba familiarizado lo mismo con el texto inglés que con el francés del *Essay on man* de Pope (EV, 377); en *El buen militar a la violeta,* fechado el 1 de diciembre de 1772, menciona haber leído el *Candide* de Voltaire (BMV, 580); una serie de paralelos textuales identificados por Glendinning en su edición de las *Noches lúgubres* y por Dupuis y Glendinning en su edición de las *Cartas marruecas,* así como otras muchas alusiones no tenidas en cuenta por estos eruditos, prueban

---

38 Henry Home, Lord Kames, *Elements of criticism* (Nueva York, 1838), págs. 214-215.

39 Rousseau, *Nouvelle Héloïse,* I, 33, 36; II, 374.

40 Jovellanos, *El delincuente honrado,* BAE, XLVI (1951), 83a.

que Cadalso conocía bien las principales obras de Rousseau; y no cabe duda de que desde un principio le eran familiares las obras que sus amigos escribían en el género sentimental, porque él y Jovellanos y sus compañeros, los poetas salmantinos, solían mostrarse unos a otros y enviarse por correo los manuscritos de las obras que tenían entre manos o acababan de terminar.

Me parece también muy probable que Cadalso leyera *The Seasons* de Thomson. A veces, un pasaje descriptivo de la poesía de Cadalso recuerda otro de Thomson. Además, en algún momento antes de 1778, Thomson había llegado a ser uno de los poetas favoritos de Meléndez Valdés, quien adquirió sus primeros conocimientos de la literatura inglesa leyéndola y comentándola con Cadalso, y seguramente se ocuparían a menudo de Thomson, entre otros poetas y prosistas (véase BAE, LXIII, 83). La probabilidad de que Cadalso leyera a Shaftesbury y Kames sigue siendo sólo una probabilidad, aunque Juan Marichal también ha tomado nota de «la muy probable influencia de Shaftesbury en Cadalso y en otros ilustrados hispánicos»[41]. Sin embargo, lo que me interesa principalmente no es probar que Cadalso conociera a unos determinados precursores y representantes individuales de la Época de la Sensibilidad en Europa. Mi propósito al reproducir tan amplia gama de ejemplos es recordar al lector que el nuevo sentimentalismo, compasión y fraternalismo «estaban en el ambiente» por toda la Europa dieciochesca; y un español tan cosmopolita como Cadalso difícilmente podía dejar de influirse por ellos.

La amplia difusión del nuevo sentimentalismo en España en el período en que Cadalso estaba escribiendo sus principales obras resulta obvia también por el hecho de que, hacia

---

[41] Marichal, *La voluntad de estilo* (Barcelona, 1957), págs. 331-332.

1777, se podía leer, en un manual de elocuencia destinado al público general, la siguiente descripción del efecto del estilo patético en el oyente o el lector:

> Las pinturas lastimosas, los discursos tiernos y los espectáculos más horrorosos *ablandándole* y estremeciéndole, le dan un continuo testimonio de la sensibilidad de su corazón y de la bondad de su alma. El que se enternece se siente siempre mejor que antes: llora, y sus mismas lágrimas le dan buena opinión de sí mismo [42].

Si las últimas ideas europeas no se hubieran diseminado generalmente por toda España antes de 1775, no habría existido, por ejemplo, razón alguna para que los impresores madrileños publicaran traducciones de dos refutaciones francesas, de dos tomos cada una, de Voltaire y Rousseau en el breve espacio de dos años de 1775 a 1777 [43]. (Ya en 1753, sólo tres años después que el *Discours sur les sciences et les arts* de Rousseau recibiera un premio de la Academia de Dijon, Feijoo lo parafraseaba en la carta XVIII del tomo cuarto de sus *Cartas eruditas y curiosas;* y aun antes Luzán, en sus *Memorias literarias de París,* impresas en Madrid en 1751, daba noticias muy completas de las diversas obras de Voltaire, a la par que de varias innovaciones literarias como la comedia lacrimosa.) La España del siglo XVIII estaba mucho menos alejada de las tendencias filosóficas y literarias entonces en boga en Europa de

---

42 Antonio de Capmany, *Filosofía de la elocuencia* (Madrid, 1777), página 114. El subrayado es mío.

43 *El oráculo de los nuevos filósofos, M. Voltaire, impugnado y descubierto ... con la refutación del Emilio o Libro de la Educación de Juan Jacobo Rousseau, escritas en francés por un anónimo* [M. Guyon] (Madrid, 1775-1776), 2 vols.; Nicolás-Sylvestre Bergier, *El deísmo refutado por sí mismo o examen de los principios de incredulidad esparcidos en las diversas obras de M. Rousseau* (Madrid, 1777), 2 vols.

lo que algunos historiadores de las ideas quisieran hacernos creer.

En todo caso, la compasión, el fraternalismo y el deleite en la expresión lacrimosa de la alegría, el dolor y la autopiedad a lo Shaftesbury, que caracterizaban la Época de la Sensibilidad en toda Europa, se manifestaban también en España. Ya hemos visto que cuando Cadalso se sentía melancólico, leía poesías tristes «y mis males yo mismo celebraba / por la delicia que en su cura hallaba». También hemos observado el consuelo de Cadalso al «contar a su leal amigo / el motivo del llanto / sin arte, sin respeto, sin testigo». El bello poema histórico de Cadalso, *Carta de Florinda a su padre el conde don Julián, después de su desgracia* (BAE, LXI, 251a-252b), aunque inspirado en un romance tradicional[44], guarda una relación muy clara, por su forma y sentimentalismo femenino, con la novela epistolar del siglo XVIII y esas lánguidas heroínas suyas como Clarissa y Julie. Florinda, como ellas, prefiere la aflicción llorosa a la acción, y el Rodrigo de Cadalso es un perfecto Lovelace.

Shaftesbury, Pope, Rousseau y otros intentaron comprender la facultad humana de la compasión enfocándola según funcionaría en el estado de la naturaleza durante la cándida juventud de la humanidad; y la influencia de sus especulaciones sobre la literatura hizo que la imagen de la juventud incorrupta, o al menos la de la juventud perdida, se uniera desde entonces a casi toda expresión de dolor y compasión. (En el capítulo II hemos considerado la importancia de la imagen de la juventud para Cadalso en relación con otro tema.) En una composición en tercetos dirigida *A la fortuna*, Cadalso se lamenta:

---

[44] Véase Ramón Menéndez Pidal, *Flor nueva de romances viejos* (Buenos Aires, 1938), pág. 57. Sobre el tratamiento cadalsiano véase el artículo de R. Merritt Cox registrado en nuestra bibliografía, abajo.

¡Oh, cuántas veces se inflamó el deseo
en este pecho joven e inocente,
que ya por fin desengañado veo!

(BAE, LXI, 250a)

En otros poemas, aparece una compasión más puramente humanitaria, como cuando Cadalso afirma que bien sea un iroqués, un patagón, un fiero hotentote o un frío noruego,

Le miro siempre como hermano mío,
recibiendo en mi seno
al malo con piedad, con gusto al bueno.

(BAE, LXI, 257b)

Parece que Cadalso quiere emular a Thomson al pintar esos tiernos y conmovedores lazos de devoción que unen a las criaturas de órdenes inferiores con sus compañeras. En la *Carta a Augusta,* expresa la idea de que el vivir en la naturaleza puede estimular sentimientos semejantes en el pecho humano. Arguye que

Si es natural instinto
el principio de amor en nuestro pecho,
en el verde recinto
siempre se halla gozoso y satisfecho.

(BAE, LXI, 260a)

Después señala, a modo de ejemplo, cómo el jilguero obsequia placentero a la jilguera, cómo el pichón festeja a su consorte; y en un tono más thomsoniano que el mismo Thomson, nos pide que consideremos cómo aquí en el verde prado incluso el «toro bruto, horrendo» siente una dulzura inesperada,

Y se llega a su vaca tan rendido
como el galán más tierno y derretido.
(BAE, LXI, 260a)

Los poetas de la nueva era no encontraban las lágrimas de Melpómene suficientemente dulces para satisfacer a su yo, y Cadalso sintió la necesidad de una nueva musa que presidiera su poesía dolorosa. En una conocida letrilla o glosa sobre la muerte de María Ignacia Ibáñez, se dirige a la sucesora de Melpómene:

¡Oh, musa! (si acaso
la hay tan infeliz
que esté destinada
para presidir
el llanto y gemido),
venid...
(BAE, LXI, 275a)

Quizá a primera vista nada pudiera parecer más ajeno a la madurez, mesura y grandeza estoica de Garcilaso que esta sensibilidad tierna, conmovedora y sensual; y sin embargo, los elementos clásicos españoles y los elementos modernos europeos de la poesía de Cadalso se encuentran precisamente en este terreno empapado de lágrimas. La aguda sensibilidad para las emociones que caracterizaba a Cadalso y su tiempo es sin duda lo que le capacitó para identificar el *leitmotiv* de la «blandura» reprimida en Garcilaso, quien, según dice Margot Arce de Vázquez, es evidentemente un poeta de la melancolía, pero «por estoico, es enemigo de toda explosión de patetismo», y «acepta virilmente el dolor con todas sus consecuencias»[45]. (El hecho de

[45] Margot Arce de Vázquez, *Garcilaso de la Vega* (Río Piedras, P. R., 1961), págs. 40-47.

que Cadalso no evita las explosiones del patetismo es una de las indicaciones más claras de que Glendinning se equivoca al colgarle la etiqueta de estoico.) En todo caso, es probable que habiendo percibido la ternura reprimida de la poesía de Garcilaso, Cadalso elaborara su propio «blando numen» en imitación de la «blanda musa» del poeta renacentista por creer que descubriría el modo de naturalizar las nuevas emociones de la europea Época de la Sensibilidad si le encontraba un precedente español. Cadalso era cosmopolita en todos los sentidos, pero antes que nada era español; y en sus conversaciones con los otros tertulios de la Fonda de San Sebastián de Madrid (existen alusiones a esas conversaciones en las *Cartas marruecas)*, así como en sus lecciones poéticas con los poetas jóvenes de Salamanca, mostraba su sabiduría al insistir siempre en la necesidad de buscar un eslabón firme entre la tradición literaria española y las nuevas tendencias. En una obra literaria el lector no puede encontrar más de lo que su conocimiento, temperamento, capacidad, deseos y circunstancias históricas le capacitan para ver en ella; y a Cadalso o bien se le pasó por alto el estoicismo de la poesía de Garcilaso, o, lo que es más probable, él no se dio cuenta de su importancia porque, como Diderot, no lo consideraba como una filosofía viable ya para el siglo XVIII [46].

Incluso la lexicografía del Siglo de Oro parece sostener la interpretación en conjunto sentimentalista que da Cadalso de la «blanda musa» de Garcilaso. En su *Tesoro de la lengua castellana o española* (1611), en el artículo sobre la palabra *blando,* Covarrubias observa que llamamos «blando de corazón al que fácilmente vence cualquiera cosa compasible o amorosa». Además, si se adopta el punto de vista de Ca-

[46] Véase mi recensión de la edición de las *Cartas marruecas* de Dupuis-Glendinning.

dalso, hay en la poesía de Garcilaso algunos pasajes que se prestan fácilmente a una interpretación sentimentalista. Anteriormente, en este mismo capítulo, he citado una estrofa de la *Flor de Gnido* de Garcilaso, en la cual, en tres versos, aparecen detalles tan del gusto del siglo XVIII como unas «tristes querellas... / que con llanto abundante / hacen bañar el rostro del amante». En una ocasión Garcilaso parece presentir el placer que los poetas románticos sentirían en sus propias penas:

.... he venido a tal extremo,
que del grave dolor que huyo y temo,
me hallo algunas veces tan amigo,
que .... [47].

El tema del suicidio, que llegaría a ser tan corriente en la Época de la Sensibilidad, también aparece en ciertos poemas de Garcilaso, especialmente en la segunda égloga; mas volveremos después sobre estos paralelos. Mi propósito en esta sección era dejar claro el prerromanticismo de Cadalso. Ya hemos hablado de una de sus características esenciales, el sentimentalismo dieciochesco; pero el sentido que suele atribuirse a *prerromanticismo* es más amplio que el de *Época de la Sensibilidad,* y así no estarán de más algunas aclaraciones adicionales. El rasgo central del prerromanticismo en Cadalso o en cualquier otro poeta es lo que Locke y Condillac pudieran haber llamado la extensión de la conciencia individual; y esto es lo que dio nacimiento al «panteísmo egocéntrico» tan típico de los románticos (y, a su vez, a todos los otros rasgos más significativos de lo que comúnmente se entiende por *romántico)* [48].

---

[47] *Garcilaso y sus comentaristas,* págs. 116-117.

[48] Pocos críticos han identificado tan claramente las características centrales del romanticismo como Américo Castro en su obra *Les*

El primer paso en la formación de la nueva relación emocional del poeta romántico con la naturaleza fue el desarrollo de una nueva apreciación de los fenómenos naturales en la poesía europea del siglo XVIII. Por ejemplo, era necesaria una representación más viva de los objetos naturales para estimular la compasión a lo Shaftesbury que sentía un Thomson por las golondrinas y otras criaturas naturales; y la filosofía de Locke (que fue una de las fuentes de Shaftesbury) desempeñó un papel importante al animar a los poetas a abrir de nuevo los ojos al paisaje natural. El nuevo sentimiento de la naturaleza en la poesía del siglo XVIII es una de sus características más conocidas; mas quiero destacar uno o dos puntos relativos a sus orígenes, porque muy poco de todo lo que se ha dicho de ellos resulta claro o pertinente; y como consecuencia, no se suele entender bien la diferencia entre el sentimiento dieciochesco de la naturaleza y el de los períodos anteriores. Los hispanistas no están desde luego siempre en la vanguardia de la crítica literaria, pero sin duda las ideas más convincentes que se han expresado hasta la fecha sobre la formación de este nuevo sentimiento de la naturaleza en el siglo XVIII se han de buscar en el estudio de Ronald M. Macandrew titulado *Naturalism in Spanish Poetry* (Aberdeen, Escocia, 1931).

Macandrew hace observar simplemente que los poetas de aquel período se entregaban a unas amplias lecturas complementarias, y que llegaron a conocer profundamente la obra de Locke. Esta observación se puede extender también a los escritores que cultivaban otros géneros; pues al dar

---

grands romantiques espagnols: «lo que se llama en sí romanticismo es una metafísica sentimental, un concepto panteísta del universo cuyo centro es el yo» *(loc. cit.)*.

importancia al papel de las sensaciones y la observación cuidadosa en la formación de nuestras ideas, Locke avivó los sentidos de toda Europa y echó los cimientos para casi todas las innovaciones literarias que tuvieron lugar hasta el año 1900[49]. Comentando la viveza de la poesía naturalista de Meléndez Valdés, Macandrew escribe: «Esta obsesión por la descripción detallada y por la riqueza de apuntaciones sensuales revela cuán completamente se dirigía Meléndez por el método de la filosofía de Locke». Macandrew sugiere el gran número y variedad de fenómenos naturales que repentinamente invadieron la poesía con toda su espontánea majestad, al designar el principal de los nuevos procedimientos de los poetas dieciochescos como el de la «catalogación»; y teniendo siempre presente a Locke, concluye que en Meléndez «el sentimiento de la naturaleza sigue siendo medio sensual, medio lírico»[50]. La nueva libertad de la poética, también influida por el sensualismo, como hemos visto, tendía a realzar el organicismo que entonces se hacía cada vez más característico de las descripciones de la naturaleza.

Cadalso fue el precursor de Meléndez en el nuevo estilo descriptivo como en casi todo lo demás. Sólo en el espacio de treinta versos, en la *Carta a Augusta,* Cadalso menciona peras, peros, melocotones, naranjas, brevas, limas, melones, un mirto, flores de azahar y jazmín, y la verde grama, así como unos «pichoncitos» y «frescos pececitos», diminutivos que subrayan la sensibilidad para la naturaleza que ya

---

[49] Véase el cap. IV de la Introducción a mi edición del *Fray Gerundio de Campazas,* de José Francisco de Isla, «Clásicos Castellanos» (Madrid, 1960-1964), I, lx-xciii, sobre el papel de la filosofía de Locke en la creación de lo que ya es una novela naturalista en el siglo XVIII.

[50] Macandrew, *Naturalism in Spanish Poetry* (Aberdeen, 1931), página 103.

está implícita en la catalogación de los frutos, las flores y las criaturas vivientes. En los mismos versos el poeta usa una serie de palabras sensuales y frases como *sabroso, gustoso, colorado, oloroso, furor del sol, frescura* y *ardor* para describir los objetos naturales ya mencionados; y también recurre a la exclamación, típico instrumento del poeta descriptivo del siglo XVIII en su entusiasmo por los deleites sensuales de la naturaleza: «¡Qué peras tan gustosas! / ¡Qué pero tan hermoso y colorado!» (BAE, LXI, 259b). En fin, es el mismo tono en el que Thomson había encarecido el profundo placer que abunda «for him who lonely loves / To seek the distant hills, and there converse / With Nature» (para el que solo gusta / De ir en busca de las colinas distantes y allí conversar / con la Naturaleza); el mismo tono en el que Rousseau había exhortado: «vamos a amar a toda la Naturaleza»[51]. (En *La Carta a Augusta,* el jardín que rodea la casa del poeta «por donde el Ebro en miniatura pasa» [BAE, LXI, 259a], recuerda en muchos aspectos el jardín inglés de Julie con su arroyo «natural» tan esmeradamente planeado y construido, según lo describe Rousseau en su carta XI de la parte IV de la *Nouvelle Héloïse.*)

La originalidad de la representación de la naturaleza en la poesía dieciochesca se debe en gran parte al hecho de que abundan en ésta las impresiones sensuales, y a que ella es así a su vez capaz de despertar los sentidos del lector. Esto se explica sobre todo por la influencia de Locke, como queda dicho, pero en poemas como *The Seasons* esos efectos sensuales que dependen del color y la luz se influyeron también por la *Óptica* de Newton, como revelan el poema de Thomson *To the memory of sir Isaac Newton* y el libro de

---

[51] Thomson, *Works,* ed. cit., II, 25a; Rousseau, *Nouvelle Héloïse,* I, 97.

Marjorie Hope Nicolson, *Newton demands the muse: Newton's «Opticks» and the eighteenth-century poets* (Princeton, 1946). Cadalso menciona dos veces a Newton y se refiere una vez a la ciencia de la óptica en la tercera lección de *Los eruditos a la violeta,* de modo que los efectos visuales de sus versos descriptivos pueden haberse influido también por el gran físico inglés. Según el poeta y crítico neoclásico tardío Alberto Lista, la poesía descriptiva en el sentido auténtico del término no nació hasta mediados del siglo XVIII [52]; que es precisamente el período en el que la influencia de Newton y Locke sobre los filósofos y escritores continentales se hacía verdaderamente significativa.

Habría que tener en cuenta un pasaje del *Traité des sensations* (1754) de Condillac que, según creo, no se ha examinado nunca en conexión con la evolución del estilo descriptivo poético. La estatua que aparece en la célebre alegoría de Condillac, al ser dotada por fin de los cinco sentidos corporales, se queda extática, maravillada ante la belleza del paisaje, y después se entrega al voluptuoso placer de correr de acá para allá para inhalar, gustar, oír, ver y sentir todos los objetos naturales uno tras uno. En una palabra, la estatua de Condillac se transforma en poeta de la naturaleza y recuerda muchísimo a Thomson, Parini, Saint-Lambert, Cadalso o Meléndez Valdés cuando reflexiona:

> Me parece que con cada cosa que estudio, descubro un nuevo modo de ver y me regalo con un nuevo placer. He aquí una ancha llanura... Allí se ve una tierra entrecortada y más limitada. Alfombras de verdura, arboledas, flores, grupos de árboles entre los que el sol apenas penetra, aguas que fluyen lentamente o se precipitan violentamente, embellecen este paisaje... Movido por la curiosidad, recorro ansiosamente los lu-

---

[52] Lista, *Ensayos,* II, 48.

> gares cuya primera vista me embelesó, y me entusiasma reconocer con mis oídos, mi olfato, mi gusto y mi tacto los objetos que en todas partes hieren mis ojos. Todas mis sensaciones parecen temer la posibilidad de tener que ceder a sus compañeras. La variedad y viveza de los colores rivaliza con la fragancia de las flores; los pájaros me admiran más por su forma, su movimiento y su plumaje que por sus canciones. ¿Y qué es el murmullo de las aguas comparado con su curso sinuoso, sus cascadas y su brillo cristalino?[53].

Todos los importantes poetas descriptivos del continente escribieron después que el *Tratado de las sensaciones* había llegado a ser un libro corriente en la Europa occidental. ¿Es posible que cualquiera de ellos —Parini, Saint-Lambert, Delille, Cadalso, Meléndez Valdés, etc.— dejara de leer el sugestivo pasaje que acabo de citar? Incluso el intrigante poeta naturalista dieciochesco de la lejana Lituania, Kristijonas Donelaitis, parece haber conocido la filosofía sensualista y la óptica moderna, si hemos de juzgar por el estilo descriptivo de sus cuatro *Estaciones (Metai).*

Los sensualistas enriquecieron al hombre con una conciencia más aguda de sus circunstancias; mas al hacer que sus conocimientos dependieran cada vez más exclusivamente de sus percepciones sensuales de la realidad material que tenía en torno suyo, ellos aceleraron también la ruptura de los lazos espirituales del hombre con Dios y la materialización de su alma; pues fueron trazando una línea cada vez más borrosa entre el sujeto y el objeto, entre el perceptor y lo percibido, entre el ser consciente y el mundo inanimado. Mientras analiza nuestras nociones sobre la identidad personal y el yo, Locke afirma:

---

[53] Abbé de Condillac, *Traité des sensations,* en *Œuvres* (París, 1792), III, 276-277.

> Aquello con que la *conciencia* de esta presente cosa pensante puede unirse, forma una sola *persona* y es un solo *yo* con ella ... y así ella lo llama *yo,* y se apropia todas las acciones de aquella cosa como suyas hasta donde alcanza aquella conciencia.

El materialismo del espíritu del hombre, como se concibe en esta afirmación, parece estar subrayado por el uso de la palabra *cosa,* para designar al perceptor lo mismo que a lo percibido, y por la manera en que Locke usa la cursiva. Anteriormente, en el mismo capítulo, Locke afirma que la identidad personal depende sólo de la conciencia, «lo mismo si [ésta] está aneja únicamente a una substancia individual, o si puede continuarse en una sucesión de varias substancias»[54]. En estos pasajes del *Essay concerning human understanding,* que Cadalso había leído, como menciona en *Los eruditos a la violeta* (EV, 377), tenemos una prefiguración de la fusión total del espíritu y la naturaleza que iba a producirse en el período romántico. John Dennis identificaba el alma racional con la naturaleza, como hemos visto; pero antes que él, Locke casi parece haber presagiado el lazo más amplio entre el mundo interior y el exterior que en un día había de caracterizar al romanticismo.

En términos lockeanos, el mero acto de la contemplación (puesto que se trata de una extensión de la conciencia) produce una unión psicofísica del observador con la naturaleza. Tenía por lo tanto que desarrollarse un vínculo emocional entre la nueva naturaleza dinámica de los sensualistas y el poeta afligido, que en un siglo sin Dios como era el XVIII, buscaba la comprensión compasiva en los objetos naturales que le rodeaban. A la larga, la naturaleza acabaría

---

[54] John Locke, *Essay concerning human understanding,* lib. II, cap. 27, secs. 10, 17.

por ser su única fuente de consuelo, su única compañera y su Dios; pues habiéndose roto su lazo espiritual con el Dios cristiano, su búsqueda de otra divinidad, al igual que su deseo de belleza y compañía, le llevaron a través de los sentidos a esos mismos objetos naturales. La estatua humanizada de Condillac que sólo tenía sus cinco sentidos para guiarse en su búsqueda de un poder más alto, es un ejemplo que hace al caso:

> Se dirige en cierto modo al sol... Se dirige a los árboles... En una palabra, se dirige a todas las cosas de las que cree depender. Si sufre sin descubrir la causa en esos objetos que hieren sus sentidos, se dirige a su propia angustia como si ésta fuera una enemiga invisible a la que había que aplacar. Así el universo se va llenando de seres visibles e invisibles a los que ella ruega que trabajen por su felicidad[55].

Parece probable que este pasaje represente la primera ocasión en que un escritor continental vio en los sentidos un acceso a una especie de unión espiritual entre el hombre y los seres naturales que habitan su mundo; y como tal, es un antecedente indispensable para el desarrollo de la metafísica romántica en los países de la Romania. Desde luego —y ello es bien irónico—, la «divinidad» que el poeta post-sensualista buscara en la naturaleza, le dejaba tanto más desesperado, desconsolado y solo, cuanto que pronto descubría que el objeto de todas sus súplicas era solamente la imagen de su propia alma angustiada que él sin darse cuenta había proyectado sobre el paisaje de un mundo despiadado y sin Dios.

Se encuentran ejemplos de la nueva «compasión» de la naturaleza (que no debe confundirse con la simple figura

---

[55] Condillac, *Œuvres*, III, 254-255.

de la falacia patética) en Inglaterra antes de 1750, en poemas como *The Seasons* de James Thomson y *The pleasures of imagination* de Mark Akenside; pero aquí vendrán más al caso unos ejemplos tomados del propio Cadalso. Es digno de notarse que Cadalso ya destaca el vínculo emocional entre sí y la naturaleza en un pasaje prosaico de una carta en verso escrita durante su destierro en Aragón. El primer pasaje que voy a citar de esta *Carta escrita desde una aldea de Aragón* sugiere la influencia de Rousseau tanto como la de Locke:

> Los otros pastores,
> que advierten mi tedio,
> me ofrecen en vano
> algún alimento.
> Entonces, amigo,
> comer plantas suelo,
> o frutas del campo,
> o leches o quesos,
> porque son comidas
> de poco aderezo
> y son naturales
> como mis afectos.
>
> (BAE, LXI, 269c)

La necesidad para el poeta de un lazo más íntimo con la naturaleza se manifiesta cuando él se siente atormentado por el tedio o aburrimiento, una de varias emociones (esplín, melancolía, etc.) que gradualmente se iban fundiendo para dar origen a ese especial dolor romántico para el que Meléndez Valdés había de forjar un nombre español —*fastidio universal*— mucho antes de que entraran en uso los términos *mal du siècle* y *Weltschmerz*[56]. También en el

[56] Véase mi estudio «Sobre el nombre español del dolor romántico», *Insula*, núm. 264 (nov. 1968), 1, 4-5; o en *El rapto de la mente*, páginas 123-137.

pasaje que acabo de citar hay un rechazamiento implícito de las fórmulas pastoriles neoclásicas cuando se da a entender que el alimento de los pastores, habitantes de la naturaleza neoclásica, no es lo bastante natural para el afligido poeta. Finalmente, quisiera hacer hincapié en el hecho de que el lazo emocional entre el poeta y la naturaleza («y son tan naturales / como mis afectos») se establece a través de la identificación espiritual de aquél con la *natura naturata,* esto es, la «naturaleza creada» —algo que nunca habría podido ocurrir durante el Siglo de Oro—. Esto quedará más claro cuando examinemos otro pasaje más poético y más obviamente romántico de la misma *Carta.* Lo más importante del pasaje que acabamos de analizar es que confirma la identificación psicológica de Cadalso con la naturaleza *(natura naturata).*

Antes, en la misma *Carta desde Aragón,* Cadalso nos cuenta que cuando, «cargado de tedio», mira a su alrededor, ve que

> El cielo se muestra
> airado y tremendo,
> las yerbas sus verdes
> matices perdieron,
> las aves no forman
> sus dulces conciertos.
> ....
> sólo oigo la ronca
> voz del negro cuervo.
>
> **(BAE, LXI, 269b)**

¿Cómo difiere esta figura del tipo usual de falacia patética o «personificación apasionada», según el nombre ya casi olvidado que le daba el lord Kames?

Los rasgos radicalmente nuevos de la naturaleza emocionalmente electrizada de los prerrománticos y románticos quedarán claros si comparamos los versos de Cadalso citados en el párrafo precedente con varios versos de la primera égloga de Garcilaso, en los que se da un ejemplo típico de la falacia patética como se trataba en épocas anteriores:

> Con mi llorar las piedras enternecen
> su natural dureza y la quebrantan;
> los árboles parece que se inclinan;
> las aves que me escuchan, cuando cantan,
> con diferente voz se condolecen,
> y mi morir cantando me adivinan[57].

Cuando se medita en estas figuras similares, resulta sobradamente evidente que hay una diferencia esencial entre ellas. En Garcilaso hay *cuatro* diferentes identidades psicológicas claramente definidas: las piedras, los árboles, las aves y el poeta (Salicio), cada una de las cuales reacciona ante la situación a su manera, mientras en Cadalso sólo hay *una* identidad psicológica, la del poeta, porque la actitud y el aspecto de todos los seres naturales, incluso de la bóveda celeste que los cubre, se asimilan a los del solitario doliente. En la metáfora o símil *(parece)* de Garcilaso, el poeta se siente consciente de la *aparente* actitud compasiva de los objetos naturales que le rodean como de una actitud que existe en aquellos seres, fuera de él; en la metáfora de Cadalso, en cambio, el poeta sólo se siente consciente de su propia conciencia, dentro de sí y en la forma en que él mismo la ha proyectado sobre todas las criaturas y cosas al alcance de su vista y oído. En la égloga renacentista, la compasión que muestran los seres naturales es sólo una con-

---

[57] *Garcilaso y sus comentaristas,* pág. 144.

cesión respetuosa ante el humor del interlocutor humano con quien las circunstancias los han confrontado en un momento dado; y con algunas de las palabras que Garcilaso ha elegido para representar la expresión del dolor de esos seres naturales (*natural dureza, inclinarse, con diferente voz,* etc.) se insinúa que volverán a asumir su actitud habitual después que el poeta se haya ido.

En la *Carta* en verso de Cadalso, la naturaleza en realidad no se compadece del poeta; le reitera psicológicamente. En la *Carta* de Cadalso, el aspecto lúgubre de la naturaleza tiene un *terminus a quo* declarado —«Desde que del hado, / conmigo severo, / la mano tirana / firmó mi decreto»—, que se encuentra en los versos que preceden a los que cité antes, pero no tiene un *terminus ad quem* declarado ni implícito; porque el yo del poeta no sólo ha reformado toda la naturaleza a su imagen, sino que a ésta la ha absorbido toda entera. Solamente algunos años más tarde, Meléndez Valdés hablaría de estar solo «en medio del universo» (BAE, LXIII, 149a). Mas en el poema que venimos analizando, Cadalso era ya el centro de su mundo; en lugar de imaginar que las piedras momentáneamente «enternec*en* / *su* natural dureza» —formas de tercera persona—, él rige el mundo desde su interior, a través de la agencia de sus sentidos: «sólo *oigo* la ronca / voz del cuervo», verso en el cual la palabra clave es la forma de primera persona del verbo de percepción que he subrayado. La falacia patética tal como la practican los prerrománticos y románticos no es tanto una figura retórica como una *Weltanschauung.* En fin, la *Carta desde Aragón* revela que Cadalso tuvo la misma experiencia que le había tocado a Saint-Preux sólo siete años antes:

> Corro rápidamente de un lugar a otro —había confesado el héroe de Rousseau—, y en todas partes encuentro en cada ob-

jeto el mismo horror que reina dentro de mí... y toda la naturaleza está muerta a mis ojos [58].

La diferencia entre el tratamiento renacentista y el dieciochesco de la falacia patética se debe a la enorme diferencia entre los conceptos del hombre y el universo en que se apoyan. Según las filosofías en parte cristianas y en parte neohelénicas que presidían la composición poética durante el Renacimiento, el hombre formaba uno de los eslabones superiores de la «gran cadena del ser» y en esta jerarquía era inferior sólo a los ángeles, a la *natura naturans* («naturaleza creadora»), sierva o agente de Dios en el acto de la Creación, y al mismo Dios. Por debajo del hombre, todos los otros objetos y criaturas de la *natura naturata* («naturaleza creada») estaban subordinados unos a otros de acuerdo con sus grados descendentes de perfección, estando cada uno obligado a servir al que se encontraba inmediatamente sobre él. Por lo cual a todos estos objetos y criaturas les estaba directa o indirectamente confiado el privilegio de servir al hombre, quien era su vínculo con la divinidad a la cumbre de la cadena y quien así tendía a su vez a identificarse con los ángeles, la *natura naturans* y Dios, más bien que con aquellas cosas creadas que eran inferiores a él. En general, los teólogos, novelistas y poetas del Renacimiento evitaban confundir la *natura naturans* con la *natura naturata*, y huían del panteísmo naturalista que habría resultado de tal confusión [59]. Que el hombre, a quien se consideraba como la perfecta imagen refleja de Dios, se dejara fundir, aun imaginariamente, con las criaturas de los órdenes inferiores de la *natura naturata*, era inconcebible. (El

---

58 Rousseau, *Nouvelle Héloïse,* I, 67.

59 Véase Otis H. Green, *Spain and the Western Tradition* (Madison and Milwauke, 1963-1966), II, 14-20, 75-97.

imaginar, a modo de puro adorno estilístico, que las criaturas de esos órdenes inferiores estuvieran provistas de *su propia* conciencia, era algo muy diferente.)

Pero los poetas se verían obligados a representarse a sí mismos y a su mundo de muy distinta manera en un período en el que los filósofos podían concebir la conversión de una estatua en un hombre con la sola adición de los sentidos corporales y luego describir la reacción de tal entidad al contemplar su medio ambiente como sigue:

> Se debe concluir que el sentido que ella tiene de su extensión es vago, que no marca límites en ninguna parte. Se ve a sí misma como un ser multiplicado sin fin, y no conociendo nada más allá de sí misma, desde su punto de vista es como si fuera inmensa; está en todas partes, es todo [60].

El concepto panteístico del yo que iba a caracterizar a la poesía romántica está prefigurado en la filosofía de la Ilustración. Paradójicamente, al abrazar al universo entero como complemento de su conciencia, el hombre romántico se cayó cabeza abajo por la escala jerárquica de la existencia para ocupar un escalón mucho más bajo que el de su antecesor renacentista; porque logró la universalización o pseudodeificación de su yo poniéndose en pie de igualdad con los inferiores de sus antepasados, y acabó por no ser más que un ser material sensible en un mundo material.

Me he detenido tanto en esta digresión, porque si vamos a evitar las aplicaciones inexactas que se acostumbra hacer del término *romántico,* es esencial que lo relacionemos con algo que sea a la vez más claramente definible y más fácilmente fechable que el subjetivismo, el idealismo, el suicidio, el color local, el melodrama, o temas y elementos ma-

---

[60] Condillac, *Œuvres,* III, 88.

cabros, sepulcrales nigrománticos y medievales, heroínas tuberculosas, héroes de origen misterioso, la violación de las tres unidades, etc. La alegación de tales rasgos como prueba del romanticismo de una obra determinada sólo ha llevado a aumentar la confusión, puesto que estos mismos componentes pueden encontrarse aisladamente o combinados en casi todos los períodos de la historia literaria. Ciertos otros rasgos bien conocidos como la inversión de los valores morales, la enemistad entre la sociedad y el alma inocente, la defensa de los proscritos y parias y la confusión total entre la virtud y el vicio (rasgos que se deben en gran parte a la influencia de Rousseau y Beccaria) están relacionados con el romanticismo de modo mucho menos indirecto. Mas todavía hay algo mucho más fundamentalmente romántico, que es la metafísica romántica, derivada, como hemos visto, de la epistemología sensualista.

Las evaluaciones críticas de las obras literarias medievales, renacentistas y contrarreformistas-barrocas parecen tener generalmente un fundamento más firme que las de las obras de los siglos XVIII y XIX; porque para las centurias anteriores se han descubierto paralelos claramente demostrables entre las distintas técnicas literarias y los conceptos del hombre y su universo que sucesivamente fueron dando forma a la mentalidad europea (el escolasticismo, el neoplatonismo, el ascetismo postridentino y el cartesianismo). Los «rasgos románticos» que he enumerado arriba sólo pueden considerarse como auténticamente románticos en aquellas obras en que se encuentran en función de una cosmología romántica, y el hecho de que hemos 1) encontrado en ciertos poemas de Cadalso una relación entre el hombre y el universo que es precisamente la misma que se encuentra entre ellos en las llamadas obras románticas del siglo XIX, y 2) establecido la base filosófica para esta relación en el pensamiento de la Ilustración, significa que se justifica el llamar a Cadalso romántico y el atribuir los primeros resplandores del romanticismo español al período de 1768 a 1770, cuando Cadalso escribió los poemas de su destierro aragonés. El hecho de que las obras de ciertos escritores posteriores se caractericen por una concentración más densa de los elementos puramente ornamentales y accidentales del romanticismo no las hace más románticas, puesto que la *Weltanschauung* o visión del mundo del poeta seguía siendo la misma que en las obras anteriores que suelen llamarse prerrománticas.

En vez de distinguir entre el *prerromanticismo* y el *romanticismo,* sería más exacto hablar en términos del *romanticismo* en las últimas décadas del siglo XVIII, y el *romanticismo manierista* consciente en el XIX. (Es bien sabido que Thomson, Rousseau, Goethe y otros varios escritores del siglo XVIII usaban *romántico* como un adjetivo calificativo, aplicándolo unas veces a las bellezas de la naturaleza rústica, y dándole otras veces un significado más amplio, más espiritual; y no deja de ser igualmente sabido que los críticos del siglo XIX sólo adoptaron la palabra a última hora como término cómodo con el que podían referirse al nuevo acento que se marcaba sobre lo natural en la literatura.) Solamente es verdad la primera parte del juicio ya casi ritual de que «Cadalso fue un romántico antes del romanticismo». Esto se evidenciará todavía más en el próximo capítulo cuando examinemos una obra en la que están también presentes en número más abundante los rasgos secundarios del romanticismo. Pero antes hacen falta unas cuantas reflexiones más para completar nuestra reconstrucción de la transición de Cadalso del neoclasicismo al romanticismo, así como para mostrar la brillante cualidad innovadora de esa transición.

He dicho antes que el nuevo interés por la naturaleza, junto con el organicismo de la interpretación «ilustrada» de la poética, aceleraron la llegada del romanticismo. El concepto que Cadalso tenía de su innovación en la poesía española confirma esta hipótesis, porque su punto de partida, a su modo de ver, es la liberalización de la idea tradicional de la licencia poética. Esta liberalización, influida sin duda por Pope, se declara simbólicamente en una descripción de la naturaleza en los primeros veinte versos de una oda anacreóntica que Cadalso escribió con motivo de la muerte de María Ignacia Ibáñez. Esta oda, titulada *A la muerte de Filis* y publicada por primera vez en los *Ocios,* en 1773, puede muy bien considerarse como el primer manifiesto romántico en España, pues es una anacreóntica sólo en el nombre:

En lúgubres cipreses
he visto convertidos
los pámpanos de Baco,
y de Venus los mirtos;
cual ronca voz del cuervo,
hiere mi triste oído
el siempre dulce tono
del tierno jilguerillo;
ni murmura el arroyo
con delicioso trino;
resuena cual peñasco
con olas combatido.
En vez de los corderos
de los montes vecinos,
rebaños de leones
bajar con furia he visto;
del sol y de la luna
los carros fugitivos
esparcen negras sombras
mientras dura su giro.
.... (BAE, LXI, 275a)

Este pasaje constituye un rechazamiento e inversión total de la naturaleza neoclásica: las laderas alfombradas de mirtos, la cascada de verdes pámpanos de las vides ricas de licor, la delicada canción del jilguero, los arroyos murmurantes, los rizados corderos blancos y los límpidos cielos, todo ello se rechaza. Cada elemento del sereno paisaje cede ante otro que es su contrario, según el poeta, y, a través de sus sentidos, va proyectando su infinito dolor sobre el mundo en torno suyo. El lector recordará sin duda el pasaje de la *Carta* en verso desde Aragón en el que Cadalso no encuentra el alimento de los pastores bastante natural para su gusto. El agudo contraste entre dos «naturalezas» distintas también trae a la memoria los jardines «románticos» introducidos en Inglaterra durante la segunda mitad del siglo XVIII por la «Escuela Pintoresca» de arquitectura paisajística:

> cuando las mociones más opuestas, como la aflicción y la alegría ... se siguen en sucesión unas a otras, el placer en conjunto será el mayor... una ruina, que excita una especie de placer melancólico, no debe verse desde un parterre de flores, que es alegre y risueño. Pero pasar desde un objeto regocijante a una ruina causa un efecto exquisito; porque cada emoción se experimenta más sensiblemente al contrastarse con la otra [61].

Ahora bien, en cuanto al sentido teórico o crítico de esta anacreóntica quiero señalar que la rendición de los corderos a los leones («En vez de los corderos / de los montes vecinos, / rebaños de leones / bajar con furia he visto») es una alusión al segundo ejemplo que pone Horacio en sus advertencias sobre el abuso de la licencia poética. En su

---

[61] Lord Kames, *Elements*, pág. 444.

Arte Poética, Horacio concede que a los poetas se les debe dar licencia para seguir el vuelo de la inspiración:

> Mas no será razón valga este fuero —traduce Tomás de Iriarte— / para mezclar con lo áspero lo suave, / con la serpiente el ave, / o con tigre feroz manso cordero *(Sed non ut placidis coeant immitia, non ut / Serpentes avibus geminentur, tigribus agni,* vv. 12-13).

La noción que se sugiere aludiendo al precepto de Horacio en el mismo momento de contravenirlo es que una idea nueva y menos restrictiva de la licencia poética era necesaria para permitir la expresión de los sentimientos de la nueva época. Cadalso conocía los escritos de Feijoo; es casi seguro que había leído el *Essay on Criticism* de Pope; en cualquier caso, no cabe duda que conocía a fondo la nueva poética liberal de su siglo, y el reunir a los corderos y los leones aludiendo a ambos animales en los mismos versos, es su intento de formular una «nueva regla», un procedimiento por el cual, según Pope, él «May boldly deviate from the common track» (pueda desviarse audazmente del surco común), o, según Feijoo, volar «por su valentía» sobre «las comunes reglas», en busca de una «sublime idea» [62]. Cadalso tenía al menos un modelo para su mezcla prohibida, en Isaías XI, 6, donde se nos dice que las bestias salvajes y las domésticas morarán y se acostarán juntas; y esta influencia bíblica secundaria podría explicar la substitución en Cadalso de *tigres* por *leones,* puesto que ambos felinos aparecen en Isaías en unión de corderos y otras criaturas mansas.

A medida que iban fermentando la poética y la poesía hacia el final del siglo XVIII, los poetas parecían estar cada

---

[62] Pope, *Essay on Criticism,* pte. I, v. 151; Feijoo, «El no sé qué», *Obras escogidas,* BAE, LVI (1952), 353a.

vez más obsesionados por los ejemplos horacianos de la licencia excesiva, ya fuese cuando trataban de resistir a las nuevas tendencias de su arte, o ya cuando intentaban aclararlas y adelantarlas. En la fábula-prólogo, o fábula I, de sus célebres *Fábulas literarias* (1782), Iriarte, siempre neoclásico aunque no antiliberal, introduce dos bandos opuestos de animales (buenos y malos escritores, que nunca deben mezclarse), uno de los cuales está capitaneado por el cordero y la paloma, y el otro por el tigre y la sierpe venenosa. En *The Tyger,* escrito cuando estaba comenzando la Revolución Francesa, William Blake pregunta al felino de ojos encendidos: «Did He who made the Lamb make thee?» (¿Te hizo a ti El que hizo al Cordero?). Ya en la *Carta* en verso que Cadalso escribe desde Aragón, el elemento violento que hay en la naturaleza «destruye el rebaño / de tristes corderos» (BAE, LXI, 270a). Cadalso no solamente se hace pionero en su preocupación por la nueva tendencia orgánica de la poesía y en su intento de comprenderla en términos de la poética (como una licencia o «regla superior», por usar las palabras de Feijoo en el mismo pasaje que acabamos de citar); sino que tal preocupación llega en él a ser una constante que se manifiesta incluso en sus composiciones más neoclásicas. En su queja amorosa, en los *Desdenes de Filis,* Dalmiro utiliza de nuevo la imagen horaciana del tigre y el cordero, y no deja de ser significativo que una a ella una referencia al tema rousseauniano-romántico de la enemistad entre la sociedad y el alma inocente. «Más fácil parecía / vivir el tigre fiero / con el manso cordero, / .... / y andar el inocente / seguro por ciudades engañosas» (BAE, LXI, 254b)[63] —piensa Dalmiro— que el que su amada pastora pudiera serle infiel.

---

[63] Es interesante observar que Iriarte, íntimo amigo de Cadalso, usa una fraseología casi idéntica en su traducción del *Arte poética*

¿Qué significa precisamente esta extraña mezcla de elementos estilísticos antineoclásicos con alusiones a las ideas de Horacio sobre la licencia poética? Sencillamente esto, que lo que a esta distancia nos parece por sus efectos una «rebelión romántica» en miniatura, al menos en la teoría no representaba para el poeta del siglo XVIII una dirección nueva. El hecho de que Cadalso presenta su innovación estilística como una desviación del «surco común» o de las «comunes reglas» no significa oposición por principio a la validez de la poética. Indica simplemente, como he sugerido antes, una extensión del concepto de la licencia a la manera de Pope. Cadalso está de acuerdo con la opinión de que si «Some lucky license answer to the full / The intent proposed, that license is a rule» (alguna licencia feliz responde del todo / a la intención propuesta, aquella licencia es una regla). La innovación de Cadalso y el hecho de que fue deliberada, hacen época; y sin embargo, su concepto de su innovación se acomoda a los criterios por los que se había regido la teoría poética desde el principio del período de la Ilustración. Nunca se subrayará lo bastante que el nacimiento del romanticismo fue una *evolución*, y no una revolución.

La hipótesis de una revolución romántica es inadmisible a menos que hayamos de suponer que todos los prerrománticos y románticos fueron esquizoides. Hace falta suponer la existencia de alguna base común para el neoclasicismo y el romanticismo. Si estas técnicas fueran en realidad las fes diametralmente opuestas que los autores de los manuales quieren que veamos en ellas, ¿cómo podríamos explicar el hecho de que Cadalso y Meléndez Valdés, hasta el

---

de Horacio, que se publicó por primera vez solamente cuatro años después de los *Ocios* de Cadalso y está dedicada a éste: «O con tigre feroz manso cordero» (Iriarte, *Obras*, ed. cit., IV, 3).

final de sus carreras literarias, compusieron lo mismo poemas «neoclásicos» que «prerrománticos»? [64]. ¿Cómo podríamos explicar el hecho de que casi todas las «reglas románticas» expuestas en el «manifiesto romántico» de Alcalá Galiano, de 1834 (como se suele llamar a su prólogo a *El moro expósito* del duque de Rivas) se encuentran ya en la *Poética* de Luzán, de 1737? ¿Cómo podríamos explicar el hecho de que Rivas, Espronceda, Estébanez Calderón, Larra y Bécquer empezaron escribiendo dulces anacreónticas neoclásicas y odas al estilo de Quintana? ¿Cómo podríamos explicar la tajante pregunta de Larra sobre la deuda de su época con la precedente: «¿Cómo se escribiría en el día, en nuestra patria, sin la existencia anterior de los Feijoo, Iriarte, Forner y Moratín?» [65]. ¿Cómo podríamos explicar la existencia de un «ecléctico» como Martínez de la Rosa? ¿O cómo podríamos explicar otros incontables fenómenos literarios de fines del siglo XVIII y principios del XIX?

La idea de que existan diferencias teóricas blancas y negras entre el neoclasicismo y el romanticismo se debe en gran manera a las fanfarronadas de ciertos poetas y críticos decimonónicos que quisieron ver un nuevo movimiento en lo que no era sino una nueva eclosión de las características secundarias del romanticismo. Esa distinción clara y neta entre el neoclasicismo y el romanticismo es como la que se suele trazar entre la poesía y el pensamiento abstracto, cuya «sencillez —según dice Paul Valéry— me hace sospechar que será de origen erudito» [66]. El hombre no es esa alma sin complicaciones ni sutilezas que han solido ver en él

---

64 Véase Georges Demerson, *Don Juan Meléndez Valdés et son temps* (París, 1962), págs. 581-589.

65 Larra, «La satiricomanía», *Artículos*, ed. cit., pág. 726.

66 Valéry, *The Art of Poetry*, «Vintage Books» (Nueva York, 1958), página 52.

los autores de nuestros manuales. El estilo literario de una nación no cambia de la noche a la mañana, porque se haya estrenado una nueva obra de teatro, o porque unos cuantos exiliados hayan vuelto del extranjero. Una vez que la postura y el estilo románticos habían *evolucionado,* representaban una opción libre que el escritor podía elegir, ya fuera excluyendo la neoclásica, como lo hicieron algunos poetas, o ya alternando los dos estilos, como lo hicieron otros, según fuese más o menos sereno su estado de ánimo en los diferentes momentos en que escribían. Es impropio encasillar a los escritores y los períodos como hemos acostumbrado hacerlo. Lo más pretencioso de los historiadores es el creerse aptos para explicar lo mismo la sensibilidad neoclásica que la romántica, y a la vez negar esa misma flexibilidad a los escritores creadores (que están en condiciones mucho mejores que ellos de poseerla). El gran valor histórico de la poesía de Cadalso en general y de su anacreóntica a la muerte de Filis en particular, consiste en haber presagiado la opción estilística que iba a quedar abierta hasta la mitad del siglo XIX (Lista, Quintana y algunos neoclásicos menores sobrevivieron a varios románticos como Larra y Espronceda). Azorín dice que Meléndez Valdés cumplió en España la misma misión que Chateaubriand en Francia: es decir, que anunció el romanticismo, porque Azorín cree que todos los elementos románticos cristalizaron en Meléndez por primera vez [67]. Mas cuando los testimonios contenidos en las *Noches lúgubres* se añadan a lo que hemos visto en este capítulo, quedará clarísimo que el romanticismo español fue anunciado antes de lo que Azorín pensaba, tan pronto por lo menos como el romanticismo alemán, cuya visibilidad data del *Werther* (1774) de Goethe.

---

[67] Azorín, *De Granada a Castelar,* en *Obras Completas,* «Colección Joya» (Madrid, 1961), IV, 353.

Antes de concluir este capítulo, quisiera mencionar otros dos rasgos de la poesía cadalsiana y la incipiente cosmología romántica de ésta, porque la explicación de ellos puede contribuir a una mejor comprensión de las *Noches lúgubres*. Como efecto de la ilusión por la que el romántico cree ver sus sentimientos reflejados en todas las caras de la naturaleza, él ya no duda que su pena pueda interesar al mundo entero. En los últimos versos de la anacreóntica a la muerte de Filis, Cadalso pide a los objetos naturales que han reflejado su dolor como en un espejo, que rueguen a la ninfa Eco que cuente al mundo sus sufrimientos: «Mandad que diga al orbe / la pena de Dalmiro» (BAE, LXI, 275a). En el segundo terceto de un soneto sobre el mismo tema, titulado *A la primavera, después de la muerte de Filis*, Cadalso reitera esta idea:

> Muerta Filis, el orbe nada espera
> sino niebla espantosa, noche helada,
> sombras y sustos, como el pecho mío.
>
> (BAE, LXI, 268b)

La extensión de la conciencia del poeta a través de su comunicación sensorial con el mundo exterior lleva a una extensión paralela de su dolor. Como resultado, empieza a surgir el *Weltschmerz* («dolor mundial», mundial en el sentido de que lo penetra todo), o sea el *fastidio universal*, para llamarlo por su nombre español, inventado por Meléndez; y la súplica de Cadalso de que Eco «diga al orbe / la pena de Dalmiro», es el primer ejemplo de esta nueva congoja romántica en la literatura española. (El humanitarismo rousseauniano sirvió para realzar la cualidad de la compenetración universal en la representación artística del *fastidio universal*, como veremos en el capítulo próximo.) Más tarde, con el resentimiento de quien se cree incomprendido, el romántico rechazaría la compasión del mundo, sin renunciar, no obstante, a la insinuación egoísta de que su dolor poseía un significado «universal»;

> Que el mundo corrompido, ¡ay! no merece
> le cuente un infeliz lo que él padece,

como afirma Meléndez Valdés en su oda *A la mañana, en mi desamparo y orfandad* (BAE, LXIII, 193b). En el siglo siguiente, Espronceda había de escribir aquel obsesionante verso final de su poema *A Teresa:* «Que haya un cadáver más, ¡qué importa al mundo!»[68].

En cierta ocasión, Garcilaso también había sentido la necesidad de derramar sus penas ante el mundo, pero el sentido de sus palabras viene a ser muy diferente:

> Lloraré de mi mal las ocasiones,
> sabrá el mundo la causa por qué muero,
> y moriré a lo menos confesado[69].

Mientras Garcilaso creía que su apuro podía tener cierto interés para el mundo, su visión de la vida estaba enraizada en los valores éticos cristianos y clásicos; y reconocía que había fuera de sí una norma superior para la conducta, a la cual debía conformarse si quería merecer la compasión («a lo menos confesado»). Además, en los versos del poeta renacentista, el mundo no es más que oyente; no es absorbido por la conciencia ilimitada que tenga el poeta de su dolor, como pasa en Cadalso; y tampoco es sumido y luego superado moralmente, como en Meléndez y Espronceda; porque aquí, igual que en el manejo garcilasiano de la falacia patética, se traza una línea muy clara entre una iden-

---

[68] José de Espronceda, *El diablo mundo*, ed. J. Moreno Villa, «Clásicos castellanos» (Madrid, 1955), pág. 68.

[69] *Garcilaso y sus comentaristas*, pág. 113.

tidad y otra, entre el mundo y el poeta. Estos mismos elementos antirrománticos se ponen en evidencia cuando Nemoroso, en la primera égloga de Garcilaso, se lamenta así:

> ¡Ay muerte arrebatada!
> por ti me estoy quejando
> al cielo y enojando
> con importuno llanto al mundo todo [70].

En la poesía romántica, por el contrario, el enojo del mundo no se dirige ya contra el poeta; sino que refleja fielmente el enojo de éste como en un espejo.

Otras dos innovaciones igualmente radicales respecto de la poesía del Siglo de Oro son la impresión de Cadalso de que si se suicidara, ese acto tendría la misma significación «universal» que su dolor; y su noción de que su muerte sería una fusión definitiva con aquellos elementos del universo a los que ya se había extendido su conciencia. Ambas ideas se expresan en la *Carta* en verso desde Aragón que se ha citado tan a menudo. Cadalso confiesa que ha tratado de suicidarse de varios modos diferentes. (En otros versos no citados abajo, explica que el hado cruel le ha frustrado todos estos intentos.) Creo que nadie ha señalado hasta ahora que la primera forma de morir que Cadalso menciona en este poema de 1768-1770, es una antecedente fascinante del designio de Tediato de suicidarse por medio del fuego en las *Noches lúgubres*. Además, por ser anterior a éstas, también lo es al *Werther* de Goethe; y es, por lo tanto, uno de los primeros ejemplos del tema del suicidio romántico en la literatura europea.

> En vano acostumbro,
> con piadoso celo,
> al ara de Jove,

70 *Ibid.*, pág. 148.

el padre supremo,
llevar la pregunta
de si este tormento,
que así me aniquila,
ha de ser eterno.
Más dudas suscita
su oráculo incierto,
hasta que en furores
se convierte el tedio,
y pido a los dioses
fulminen del cielo
centellas y rayos
de horroroso estruendo
que a negras cenizas
reduzcan mi pecho
....
Ya pido a la tierra,
más blanda que el cielo,
que abriendo sus bocas,
puertas del averno,
me trague y sepulte
en su horrendo seno;
ya, desesperado
de no hallar consuelo,
al mar yo me arrojo
con mortal intento
....
Ya busco a las fieras
de quienes deseo
ser víctima triste.

(BAE, LXI, 270a)

En la poesía de Garcilaso el suicidio se presenta desde el punto de vista de la sociedad más bien que desde el del individuo, y consecuentemente aparece en ella sin la significación pseudo-universal o la justificación psicológica que posee en los versos prerrománticos de Cadalso. En la segunda égloga del poeta renacentista, Albanio, ante su amor no correspondido, amenaza: «Yo me daré la muerte, y aun si viene / alguno a resistirme...». Esto lo oye por casualidad Salicio, que comenta: «Escucha, que algún mal hacerse quiere, / o cierto tiene trastornado el seso». Más tarde, lleno de confianza, Salicio dice: «tengo que ha de sanar Albanio cierto»; y ofrece generosamente su ayuda para conseguir tal fin: «Yo sólo me avendré con nuestro loco»[71].

En los poemas prerrománticos de Cadalso la locura, o llamémosla *tedio,* se puede decir que ya está en camino de transformarse en norma única; porque en el capullo universal en que el romántico se envuelve con hebras hiladas de su propio yo, no hay distinción entre cordura y locura; sólo hay una necesidad apremiante de autorrealización o autodestrucción a escala cósmica. Además, mientras tiene una causa muy concreta el intento de suicidio descrito en la égloga de Garcilaso, en la *Carta* de Cadalso, en cambio, la causa es el peso aplastante del tedio del poeta multiplicado una y mil veces por su proyección sobre todas las formas de la naturaleza, como hemos visto por varios pasajes citados arriba.

En el último pasaje de la *Carta* cadalsiana que hemos analizado, hay incluso un presentimiento de la total indiferencia del Dios romántico, la cual tuvo sus orígenes en el sensualismo (como ya he explicado en parte) y en el deísmo y la religión natural del siglo XVIII; todo lo cual prácticamente excluía de antemano la posibilidad de cualquier comunicación entre el individuo y Dios. En los versos que ahora consideramos, el poeta, desterrado por sus prójimos, clama al «padre supremo» (a quien quizá por cautela llama Jove) pidiendo consuelo. Y al no recibirlo, porque incluso la tierra cruel «es más blanda que el cielo», empieza a pensar

---

[71] *Ibid.*, págs. 178, 209.

en el suicidio. El poeta de este poema habría comprendido el apuro de Teresa Mancha de Bayo, según lo expresa Espronceda: «...y a Dios llamaste, / y no te escuchó Dios, y blasfemaste»; o el del don Juan de Zorrilla: «Llamé al cielo, y no me oyó» [72].

Todas las características esenciales del romanticismo —un alma sensible, una nueva sensibilidad para la naturaleza, la fusión del espíritu del poeta con la naturaleza, su concepto «panteístico» de sí mismo, el dolor cósmico, el suicidio por razones cósmicas, la indiferencia de Dios y el hombre hacia el poeta— se encuentran ya en los *Ocios*, publicados en 1773, en muchos casos en poemas escritos antes que Cadalso conociera siquiera a María Ignacia Ibáñez, cuya muerte no bastó por cierto para provocar la explosión de las cualidades románticas del poeta-soldado [73].

---

72 Espronceda, *El diablo mundo*, ed. cit., pág. 67; José Zorrilla, *Don Juan Tenorio*, acto IV, escena X, v. 2619.

73 Lunardi afirma incorrectamente que «la poesía romántica española... comienza con la muerte de Filis [María Ignacia Ibáñez]» (pág. 122 de pruebas). Después de numerosos intentos no me fue posible localizar un ejemplar del libro del señor Lunardi ni en Estados Unidos ni en España, pero él tuvo la amabilidad de enviarme las pruebas compaginadas extensamente revisadas con las que se imprimió su obra *La crisi del settecento: José Cadalso* (Génova, 1948).

CAPÍTULO V

TEDIATO, «EL MÁS INFELIZ DE LOS HOMBRES»: EL ARTE DE LAS *NOCHES LÚGUBRES*

Ciego, sin lumbre, en cárcel tenebrosa.
(Garcilaso, Égloga I, v. 295)

Este verso de Garcilaso describe un estado de ánimo similar al de Tediato, el héroe de las *Noches lúgubres* de Cadalso, mientras sufre el dolor que le mantiene encerrado dentro de sí mismo a través de toda la acción sencilla de esta breve obra dialogada (con la ayuda del sepulturero Lorenzo, Tediato intenta sin éxito, en tres noches seguidas, desenterrar el cadáver de su amada, con la intención de llevar los restos de ella a casa y quemarse allí a sí mismo junto con ellos; la segunda noche, también se le llega a encarcelar por algunas horas cuando se le confunde con un asesino)[1]. El propio epígrafe de Cadalso para las *Noches,*

---

[1] Más tarde se escribió una continuación de la tercera *Noche,* y se compuso una cuarta (en la que Tediato lleva a cabo su plan suicida); ambas de autores inferiores desconocidos. Para evaluar el arte literario de las *Noches lúgubres,* no hace falta tener en cuenta estas adiciones, que se publicaron por primera vez, respectivamente, en 1815 y 1822. Para su historia y sus textos, véase *Noches lúgubres,* ed. Edith F. Helman (Santander-Madrid, 1951), págs. 42-45, 119-131.

tomado de la *Eneida,* libro II, versos 368-369, resume el ambiente externo de la obra y sugiere la metáfora principal que se usa para expresar el dolor de Tediato: «Crudelis ubique / Luctus, ubique pavor, et plurima noctis imago» (Doquier cruel / llanto, doquier terror, y mil imágenes de la noche)[2].

En la carta LXVII de las *Cartas marruecas* hay una observación casual sobre este epígrafe que resulta ser un trozo de autocrítica muy aguda. Cadalso dice que el referido pasaje de Virgilio sería muy oportuno como epígrafe «aunque se deba traer de la catástrofe de Troya a un caso particular» (CM, 146). Supuesta la interpretación correcta del epígrafe, el lector queda informado desde el principio de que en las *Noches* se va a representar un dolor personal en términos cósmicos; técnica que hemos visto ensayada, por decirlo así, en las primeras poesías de Cadalso. Pero incluso el lector con menos formación clásica, no puede dudar de la técnica que se va a usar, una vez que ha leído el primer parlamento de Tediato. Mientras espera al sepulturero en la iglesia en una noche melancólica y tormentosa, Tediato se queja amargamente:

> Lorenzo no viene. ¿Vendrá acaso? ¡Cobarde! ¡Le espantará este aparato que naturaleza le ofrece! No ve lo interior de mi corazón... ¡cuánto más se horrorizaría! (NL, 5).

El paralelo entre la naturaleza borrascosa y el paisaje interior del alma de Tediato («Cruel memoria, más tempestades formas en mi alma que esas nubes en el aire») es sola-

---

2 En la mayoría de las ediciones de la *Eneida* se encuentra *mortis imago.* La lección que Cadalso prefiere se da como variante en algunas ediciones críticas.

mente una de las muchas formas en que Cadalso construye la metáfora cósmica mientras su afligido personaje continúa lamentándose con «la voz de mi corazón... aquella voz que penetra el firmamento» (NL, 5, 49).

Cadalso no sólo domina plenamente esta técnica, que parece sugerirse ya por el epígrafe de las *Noches,* sino que es plenamente consciente de su radical novedad. En una ocurrencia genial, en el pasaje de las *Cartas marruecas* que acabo de citar, observa que en realidad las *Noches* deberían imprimirse en papel negro con tinta amarilla. Con esto nuestro pensamiento se adelanta en el tiempo hasta llegar al período modernista, cuando Juan Ramón Jiménez hizo imprimir sus *Almas de violeta* con tinta violeta, y sus *Ninfeas* con tinta verde.

Irónicamente, la descripción del dolor de Tediato en términos cósmicos, sólo significa que está tan «encarcelado dentro de sí mismo» —esto es, dentro de su propia alma—, como lo está Nuño en las *Cartas marruecas;* porque la cara del cosmos que le devuelve su mirada es solamente un reflejo solipsista de su propio humor melancólico. Como desde dentro de su recinto, Tediato describe «todas las tinieblas de mi alma» (aquí el alma es la prisión); pero también habla de su corazón tembloroso y aterrado como «frágil habitación de una alma superior a todo lo que naturaleza puede ofrecer» (aquí el alma es la prisionera) (NL, 52, 53). Más tarde veremos de dónde proviene esta noción cadalsiana del alma como lugar a la vez que habitante, pero de momento quiero señalar que la presencia de esta idea, que en muchos aspectos parece tan notablemente moderna, conduce a uno de los varios e impresionantes paralelos entre las *Noches* de Cadalso y *Las cuitas del joven Werther* de Goethe (1774). Ansiando fundirse con el viento, o abrazarse al torrente, el contemporáneo de Tediato, Werther, pregunta:

«¿No será liberada algún día esta alma aprisionada para tal felicidad?»[3].

Las *Noches lúgubres* son en todos los aspectos tan radicalmente innovadoras como el *Werther* de Goethe, e incluso puede que se hayan escrito antes que la novela alemana —dato de la cronología literaria que forma un símbolo elocuente de la genialidad de Cadalso en haberlas escrito. Con toda probabilidad Goethe no empezó a escribir el *Werther* hasta septiembre de 1773[4]. Lo único que se sabe de la fecha de composición de las *Noches lúgubres* es que se escribieron en algún momento entre el 22 de abril de 1771, día en que murió María Ignacia Ibáñez, y 1774, puesto que se inspiraron en la muerte de ésta, y Cadalso menciona la obra como si ya estuviera terminada cuando habla de sus escritos en la carta LXVII de las *Cartas marruecas*, que podemos fechar puesto que contiene una referencia directa al «año que, si no miente el calendario, es el año de 1774 de la era cristiana» (CM, 143). (Aunque las *Noches lúgubres* no se publicaron hasta 1789, tan pronto como fueron compuestas empezaron a influir en otros escritores que las leyeron en manuscrito, por ejemplo, Meléndez Valdés, quien, en el otoño o invierno de 1774[5], escribió una imitación ahora perdida, titulada *Tristemio, diálogos lúgubres, en la muerte de su padre*, y quien también acusa la influencia de la obra dialogada de Cadalso en varios poemas suyos, así como en sus escritos forenses, según veremos.)

El *Werther* de Goethe suele considerarse como heraldo del *Weltschmerz* romántico en la literatura alemana, del

---

[3] Johann Wolfgang von Goethe, *The Sorrows of Young Werther (Las cuitas del joven Werther)*, trad. Victor Lange (Nueva York, 1949), página 112.

[4] Sainte-Beuve, Prefacio al *Werther* de Goethe (París, Librería Gründ, s. a.), pág. 14.

[5] Demerson, *op. cit.*, pág. 445.

mismo modo que se dice que el *René* (1802) de Chateaubriand anunció el *mal du siècle* del romanticismo francés. Yo deseo afirmar ahora en forma igualmente categórica que en la literatura española las *Noches lúgubres* marcan el advenimiento de esa misma emoción —el *fastidio universal* para llamarlo por su auténtico nombre español— aunque, como hemos visto, ya había algunos anticipos de ella en ciertos poemas de Cadalso. El hecho de que Meléndez Valdés, discípulo de Cadalso, inventó el nombre español para el dolor romántico en 1794, treinta y nueve años antes de que se empezara a usar el nombre francés, y cincuenta y tres años antes de que se eligiera el nombre alemán, como he demostrado en el artículo citado arriba, es muy probable que se deba en parte al poder con que Cadalso expresó dicho sentimiento veinte años antes en las *Noches lúgubres*. Esto se hace evidente por una rápida comparación de los pasajes siguientes:

CADALSO, 1771-1774

[Tediato siente] un tormento interior
capaz, por sí solo, de llenarme de
horror, aunque todo el orbe procurara mi infelicidad.

(NL, 61-62)

GOETHE, 1774

Mi propio corazón contiene la
fuente de todas mis cuitas [6].

MELÉNDEZ VALDÉS, 1794

[El poeta se queja de]
este fastidio universal que encuentra
en todo el corazón perenne causa.

(BAE, LXIII, 250a)

---

[6] Goethe, *Werther*, ed. cit., pág. 112.

Cadalso fue el primero en enseñar a los poetas españoles el exquisito arte de gozarse en el propio dolor a la manera romántica; placer que tiene sus raíces en las ideas de Shaftesbury. Afligido por la pérdida de su amada, turbado por el sufrimiento de los oprimidos como Lorenzo, y aterrorizado por el sombrío aspecto de los cielos, Tediato descubre que su dolor tiene un dejo de dulzura: «El mismo horroroso conjunto de la noche antepasada vuelve a herir mi vista con aquella *dulce* melancolía» (NL, 64-65). Tediato es el primero en España en comprobar —las palabras son de Saint-Preux— que «existe un cierto estado de languidez que no deja de tener su encanto para un alma sensible» [7]. Y por lo tanto, un poeta como Espronceda está tan endeudado con sus precursores españoles del XVIII como lo está con cualesquiera fuentes extranjeras, cuando describe esa «Melancolía, / ...... / a un tiempo arrullo / y amarga pena / del corazón» [8].

La especulación sobre el suicidio se hizo más común en el siglo XVIII después que Johann Robeck publicó su *Exercitatio philosophica de morte voluntaria* (1736; 2.ª ed., 1753), que contiene elogios de muchos suicidas famosos, y luego casi en el acto se quitó él mismo la vida. Los pensamientos del alma atormentada de Saint-Preux relativos al suicidio constituyen un ejemplo de tal influencia [9]. Varios años más tarde Goethe dio a este tema un tratamiento más plenamente romántico, y se le suele atribuir la distinción de haber introducido en la literatura europea la moda del suicidio romántico. Se ha intentado por lo menos una vez demostrar que en el caso de España Goethe tiene que compartir la

---

[7] Rousseau, *Nouvelle Héloïse,* I, 52.

[8] Espronceda, *El estudiante de Salamanca,* en *Poesías,* ed. J. Moreno Villa, «Clásicos Castellanos» (Madrid, 1952), pág. 246.

[9] Véase *Nouvelle Héloïse,* I, 391-392.

distinción de su innovación con Cadalso. Mas este paralelo se ha trazado sin ninguna consideración a la diferencia entre el arte y la vida. La comparación se ha hecho entre el suicidio de Werther y lo que uno o dos críticos han *supuesto* ser el suicidio del propio Cadalso cuando deliberadamente —dicen ellos— él no se apartó de la trayectoria de la granada que le mató en Gibraltar en 1782 [10].

No hay ninguna necesidad de recurrir a tales fantasías para demostrar que Cadalso fue innovador en este aspecto. Es cierto que el intento de suicidio de Tediato en las *Noches lúgubres* no llega a consumarse, pero tampoco se consuma el suicidio en el *René* de Chateaubriand, en el *Obermann* de Senancour o en *La confession d'un enfant du siècle* de Musset; y sin embargo, nadie negaría que el tema del suicidio aparece en forma romántica en todas esas obras. Con las *Noches lúgubres* el tema del suicidio no sólo llegó a tratarse por primera vez de manera romántica en la literatura española, sino que a través de la idea de Tediato de quemarse a sí mismo junto con el cadáver de su amada, Cadalso venía a sugerir también el tema típicamente romántico del doble suicidio, el cual llegaría a ser tan corriente hacia 1837, que Mesonero Romanos lo satirizaría en su artículo «El romanticismo y los románticos» publicado en septiembre de ese año. (El tema del doble suicidio siguió siendo tan común, que Galdós lo usó en forma irónica todavía en 1897, en el capítulo VIII de *Misericordia,* donde

---

[10] Véase Nicolás González Deleito, *Tricotomía del suicidio amoroso: Cadalso-Goethe-*[*¿Werther?*]*-Larra. Discurso* (Madrid, 1953), páginas 7 y sigs. Higinio Capote, en *Poetas líricos del siglo XVIII,* «Clásicos Ebro» (Zaragoza, 1951), pág. 21, casi había llegado ya a sugerir la misma comparación impropia del suicidio de Werther con la supuesta intención suicida de Cadalso al no querer éste apartarse —según se ha dicho sin prueba alguna— de la trayectoria de la granada que le mató en Gibraltar.

forma una parte esencial de las «lecciones de romanticismo elemental» que Obdulia recibe de su pretendiente, el melancólico hijo de un empresario de pompas fúnebres.) Más tarde sugeriré una posible fuente inmediata para el prototipo del tema del doble suicidio con el que Cadalso enriqueció la literatura española.

Se podría decir de las *Noches lúgubres* en general lo que ha dicho Paul Van Tieghem en particular del parlamento de Tediato con el que empieza la primera noche tempestuosa y desolada, a saber, que «se caracteriza por un romanticismo fuertemente acentuado que es muy poco usual en Europa hacia 1770 ... Es el triunfo de lo macabro y de lo apasionado y estamos muy lejos de las *Noches* de Young» [11], esto es, los *Night Thoughts* de Edward Young, que es la fuente más frecuentemente propuesta para la obra de Cadalso. A través de los siglos las *Noches lúgubres* han conservado ese encanto siniestro y espantoso tan suyo.

En una ocasión la popularidad de las *Noches* incluso se vio reflejada en el solemne procedimiento de los tribunales de justicia de Madrid: En 1798, al presentar el caso de la Corona contra cierto ladrón de propiedades eclesiásticas, el fiscal, don Juan Meléndez Valdés, debía con toda seguridad de estar pensando en la obra dialogada de Cadalso mientras pedía al acusado que imaginara que estaba otra vez en la oscura iglesia:

> ¿No temblabas, impío, considerando ... el lúgubre silencio, las tinieblas que te cercaban, la soledad espantosa en que te veías, el contemplarte ya como fuera del mundo, y en la habitación de la muerte, bajo... la trémula luz de las lámparas que parecen sólo arder para aumentar con las sombras el pavoroso horror? [12].

---

[11] Van Tieghem, *La poésie de la nuit et des tombeaux*, en *Le préromantisme* (París, 1930), II, 165.

[12] Meléndez Valdés, *Discursos forenses* (Madrid, 1821), págs. 126-127.

Con la intención de condenar las *Noches lúgubres,* en una recensión de 1803 de una nueva edición de ellas, el neoclásico Quintana en realidad subrayaba la seductora lobreguez y negativismo de la obra; porque veía en ésta el «aborto monstruoso de una imaginación lisiada»[13].

Para 1819, las *Noches lúgubres* empujaban al borde del suicidio a los jóvenes románticos[14]; y hay momentos en que parecen mostrar el camino, más allá del romanticismo, hacia los postrománticos y los decadentistas de finales del siglo XIX. Por ejemplo, la *Rima* LXX de Bécquer recuerda las *Noches;* porque en aquélla el poeta postromántico describe las visitas nocturnas de un solitario enlutado a una iglesia de paredes musgosas, barrida por el viento, alumbrada por el trémulo fulgor de una sola lámpara y sombreada por cipreses, por haber sido enterrada allí su amada[15]. Y la reacción del lector de hoy es muchas veces casi igual a la del lector del siglo XIX. No hace mucho que un alumno que estudiaba las *Noches lúgubres* conmigo, confesó: «Todavía puedes sentir cierto estremecimiento malsano leyéndolas».

I. LAS FUENTES DE LAS «NOCHES LÚGUBRES»

Normalmente, son necesarios unos conocimientos razonables de las fuentes de una obra literaria si se quiere

---

[13] Quintana, en *Variedades de ciencias, literatura y artes,* I (Madrid, 1803), 314.

[14] Véase *Noches lúgubres,* ed. Helman, pág. 44.

[15] Bécquer, *Rimas,* ed. cit., págs. 106-107. La fuente que se cita más frecuentemente en relación con la rima LXX es el poema 38 del *Intermezzo* de Heine. Incluso los estudios más recientes sobre las fuentes de las *Rimas* dejan de mencionar la evidente influencia de las *Noches lúgubres* de Cadalso. Véase J. M. Díez Taboada, *La mujer ideal. Aspectos y fuentes de las Rimas de G. A. Bécquer* (Madrid, 1965), págs. 59-64.

llegar a unas conclusiones exactas en cuanto a lo que haya de original en su arte. Sin embargo, en el caso de las *Noches lúgubres,* aún se dudaba de que el arte de Cadalso fuera arte en absoluto hasta que Nigel Glendinning inició una investigación seria de sus fuentes.

Era rutinario referirse a la influencia de varios moralistas del género sepulcral (Young, Hervey, Mercier y ciertos españoles); pero antes de Glendinning, todos los críticos preferían destacar la supuesta naturaleza autobiográfica de los elementos narrativos de las *Noches lúgubres.* Aceptaban como un hecho la extravagante historia que se cuenta en una falsa *Carta de un amigo de Cadalso:* a saber, que las *Noches* eran el relato de un intento real de Cadalso de desenterrar el cadáver de María Ignacia Ibáñez (NL, xiii-xvi). También veían los críticos en el tono quejoso de las *Noches* un desahogo completamente impremeditado, del todo espontáneo, del dolor de Cadalso por la pérdida de su amada. Un crítico llegó incluso a afirmar que la obra no era literatura, sino realidad.

Esta interpretación prosperó porque, según una opinión vulgar todavía corriente, lo único que tenían que hacer los románticos para escribir, era entregarse a sus sentimientos, y las palabras fluirían de sus plumas sin esfuerzo y ya perfectamente ordenadas. Como críticos, los románticos eran hábiles embaucadores, y un número alarmante de lectores y críticos actuales siguen engañados por ellos. (Un antídoto eficaz para las usuales patrañas románticas relativas al proceso creativo se halla en la descripción franca de la exigente mecánica o disciplina de la técnica de un romántico en *The Philosophy of Composition,* de Edgar Allan Poe.) Para probar su «sensibilidad superior» y su «genio», los románticos en su autocrítica solían quitar importancia al papel que en realidad habían jugado en la creación de sus obras la cuidadosa elaboración y el pulimento, y con ello sólo consiguieron que sus verdaderos logros artísticos, así como los de sus precursores y seguidores, hayan sido frecuentemente más difíciles de evaluar que los de otros grupos de escritores.

Glendinning ha demostrado recientemente que muchos de los elementos esenciales del argumento de las *Noches lúgubres* tienen antecedentes en el cuento popular de *La difunta pleiteada* (NL, xxxviii-xlv); y ya no puede existir ninguna duda de que la historia dialogada de Tediato es literatura, basada firmemente en una tradición literaria, o de que la elección y adaptación por Cadalso de un vehículo narrativo adecuado a sus fines hace de él un auténtico artífice literario. Las pruebas documentales que Glendinning aporta para demostrar que Cadalso nunca pudo haber intentado desenterrar a María Ignacia Ibáñez (NL, xvi, xxi-xxii)[16] refuerzan las pruebas literarias de que las *Noches* son una obra de creación. En una carta a Meléndez, Cadalso se refiere a las *Noches* y «lo que significaban: la parte verdadera, la de adorno y la de ficción» (QC, 26); y aunque es obvio que «la parte verdadera» de la obra es su tono emocional, derivado de la pena del autor por la muerte de María Ignacia, la cuidadosa reexpresión de esa emoción en armonía con ciertos patrones estilísticos hallados en fuentes literarias anteriores y contemporáneas («la [parte] de adorno») prueba que es totalmente falsa la idea de que las *Noches* sean una especie de reproducción estenográfica de la emoción cruda.

Desgraciadamente, Glendinning no se ha librado enteramente de la vieja noción de que el romanticismo de las

[16] Véase también Glendinning, «The Traditional Story of *La difunta pleiteada*, las *Noches lúgubres* de Cadalso and the Romantics», *BHS*, XXXVIII (1961), 209-210.

Noches lúgubres dependa de que éstas sean la narración de un suceso real. Aparentemente, él la ha aplicado a la inversa, y ha creado tanta confusión como ha disipado, al llegar a la conclusión de que las *Noches,* por resultar no ser una narración verdadera, no podrán por ende ser románticas tampoco. Ha llegado incluso a lanzar la increíble opinión de que esta obra de emociones tormentosas sea una «ficción filosófica» en la que «el estoicismo de Cadalso tiene su expresión más profunda» [17]. El ser obra de ficción y el ser obra romántica no son desde luego posibilidades en modo alguno mutuamente exclusivas. Algunos románticos como Byron, Shelley, Chateaubriand, George Sand, Larra y Espronceda casi convirtieron en «ficciones» sus mismas vidas.

En esta sección consideraremos «la [parte] de ficción» y «la de adorno» de las *Noches,* en el grado en que derivan de la tradición literaria. Un conocimiento limitado de las fuentes que se han identificado hasta la fecha ayudará al lector a comprender el arte de las *Noches.* Además, nuestra interpretación de algunas de las fuentes ya conocidas puede refinarse; y yo quiero señalar ciertas fuentes nuevas por el interés que tienen en sí y por lo que valen como ilustraciones de la riqueza de materiales (así como del talento para la síntesis) que entraron en la composición de las *Noches,* cuya complejidad sospechan pocos lectores, quizá en parte a causa de su brevedad y su estilo sencillo.

En realidad sólo dos elementos de la fuente más mentada, los *Night Thoughts* (1742-1745) de Young, parecen haber influido en Cadalso: 1) el nombre *Lorenzo,* que es el nombre de un amigo ausente a quien el poeta se dirige en

[17] *Ibid.,* pág. 215; *Vida y obra de Cadalso,* pág. 85; Introducción, NL, x, xxxvii, xlvii; «New Light on the text and Ideas of Cadalso's *Noches lúgubres*», *MLR,* LV (1960), 537.

la obra inglesa, y el nombre del sepulturero a quien se dirige Tediato en las *Noches lúgubres;* y 2) la escena en la tumba de una hermosa joven en medio de la lobreguez de las más negras sombras de la noche (mientras Tediato intenta desenterrar a su amada, en la obra inglesa anterior el sacerdote anglicano Young describe el enterramiento clandestino de una hijastra protestante en la Francia católica). Lo más sorprendente es que muchos críticos al hablar de la influencia de Young en Cadalso, ni siquiera mencionen la escena junto a la tumba en los *Night Thoughts* [18].

No parece tener objeto hablar de la posible influencia de las observaciones de Young sobre la miserable condición del hombre, en conexión con las que hace Tediato sobre el mismo tema; porque casi todos los escritores de la Ilustración tratan de la miseria del hombre y sus remedios, y en cualquier caso, los pensamientos de Cadalso sobre este asunto están más en armonía con los de los filósofos materialistas de su tiempo, que con los del clérigo inglés. A pesar de las propias afirmaciones de Cadalso sobre el haber escrito las *Noches* «imitando el estilo» de los *Night Thoughts* de Young (BAE, LXI, 275b; CM, 146), también parece una pérdida de tiempo buscar el modelo de las lamentaciones egoístas y desconsoladas de Tediato en las predicaciones ascéticas de Young sobre la vanidad de todas las dignidades humanas y la necesidad de prepararse para la vida de ultratumba. Chateaubriand encontraba que, para su gusto, el estilo de Young no era suficientemente personal; y aunque Van Tieghem no está dispuesto a considerar a Young como un típico poeta sepulcral dieciochesco, solamente Lunardi

[18] Véase Edward Young, *The Complaint, or Night Thoughts on Life, Death and Immortality*, noche III, vv. 150-188; y la traducción francesa de Le Tourneur, que al parecer conocía Cadalso: *Les nuits d'Young* [ed. príncipe, París, 1769] (París, 1770), I, 168-187.

parece haberse dado cuenta de la diferencia radical entre los puntos de vista de Young y Cadalso [19].

Hay menos diferencia entre el estilo de Cadalso y el de la adaptación francesa de Le Tourneur de los *Night Thoughts*, que entre el estilo de Cadalso y el del original inglés de Young; pero parece muy probable que la muy discutida frase «imitando el estilo ... de las [*Noches*] que compuso en inglés el doctor Young» no tuviera para el escritor español más significado que el general de una expresión como «al modo lúgubre nórdico». En la mente de Cadalso, las nociones de Inglaterra y de la melancolía o esplín estaban identificadas casi inseparablemente. Por ejemplo, en *Los eruditos a la violeta*, habla de Shakespeare y «sus dramas lúgubres, fúnebres, sangrientos, llenos de esplín y cargados de los densos vapores del Támesis y de las negras partículas del carbón de piedra» (EV, 365). También trazó una relación directa entre esta idea y las *Noches lúgubres:*

> Si el cielo de Madrid no fuese tan claro y hermoso y se convirtiese en triste, opaco y caliginoso como el de Londres (cuya tristeza, opacidad y caliginosidad depende, según geógrafo-físicos, de los vapores del Támesis, del humo del carbón de piedra y otras causas), me atrevería yo a publicar las *Noches lúgubres* (CM, 145-146).

La escasa semejanza entre los *Night Thoughts* y las *Noches lúgubres* no justificaba las observaciones de Cadalso sobre la imitación en cualquier sentido estricto. El conocido nombre de Young era simplemente un modo fácil de aludir al tono sepulcral que se había venido haciendo cada vez más frecuente en la literatura inglesa desde el poema titulado *A night piece on death* (1712) de Thomas Parnell.

---

[19] Van Tieghem, *Le Préromantisme*, II, 32, 182; Lunardi, *La crisi*, páginas 133, 135-136 de pruebas.

Se ha señalado que los muertos mencionados por Tediato y Lorenzo en su conversación de la primera noche (NL, 12-26), son, en su mayor parte, de los mismos tipos que los que aparecen en la enumeración moralizadora de muertos de distintas condiciones en las *Meditations among the tombs* (1745-1747) de James Hervey; que las palabras de Tediato sobre la corrupción de la belleza carnal de su amada, cuando los gusanos empiezan a salir de su tumba medio abierta (NL, 29-32), recuerdan la descripción de la carne putrefacta de una beldad muerta en la obra de Hervey; y que la reacción temerosa de Hervey cuando entra en la cripta de la iglesia puede haber inspirado la de Tediato y Lorenzo al entrar en la capilla (NL, 7-11)[20]. Los elementos de *L'Éclipse de lune* de Mercier (1770) que pueden haber influido en las *Noches lúgubres* son: una visita solitaria a una tumba en una noche oscura y tormentosa, la huida de la luz del día en busca de las consoladoras sombras de la noche, ciertas reflexiones al ver la tumba de un amigo, y la terrible experiencia de caer en una tumba abierta y quedarse encerrado por varias horas entre los sepulcros[21].

La oposición de Cesare Beccaria al uso de la tortura para llegar a la verdad y su defensa del tratamiento humanitario para los criminales, según se explican en la obra *Dei delitti e delle pene* (1764), se considera que han influido en las reflexiones que Tediato expone sobre esas mismas

---

20 Véase *Noches lúgubres,* ed. Helman, pág. 34; NL, lii; y James Hervey, *Meditations among the tombs,* en *Meditations and Contemplations* (Nueva York, Robert Carter Brothers, s. a. [187?]), páginas 91-92, et passim.

21 Véase Edith F. Helman, «A Note on an Immediate Source of Cadalso's *Noches lúgubres*», *HR,* XXV (1937), 122-125; Sébastien Mercier, *L'Éclipse de lune,* en *L'An deux mille quatre cent quarante: Rêve s'il en fût jamais* [ed. príncipe, Amsterdam, 1770] (Londres, 1775), págs. 211-218.

cuestiones, mientras está encarcelado la segunda noche [22]. Se ha señalado la inconfundible influencia del estilo exclamatorio sentimental de Rousseau en Cadalso, y se han identificado paralelos entre ciertos pasajes de las *Noches* y el *Émile* del escritor suizo [23]. Sin embargo, Glendinning ha negado la influencia de la *Nouvelle Héloïse* en particular y la importancia de la influencia de Rousseau en general, lo cual es más que un poco sorprendente, como veremos.

Quizá la más importante de las fuentes sugeridas hasta ahora sea *La difunta pleiteada.* Existen numerosos romances españoles sobre este tema folklórico europeo, y Lope de Vega escribió una comedia basada en él. Cada uno de los elementos siguientes de las *Noches* puede haberse inspirado en otro idéntico o más o menos similar de la referida historia folklórica: 1) después que Tediato pasa un día entero junto a la tumba de su amada, un sacristán le pide que abandone la iglesia, pues ésta ha de cerrarse para la noche; 2) la sobornación del sepulturero Lorenzo; 3) la crítica que hace Tediato de la codicia de Lorenzo y de la de todos los hombres en general; 4) la vaga insinuación de que Tediato quizá crea en la posibilidad del retorno a la vida de su amada; 5) el intento de levantar la losa que cubre la tumba de la amada; 6) el plan de Tediato de llevar el cadáver de su amada a casa; y 7) su intención de suicidarse para unirse a su amada (en la historia folklórica el amante no llega a ejecutar su designio tampoco, en su caso, porque su amada vuelve a la vida) [24]. Otras fuentes que se han sugerido son Garcilaso, fray Luis de León, Quevedo, Gracián,

---

[22] Véase *Noches lúgubres,* ed. Helman, pág. 39.

[23] Véase J. R. Spell, *Rousseau in the Spanish World before 1833* (Austin, Texas, 1938), págs. 53-54; y NL, lv-lvii, y nota 68.

[24] Glendinning, «The Traditional Story», *BHS,* XXXVIII, 207-208; NL, xxxviii-xlv.

Calderón, Torres Villarroel y Montesquieu, aunque ninguno de ellos jugó un papel importante en la génesis de las *Noches lúgubres.*

Un nuevo examen de algunas de las fuentes ya mencionadas produce algunos resultados intrigantes. Por ejemplo, podríamos preguntarnos por qué Glendinning considera a Cadalso aún menos en deuda con Hervey que con Young (NL, lviii); pues, además de los importantes paralelos identificados por Edith Helman, varios detalles descriptivos y estilísticos de las *Noches* recuerdan las *Meditations among the tombs,* verbigracia, los siguientes:

HERVEY	CADALSO
¡Cielo santo! ¡Qué escena más solemne! ¡Qué tristes las tinieblas! Aquí hay oscuridad perpetua ... ¡Qué soledad tan lúgubre!	¡Qué noche! La oscuridad, el silencio pavoroso... completan la tristeza de mi corazón... El nublado crece (NL, 3-4).
¡Oye! ¿Qué sonido es ése?... Es el reloj que da la hora... el toque de mis horas perdidas.	... pero dan las dos. ¡Qué sonido tan triste el de esa campana! (NL, 12).
... bajo las negras cejas de estos arcos ... entre estas paredes mohosas, donde la melancolía más profunda despliega para siempre sus negras alas de cuervo! [25].	Quedé en aquellas sombras rodeado de sepulcros, tocando imágenes de muerte, envuelto en tinieblas... cubierta mi fantasía, cual si fuera con un negro manto de densísima tristeza (NL, 18-19).

El terror de Tediato al ver a una figura blanca algo cenicienta, de ojos fulgurantes, salir de una tumba abierta en la iglesia desierta y echar a andar con paso lento y firme (en realidad un perro, según se supo después), y su descrip-

25 Hervey, *Meditations,* ed. cit., págs. 86, 88-89.

ción de esta experiencia (NL, 19-21), es posible que se haya inspirado en la consideración de Hervey de que

> Si una de estas horribles figuras se alzara de su encierro y con toda su espantosa deformidad se incorporara delante de mí; si el macilento esqueleto levantara la mano crujiente y señalara sin vacilar en dirección mía... el solemne aviso... tendría que impresionar fuertemente mi imaginación [26].

Glendinning ha sugerido varias plausibles fuentes españolas para cierto pasaje que muestra la influencia estilística de los moralistas ascéticos (NL, lx-lxi, 16-18n), pero en este caso no parece probable que ningún escritor haya contribuido más a la inspiración de Cadalso que Hervey:

HERVEY

Legiones y legiones de desastres... acechan para lograr nuestra perdición. Un caballo espantado puede arrojar a su jinete; puede al mismo tiempo aplastar su cuerpo contra las piedras, y lanzar su alma al mundo invisible. Un cañón de chimenea puede caer a la calle y aplastar bajo sus ruinas al que pasa inadvertido... Tan frágil, tan débil es el hilo de la vida que no sólo se parte ante la tempestad, sino que se rompe incluso con una brisa. Los sucesos más comunes, aquellos de que no sospechamos el menor daño, puede que resulten ser las armas de nuestra destrucción. Una simiente

CADALSO

Un cuerpo tan débil como el nuestro ... ¿qué puede durar? ¿cómo puede durar? No sé cómo vivimos. No suena campana que no me parezca tocar a muerto ... ¡Cuántas veces muere un hombre de un aire que no ha movido la trémula llama de una lámpara! ¡Cuántas de una agua que no ha mojado la superficie de la tierra! ¡Cuántas de un sol que no ha entibiado una fuente! ¡Entre cuántos peligros camina el hombre el corto trecho que hay de la cuna al sepulcro!... Conozco dos o tres hierbas saludables: las venenosas no tienen número (NL, 16-17).

---

[26] *Ibid.*, págs. 93-94.

> de uva, una despreciable mosca... El aire que respiramos es nuestro veneno; y el alimento que comemos, el vehículo de la muerte [27].

La fuente más fascinante que yo he descubierto es una que las *Noches lúgubres* tienen en común con las *Cartas marruecas: The citizen of the World* de Goldsmith. No cabe duda de que debe considerarse como una fuente principal. El reloj que da las dos, la llama trémula y mortecina de la lámpara, la desesperación solitaria de Tediato, su encuentro con un malhechor la segunda noche, su intención de suicidarse, su censura de la vanidad humana, su encuentro con el perro, su preocupación por los niños enfermos y hambrientos de Lorenzo y la angustia que su propio corazón sensible le causa, todos estos elementos tienen antecedentes en una sola carta, la carta CXVII de *The Citizen of the World:*

> El reloj acaba de dar las dos, la bujía agonizante se levanta y se hunde en el candelabro... nada está despierto sino la meditación, la culpa, la orgía y la desesperación... el ladrón hace su ronda de medianoche, y el suicida levanta su brazo culpable contra su propia persona sagrada. Dejadme ... seguir el paseo solitario, donde la vanidad, siempre cambiante, no hace sino unas cuantas horas que caminaba delante de mí... ¡Qué lobreguez se tiende en torno mío! La lámpara mortecina débilmente emite su resplandor amarillo; no se oye más sonido que el de las campanas del reloj, o el lejano perro guardián... una hora como ésta bien puede mostrar la vacuidad de la vanidad humana ... huérfanos, cuyas circunstancias son demasiado humildes para que sea posible remediarlas ... ¡Por qué, por qué nací yo hombre, y sin embargo veo el sufri-

---

[27] *Ibid.*, págs. 62-63.

> miento de los miserables a quienes no puedo aliviar!... ¡Por qué se formó este corazón mío con tanta sensibilidad! [28].

(Específicamente, la idea de que «una hora como ésta bien puede mostrar la vacuidad de la vanidad humana» parece presagiar la impresión de Tediato de que «No hay hombre que no se crea mortal en este instante», NL, 4).

Hace unos treinta años, en uno de los mejores estudios sobre las fuentes de las *Cartas marruecas*, Katherine Reding probó que Cadalso había leído *The Citizen of the World* antes de emprender sus propias cartas críticas «orientales» [29]. Ahora es evidente que la obra ensayística epistolar de Goldsmith influyó igualmente en las *Noches lúgubres*, y ésta es una de las muchas indicaciones de la unidad fundamental de las dos obras principales de Cadalso. La carta CXVII de Goldsmith contiene tantos antecedentes para los diversos elementos de las *Noches*, como se hallan en la leyenda de *La difunta pleiteada;* y debe considerarse como una fuente igualmente importante. El hecho de que tan gran número de detalles sombríos y siniestros aparecen en una sola fuente inglesa de las *Noches*, también parece confirmar nuestra interpretación del significado que daría Cadalso a la frase «imitando el estilo del doctor Young».

La huella de Rousseau en las *Noches* es evidente, no solamente por su retórica sentimental, sino también por ciertos elementos temáticos, algunos de los cuales se han señalado antes, y otros no; por ejemplo: la tiranización de la América inocente por Europa; la inhumanidad e hi-

---

[28] Oliver Goldsmith, *The Citizen of the World*, «Everyman's Library» (Londres-Nueva York, 1934), págs. 311-313.

[29] Katherine Reding, «A Study of the Influence of Oliver Goldsmith's *Citizen of the World* upon the *Cartas marruecas* of José Cadalso», *HR*, II (1934), 226-234.

pocresía de los lazos de familia en los pueblos «civilizados», tal como la negación egoísta de las madres a criar a sus propios hijos; la idea de la amistad o compasión como solución de todos los problemas del hombre («Su falta es el origen de todas las turbulencias de la sociedad»), la hipocresía de la religión del hombre civilizado («Ya han saludado al Criador algunas campanas de los vecinos templos. Sin duda lo habrán ya ejecutado los pájaros en los árboles con música más natural y más inocente y, por tanto, más digna»), etc. (NL, 13, 22-26, 27, 33). Glendinnig se equivoca al suponer que se puede descontar en gran parte la influencia de Rousseau por la escasez de menudos paralelos textuales (NL, liv-lvii). Un escritor creador asimila sus fuentes; no las verifica para estar seguro de que las está reproduciendo exactamente, como lo hace el erudito.

Por cierto que la *Nouvelle Héloïse*, cuya influencia en particular ha negado Glendinning (NL, lv-lvii), ofrece un antecedente inconfundible para el tema del doble suicidio que crea en las tres *Noches* tan marcado ambiente de expectación pavorosa. Saint-Preux escribe a su fiel amigo el lord Bomston, tan desilusionado como él del amor y de la vida:

> Aprovechemos un momento en que el cansancio de la vida nos hace deseable la muerte ... Yo lo percibo, milord, nosotros dos merecemos una morada más pura: la virtud nos enseñará el camino, y el destino nos invita a descubrirlo. Que la amistad que nos ha reunido, siga uniéndonos en nuestra última hora. ¡Oh, qué placer más voluptuoso, el que dos verdaderos amigos terminen sus días voluntariamente uno en brazos del otro, fundan sus últimos suspiros, y exhalen al mismo tiempo las dos mitades de su alma! [30].

---

[30] Rousseau, *Nouvelle Héloïse,* I, 401.

Aunque se trata aquí de un plan de doble suicidio para dos amigos y no para dos amantes, el tono de las palabras de Saint-Preux y un detalle intrigante de la correspondencia posterior de los dos amigos hacen realmente muy fuerte la posibilidad de la influencia de este pasaje en particular. El detalle intrigante es una figura retórica que quizá haya inspirado la idea de Tediato de quemarse a sí mismo en su casa junto con el cadáver de su amada; porque no es improbable que Cadalso asociase inconscientemente el plan de doble suicidio de Saint-Preux con la reprensión dirigida por el lord Bomston a su apasionado amigo: «Corrige tus pasiones desatadas, y *no quemes tu casa* para evitarte la molestia de ponerla en orden» [31].

La idea del doble suicidio se ve que intrigaba a Cadalso; porque se sugiere también en otros pasajes de sus obras, y el hecho de que en estos casos aparece como un deseo de compartir la muerte con un amigo, más bien que con una mujer, puede ser otro indicio más de que originalmente tomaría tal idea del pasaje que acabamos de citar. Hay una anacreóntica en la que Cadalso propone a Moratín que vivan juntos en el virtuoso estado de la naturaleza hasta la última hora, y concluye: «Cantad, que de Dalmiro / y Moratín los cuerpos / en esta tumba yacen» (BAE, LXI, 274c). El tema rousseauniano de la muerte compartida con un amigo se convirtió, en efecto, en algo relativamente común para los poetas de la Escuela de Salamanca. Meléndez Valdés expresa a un amigo suyo la esperanza de que puedan pasar sus últimos días juntos, «y en un sepulcro mismo, inseparables / juntos también reposen nuestros huesos» (BAE, LXIII, 205a). Pero uno de los argumentos más fuertes a favor de la influencia de la *Nouvelle Héloïse* sobre el

[31] *Ibid.*, I, 404. El subrayado es mío.

tratamiento del tema del suicidio en las *Noches lúgubres*, es el hecho de que la idea del doble suicidio como solución para las aflicciones de dos amigos, también aparece en esta obra. Tediato propone a Lorenzo que los dos abracen la muerte junto con los miserables hijos de éste:

> Eres sepulturero... Haz un hoyo muy grande... Entiérralos todos ellos vivos, y sepúltate también con ellos. Sobre tu losa me mataré, y moriré diciendo: Aquí yacen unos niños tan felices ahora como eran infelices poco ha; y dos hombres los más míseros del mundo (CL, 59-60).

El tema del suicidio doble en las *Noches* también se influyó muy probablemente por otro antecedente contenido en la *Nouvelle Héloïse*. Esta vez, después de haber considerado la posibilidad de compartir la muerte con su amada, Saint-Preux confiesa que una noche en un paseo en barco con Julie, «en un estado emocional tal que me hace temblar el recordarlo, me sentí violentamente tentado a hundirla conmigo en las olas y poner fin a mi vida y a mis largos tormentos allí en sus brazos» [32]. En cualquier caso, la deseada unión mortal de Tediato con su amada («tú y yo nos volveremos ceniza en medio de las de la casa» [NL, 35]) está muy dentro de la corriente de las modas literarias de finales del siglo XVIII; o por decirlo de modo más preciso, está en la vanguardia literaria de ese momento. Los últimos versos del poema *Au ciprès planté sur la tombe de Thémire* de Michel de Cubière, publicado doce años más tarde, en 1786, no parecen, por ejemplo, tan atrevidos:

> ... Tout mon désire, hélas / Est qu'un meme cercueil à l'instant nous rassemble / Et que, toujours unis, même après le trépas / Nos jeunes ossements puissent vieillir ensemble

---

32 *Ibid.*, II, 144.

(... Mi único deseo, ¡ay! / es que un solo ataúd nos reúna en seguida / y que, todavía unidos, aun después de la muerte / nuestras jóvenes osamentas puedan envejecer juntas)[33].

El que una obra como las *Noches lúgubres*, que está tan íntimamente ligada con la literatura dieciochesca inglesa, francesa y alemana, fuera escrita por un español y tenga a la vez raíces profundas en ambas tradiciones españolas, la popular y la culta, es una indicación significativa de que España está en deuda con *su* siglo XVIII por la oportunidad de participar a la española en las corrientes culturales del mundo occidental en la época moderna. Ya lo he dicho antes, pero lo repito de nuevo: el hecho de que una obra literaria española del siglo XVIII esté relacionada con obras contemporáneas de otros países, no es una señal de antiespañolismo, sino un sello de modernidad. El *Werther* de Goethe está directamente relacionado con la *Nouvelle Héloïse* (el triángulo Charlotte-Albert-Werther, que refleja la influencia del triángulo Julie-Wolmar-Saint-Preux, así como otros muchos elementos rousseaunianos que se acusan en la referida obra del *Sturm und Drang* alemán, se han estudiado a fondo). Sin embargo, a nadie se le ocurre por esta razón negar la ciudadanía alemana al *Werther*, ni poner en duda su papel decisivo en la historia de las literaturas modernas.

Louis Reynaud ha demostrado de modo convincente que las fuentes primarias de las obras de Rousseau son inglesas[34], mas no por eso ha dejado Rousseau de ser suizo francés. Hay una escuela de hispanistas que insiste en que no puede haber un romanticismo genuino en ningún país en el

---

33 *Anthologie poétique française-XVIIIe siècle*, pág. 414.

34 Reynaud, *Le romantisme. Les origines anglo-germaniques* (París), 1926), págs. 102-113.

que tal movimiento no haya brotado de la filosofía crítica nativa; y por lo tanto —dicen ellos—, no existe un romanticismo español. Si siguiéramos muy lejos esta forma de razonar, no hay ningún país que no perdiera sus derechos propietarios sobre algunas de sus más preciadas obras literarias. Por ejemplo, ¿será inauténtica la poesía que han escrito en endecasílabos los españoles, porque el endecasílabo se originara en Italia? En el caso del romanticismo, fácilmente pudiera argüirse que ningún país salvo Inglaterra desarrolló nunca una forma *genuina* del mismo, es decir, una forma que tuviera fuentes filosóficas puramente nacionales; mas no veo cómo esto pudiera adelantar nuestra comprensión del período del que estamos hablando. En casi todos los períodos de la historia literaria europea ha habido un grupo de fuentes que fueron de la propiedad común de los diversos países. El argumento más importante cuando se trata de determinar si es *genuino* un movimiento o una obra, no es tanto la fuente de sus ideas, como lo que se haya podido crear artísticamente con esas ideas. Por otra parte, la interacción entre los países ha sido más bien saludable que perjudicial; y unos conocimientos de las fuentes de un autor son casi tan importantes como la comprensión de su técnica, si se ha de entender plenamente su arte y la génesis de ésta.

Las *Noches* de Cadalso son tan innovadoras como cualquier otra obra prerromántica o romántica que se nos viene a la mente, y el grado en que lo son —su originalidad— se debe en parte al modo en que están relacionadas con otras obras semejantes. Una exquisita silla *bergère* estilo Luis XV no pierde sus méritos porque nos recuerde las características de todas las demás *bergères* Luis XV. La poética del clasicismo insistía tanto en el estudio de los modelos debido a su fervorosa creencia de que la originalidad de un nuevo escritor estaría mucho menos expuesta a verse obscurecida por faltas y disparates, si conocía las excelencias y los errores de sus predecesores y procuraba evitar éstos y emular aquéllas. El concepto romántico de la originalidad —como creación *in vacuo*— coloca al genio creador al mismo nivel que el animal joven, que no tiene más remedio que seguir el instinto y repetir tropezando todos los pasos de sus antepasados, sin poder beneficiarse de la acumulación de la experiencia de éstos. Afortunadamente, los románticos no practicaron lo que predicaban.

II. LA MENTALIDAD ROMÁNTICA DE TEDIATO

Los críticos solían decir que Cadalso expresó en su vida la poesía que el neoclasicismo le incapacitaba para comunicar en sus obras, y que así llegó a ser «el primer romántico en acción» [35]. Hoy en día casi todos los lectores se sentirían más inclinados a aceptar la opinión de Ernesto Lunardi, de que lo más romántico de las obras de Cadalso no es su contenido narrativo autobiográfico, sino la *forma mentis* o disposición de ánimo que revelan [36], y esto es especialmente cierto en cuanto a las *Noches lúgubres*.

En 1934, Montesinos observó que en las *Noches* «se diría que no existe sino aquello que puede ser resonancia a la queja de Tediato: truenos y relámpagos, cárceles y cementerios, carceleros y enterradores» [37]. En 1948 Lunardi

---

[35] Véase Marcelino Menéndez Pelayo, *Historia de las ideas estéticas en España* (Santander, 1947), III, 296.

[36] Lunardi, *La crisi*, pág. 157 de pruebas.

[37] José F. Montesinos, «Cadalso o la noche cerrada», *Cruz y Raya*, abril 1934, pág. 55.

subrayaba el hecho de que cuando Tediato mira más allá de su sufrimiento y su muerte, no ve la luz divina; que el Dios de Tediato (a quien él nunca llama *Dios)* es el Dios «de los miserables, de los elegidos para el dolor, de los que saben ser impíos para seguir los impulsos más sinceros de su corazón»[38]. En 1951, Edith Helman hizo notar que el «uso del aparato de la naturaleza para realzar el estado de ánimo del héroe es un rasgo completamente romántico» en las *Noches lúgubres,* y que en realidad en la obra de Cadalso «no hay otra acción que la pasión de Tediato». La señora Helman sigue observando que el corazón sensible de Tediato y su humanitarismo también son rasgos esencialmente románticos[39]. Sin embargo de todo esto, nadie ha emprendido un análisis completo de la mentalidad de Tediato; y creo que el lector encontrará bastante sorprendentes los resultados del presente análisis, puesto que a principios de la década de 1770, el héroe de Cadalso se encuentra ya en posesión de toda la gama de rasgos psicológicos que solíamos considerar como privativos de los personajes literarios españoles de los años treinta y cuarenta del siglo XIX.

En un pasaje citado arriba Tediato proclama que tiene «una alma superior a todo lo que naturaleza puede ofrecer» (NL, 53). Su confianza en la superioridad de su espíritu se evidencia también por otros pasajes, por ejemplo: «una alma que tengo más noble... un corazón más puro... sí, más puro, más digna habitación del Ser Supremo que el mismo templo» (NL, 44). Unas líneas más adelante alardea de que él nunca ha tenido compañeros porque « ¡ninguno me ha igualado en lo bueno! ». El horror de la cárcel, en la segun-

---

[38] Lunardi, *La crisi,* págs. 136, 151, 152 de pruebas.
[39] Cadalso, *Noches lúgubres,* ed. Helman, págs. 36, 39-40.

da noche, hace que se refiera a las heridas que sufre debido a «lo sensible de mi corazón»; y al enfrentarse con las múltiples calamidades de la familia de Lorenzo, en la tercera noche, exclama: «¡Qué corazón el mío!» (NL, 53, 63). Tediato es el primer ejemplar español de una nueva familia de personajes literarios que empezó en Francia con la *Nouvelle Héloïse* y floreció por toda Europa hasta mediados del ochocientos. Refiriéndose a Saint-Preux y a Julie, Rousseau nos dice que se trata de seres cuyas «almas son tan extraordinarias, que no se las puede juzgar por las reglas comunes»[40]. Casi setenta años más tarde, uno de los numerosos descendientes literarios de Tediato, el héroe rejuvenecido del *Diablo mundo* (1841), también está dotado de un corazón, un alma tan pura, que «la aurora más pura y más serena / de abril florido en la estación amena / fuera junto a su luz noche sombría». En fin, el héroe de Espronceda es un «hombre en el cuerpo, y en el alma un niño»; y por los mismos años, Tula Avellaneda sentía en su pecho un «alma elevada ... capaz de ... grandes virtudes», pues tan noble era esa alma suya, que a veces la escritora incluso se veía «abrumada por el instinto de mi superioridad»[41].

Teniendo semejante disposición anímica, el héroe de tipo rousseauniano estaba a un mismo tiempo destinado a sentir verdadera compasión por los desgraciados, a cultivar sus inclinaciones compasivas como prueba halagadora de su propia superioridad, a imaginarse a sí mismo como el sufridor delegado de las desdichas de la raza entera, a disimular su falta de interés real por los oprimidos imaginándose a sí mismo rechazado por ellos, y finalmente, a confundir de tal modo sus sentimientos reales e imaginarios como para no sa-

---

[40] Rousseau, *Nouvelle Héloïse,* I, 152; *Autobiografía y cartas de Gertrudis Gómez de Avellaneda,* Madrid, 2.ª ed. [¿1909?], págs. 61, 187.

[41] Espronceda, *El diablo mundo,* págs. 75-103.

ber él mismo por dónde se había de trazar la raya de su sinceridad. Un antecedente directo de este nuevo dolor altruista-egoísta se encuentra en la primera versión de *The pleasures of imagination* (1744) de Mark Akenside. En un tono que recuerda a Shaftesbury y presagia a Rousseau, Akenside describe el sufrimiento ilimitado de

> my afflicted bosom, thus decreed / The universal sensitive of pain, / The wretched heir of evils not its own (mi afligido pecho, así escogido / para ser el sensorio universal del dolor, / el miserable heredero de males que no son suyos)[42].

Pero Inglaterra se había adelantado en dos o tres décadas al continente en la expresión de tales ideas; y por lo tanto Cadalso está todavía muy en la vanguardia al poner las palabras siguientes en boca de su héroe melancólico hacia 1774:

> hallarás en mí un desdichado que padece no sólo sus infortunios propios, sino los de todos los infelices a quienes conoce, mirándolos a todos como hermanos... Hermanos nos hace un superior destino, corrigiendo los caprichos de la suerte, que divide en arbitrarias e inútiles clases a los que somos de una misma especie. Todos lloramos... todos enfermamos... todos morimos (NL, 63-64).

Esta apasionada profesión de altruismo es provocada por la triste situación de la familia de Lorenzo, que para Tediato se convierte en símbolo de todos los hombres y su aciago

---

[42] Akenside, *Poetical Works* (Londres, 1867), pág. 29. Una frase de los *Night Thoughts* de Young —«I mourn for millions» (lloro por los millones)— se ha considerado algunas veces como un antecedente de la universalidad del dolor romántico (véase Montesinos, *op. cit.*, página 46). Pero lo mismo por su concepto que por su tono reposado y falta de egoísmo, tal frase está mucho más lejos del romanticismo que los versos de Akenside citados en el texto.

destino, puesto que el mísero sepulturero ha visto a su padre y a su mujer morir en el mismo día; tiene siete hijos hambrientos, de menos de ocho años, dos de ellos enfermos de viruela, y otro en el hospital; y otra hija mayor que tiene, acaba de desaparecer de la casa (NL, 58, 63).

Sin embargo, Tediato confiesa que si su corazón no se partió al ver tal espectáculo «excusa tiene: mayores son sus propios males y aún subsiste» (NL, 63)[43]. Quiere decirse que el dolor de Tediato tiene lo mismo una causa exterior, que otra interior más roedora, lo cual es una reiteración de la idea expresada en su ya citada queja de que siente «un tormento interior capaz, por sí solo, de llenarme de horrores, aunque todo el orbe procurara mi infelicidad» (NL, 61-62). El lector recordará también la explicación de Meléndez Valdés del *fastidio universal* como «materia en todo a más dolor hallando», y como al mismo tiempo teniendo «en todo el corazón perenne causa» (BAE, LXIII, 250a). La doble motivación del sufrimiento de Tediato es tan claramente romántica, que a éste se le podría tomar por un contemporáneo de Espronceda. Recuérdese que Espronceda en el *Canto a Teresa,* se pinta a sí mismo sufriendo las punzadas del desencanto *dentro* de su «desierto corazón herido», que «retuércese entre nudos dolorosos / ... gimiendo

[43] Estas palabras del primer parlamento de Tediato en la tercera *Noche* revelan lo muy equivocado que está Glendinning al concluir que «en el primer parlamento de la tercera *Noche* [Tediato] muestra su conciencia de que ya no es una excepción, el mártir aislado, amado de los románticos, sino que está unido al resto de la humanidad doliente» («The Traditional Story», pág. 215). El martirio romántico participa con tanta frecuencia de «la soledad en la multitud» como de la soledad en la naturaleza; el aislamiento apenas se puede definir excepto en contraste con cierto concepto de la multitud; y aquí, como en otras partes, es obvio que Tediato usa el dolor de los otros hombres solamente como término de comparación para probar cuánto más profundo es el suyo propio.

de amargura», al mismo tiempo que *desde fuera* se siente ultrajado por la indiferencia del mundo ante la muerte de Teresa: «Que haya un cadáver más, ¡qué importa al mundo! »[44].

Para el romántico lo más importante de ese dolor de inspiración altruista es su función como término de comparación; pues al asociarlo con sus penas personales puede dar a éstas, como hemos visto, un valor «universal». Mas, como también sugieren otros pasajes ya citados, las quejas ante el desprecio del mundo son igualmente eficaces para sostener la significación pseudouniversal que el poeta quisiera dar a sus sufrimientos, y son ciertamente mucho menos insinceras si se tiene en cuenta el deseo poco constante del romántico de socorrer a los oprimidos (el *Canto a Teresa* contiene una especie de recapitulación en miniatura de la evolución del romanticismo, desde el idealismo social «ilustrado» hasta esa desilusión personal en la que el romántico suele creerse objeto de la irrisión de la sociedad). El alejamiento de Tediato de los otros hombres, cuando él se considera el más infeliz de los mortales, y su ridiculización por parte de ellos, son temas que se repiten una y otra vez en las *Noches lúgubres*. Tediato pide a la luna que no mire «al más infeliz mortal»; confiesa: «soy el más infeliz de los hombres»; asegura que «si el ser infeliz es culpa, ninguno más reo que yo»; y en su extrañamiento no encuentra consuelo, porque no sólo es diferente de los otros hombres, sino que tiene que escuchar «la risa universal, que es eco de los llantos de un mísero» (NL, 38, 40, 44, 52). Esta idea de «la risa universal» se sugiere también antes, en el pasaje de las *Noches* donde Tediato se queja de haber sido abandonado por su amigo (líneas que parecen anun-

[44] Espronceda, *El diablo mundo*, págs. 57, 62, 68.

ciar la rima LXI de Bécquer, sobre su miedo de encontrarse solo en su última enfermedad):

> ¿Quién no se cansa de un amigo como yo —pregunta el personaje de Cadalso—, triste, enfermo, apartado del mundo, objeto de la lástima de algunos, del menosprecio de otros, de la burla de muchos? ¡Qué mucho me dejase! Lo extraño es que me mirase alguna vez... Hiciste bien en dejarme: también te hubiera herido la mofa de los hombres (NL, 39).

Podría haberse dado una compenetración total entre Tediato y su contemporáneo Werther, que se quejaba de que «el ser incomprendido es el destino de un hombre como yo»[45]. Pero el rechazamiento de Tediato por el mundo es más general, más absoluto y más romántico que el de Werther. Acosado en su dolor por la risa del mundo, Tediato ha adoptado ya una actitud como la de don Félix en *El estudiante de Salamanca* (1840): «Y él mismo, la befa del mundo temblando / su pena en su pecho profunda escondió» —escribe Espronceda[46]—. Objeto de la indiferencia «universal», lo mismo que los románticos posteriores, Tediato se siente abandonado tanto por la divinidad como por la humanidad: «En vano les diría mi inocencia —dice Tediato refiriéndose primero a los hombres y luego al cielo—... Los astros darían su giro sin cuidarse del virtuoso que padece ni del inicuo que triunfa» (NL, 46). Espronceda expresa esta misma idea en forma muy semejante cuando confiesa, en el primer terceto del soneto dedicatorio de sus *Poesías:* «Los ojos vuelvo en incesante anhelo, / y gira en torno indiferente el mundo, / en torno gira indiferente el cielo»[47].

---

45 Goethe, *Werther,* pág. 7.

46 Espronceda, *Poesías,* ed. cit., pág. 227.

47 *Ibid.*, pág. 3.

Al principio de este capítulo, observamos que Tediato también describe su sensación de aislamiento espiritual como el estado de hallarse encarcelado dentro de su propia alma, o como el de tener el alma sujeta por el cepo de su cuerpo. Veremos la importancia de esta idea para el arte de las *Noches lúgubres* cuando hablemos de su estructura; mas de momento quisiera señalar que además de tener un paralelo en las palabras de Werther sobre su «alma aprisionada», tales descripciones anuncian los sentimientos «aprisionados» de los románticos decimonónicos. Con palabras que recuerdan la descripción de Tediato de su cuerpo como «frágil habitación de una alma superior», Espronceda analiza los sentimientos de don Félix de Montemar en un momento decisivo de la acción de *El estudiante de Salamanca:* «Fábrica frágil de materia impura, / el alma que la alienta y la ilumina, / con Dios le iguala ... / ...... / El hombre en fin que en su ansiedad quebranta / su límite a la cárcel de la vida»[48].

En la mayoría de los casos, los sucesos trágicos son de una importancia secundaria para la estimulación del dolor romántico, que en realidad, más bien que un dolor, es una melancolía, o sensación de falta de plenitud en el sentido metafísico. Las enfermedades espirituales románticas se suelen originar como la melancolía de doña Beatriz en *El señor de Bembibre* (1844), la conocida novela romántica de Gil y Carrasco. Se describe a Beatriz mientras contemplaba un paisaje lacustre al anochecer, momentos antes de su muerte, causada por un lento agotamiento espiritual y físico: «Siempre había dormido en lo más recóndito de su alma el germen de la melancolía producido por aquel deseo in-

---

[48] *Ibid.*, págs. 240-241.

nato de lo que no tiene fin»[49]. En otros términos, el consuelo que busca el romántico al contemplar su propia imagen reflejada en el espejo de la naturaleza no siempre es tanto un remedio para un daño que se le haya infligido, como la consumación de su ser universal «uniéndolo» de nuevo con las que él considera como esas partes «suyas» que le faltan.

En las primerísimas líneas de las *Noches*, mientras Tediato saborea su horror, nos cuenta que «la oscuridad, el silencio pavoroso... *completan* la tristeza de mi corazón» (NL, 3-4). El verbo que he subrayado es importante. Debido a que se siente incompleto, Tediato, como doña Beatriz, parece incapaz de experimentar plenamente sus emociones sin buscar la infinita extensión material de ellas a través de las metáforas naturalistas. La misma idea se sugiere hacia el final de la segunda *Noche*, mientras Tediato busca alguna forma de alivio para su espíritu temeroso y hambriento: «Las tinieblas son mi alimento» (NL, 57). Los fenómenos naturales que no sugieran un estado de ánimo como el de Tediato no tienen realidad para él: «Cuantos objetos veo en lo que llaman día, son a mi vista fantasmas, visiones y sombras» (NL, 34). En Tediato se manifiesta una creciente tendencia a controlar la correspondencia entre sus emociones y la faz de la naturaleza, bien sea eligiendo con extremo cuidado la hora en que sale al aire libre, o bien imponiendo por fuerza su estado de espíritu a cuanto ve a su rededor. La negativa que se da en el siguiente pasaje revela el intenso deseo del poeta de dominar la naturaleza: «Aun la noche... es menos gustosa, porque en algo se parece al día. No está tan oscura como yo quisiera» (NL, 37-38).

---

[49] Enrique Gil y Carrasco, *El señor de Bembibre*, en *Obras Completas*, BAE, LXXIV (Madrid, 1954), 207a.

Algunas páginas después, el deseo de Tediato de dominar la naturaleza se convierte en un mandato directo, y a la vez él intenta de modo curioso adaptar su propia apariencia a su humor sombrío: «¡Bienvenida seas, noche...! Duplica tus horrores; mientras más densas, más gratas me serán tus tinieblas. No tomé alimento. Púseme el vestido más lúgubre» (NL, 41). La insistencia de Tediato en que la naturaleza se acomode a su estado de ánimo se traduce por imperativos cada vez más fuertes, y se acompaña de acentos claramente rousseaunianos: «Domina, noche, domina más y más sobre un mundo, que por sus delitos se ha hecho indigno del sol» (NL, 55). El hecho de que Tediato juega el papel dominante al producirse la correspondencia entre su estado de ánimo y el aspecto de la naturaleza, es una clara indicación de que en el uso romántico de la falacia patética las *Noches* están muy adelantadas. En el *Werther,* en cambio, la naturaleza es todavía el término dominante de la comparación: «Cuando en la naturaleza se acerca el otoño, se hace otoño dentro de mí» [50]. Otro elemento impresionante por lo moderno, en la búsqueda de Tediato de símbolos para su dolor, es el intento de éste de expresar sus sentimientos por medio de su indumentaria («Púseme el vestido más lúgubre»). Con esto Tediato se convierte en un a modo de patriarca del linaje de excéntricos que se extiende desde los bohemios del período romántico (cuyo estrafalario atavío se satiriza en «El romanticismo y los románticos» de Mesonero), hasta los beatniks, «flower people», hippies y yippies de hace pocos años.

El romántico también rinde culto a su propio yo según lo encuentra reflejado en los otros seres humanos. Werther, que es incapaz de sentir un amor verdadero por otro ser,

---

[50] Goethe, *Werther.* pág. 84.

exclama en un rapto de autoadmiración: «¡Que ella me quiera! ¡Cuánto me exalta esta idea a mis propios ojos! ¡Y... cuánto me adoro a mí mismo porque ella me ama!»[51]. Cuarenta y dos años más tarde la perfección de la amada de Alastor también era una imagen de espejo de la belleza de su propia alma: «He dreamed a veilèd maid / ... / Her voice was like the voice of his own soul» (Soñaba con una doncella velada / ... / La voz de ella era como la voz de su propia alma)[52]. En este aspecto, las *Noches lúgubres* están a la vez más y menos desarrolladas.

Aparentemente, Tediato, a lo largo de las *Noches,* está ocupado únicamente en llorar a su amada; mas sólo la menciona en los últimos parlamentos de la primera *Noche* y una vez en la segunda (NL, 30-35, 50). La amada no tiene nombre; y además, en los pasajes indicados sólo se la representa con los pronombres personales *tú, te, ti,* los posesivos *tu, tus, tuyas,* substantivos como *objeto* («*Objeto* antiguo de mis delicias... ¡hoy *objeto* de horror para cuantos te vean!»), y un pronombre relativo («Sobre la muerte de *quien* vimos ayer cadáver medio corrompido...»). Solamente al acordarse Tediato de los «hermosos ojos», el «pelo... más precioso que el oro», las «blancas manos» y los «labios amorosos» que se han convertido en corrupción, nos cercioramos de que es un ser humano y una mujer el pretendido objeto del llanto del héroe de las *Noches.* Es evidente que esta sombra sin nombre a quien Tediato tan frecuentemente olvida (Glendinning tiene razón al ver sólo una relación muy tenue entre la dama muerta de las *Noches* y María Ignacia Ibáñez), no es más que un pretexto, como lo es la amante

[51] *Ibid.,* pág. 37.

[52] Percy Bysshe Shelley, *Alastor or the Spirit of Solitude,* en *Complete Poems of Keats and Shelley,* «The Modern Library» (Nueva York, Random House, s. a.), 2 vols. en 1, II, 5.

perdida o imposible en tantas obras románticas posteriores; pues los verdaderos *objetos* del duelo de Tediato son sus ilusiones perdidas. Los restos putrefactos de la amada de Tediato le son más importantes como símbolo de sus propios ideales frustrados que como trágicos recuerdos de su pasión perdida. Quizás sea ésta la razón de que la figura de su amada se trate de tal modo, que casi se la desposee de su género femenino; de que en las *Cartas marruecas* Cadalso hable de las *Noches* como de una obra que ha escrito «a la muerte de un amigo mío» (CM, 146). En todo caso, en la amada de Tediato tenemos un antecedente inconfundible de Teresa Mancha de Bayo, quien, en el *Canto a Teresa,* enferma, avergonzada y cruelmente abandonada, ya no interesa a Espronceda sino como un símbolo con el cual él pueda representar sus propias ilusiones perdidas. De modo semejante los hediondos restos de la dama de los dorados cabellos, en las *Noches,* sirven a Tediato como un espejo en el que él puede admirar el magnífico gesto de la actitud suicida con que ha respondido a las mofas del mundo: «Oh tú, ahora imagen de lo que yo seré en breve» (NL, 35).

Existen otros varios ejemplos interesantes en los que la naturaleza humana, más bien que la física, refleja la preocupación avasalladora de Tediato por sí mismo. Por ejemplo, el estado de ánimo de Tediato se refleja tan fielmente en el rostro y las ropas del sepulturero como en la noche negra y tormentosa en que ellos se encuentran: «Él es: el rostro pálido, flaco, sucio, barbado y temeroso; el azadón y pico que trae al hombro; el vestido lúgubre, las piernas desnudas; los pies descalzos, que pisan con turbación; todo me indica ser Lorenzo, el sepulturero del templo, aquel bulto cuyo encuentro horrorizaría a quien le viese» (NL, 6). El poeta ha recreado el mundo a su propia imagen: En semejante noche, en semejante lugar, Tediato está seguro de que cualquier otra alma con quien se encuentre tendrá que estar tan miserable como él: «Entorna solamente la puerta, porque la luz no se vea desde fuera si acaso pasa alguno... tan infeliz como yo; pues de otro modo no puede ser» (NL, 9). También a veces vemos a Tediato tratar conscientemente de elaborar en torno a sí un ambiente humano que se acomode a su sombrío humor, como cuando confiesa al hijo dormido de Lorenzo: «tristes como tú busco yo. Sólo me conviene la compañía de los míseros» (NL, 57).

Mientras el romántico se consuela viendo su dolor reflejado en la faz compasiva de toda la naturaleza, también al mismo tiempo se venga en cierto modo privando al «mundo mofador» de su existencia; pues esa «toda la naturaleza» en la que busca compasión es de hecho un «mundo» severamente reducido, con más nubes tormentosas que tiempo hermoso, más luz de luna que de sol, más cipreses y sauces llorones que otros árboles, más violetas que otras flores, y solamente las imágenes más vagas de hombres y moradas humanas. En el romántico, para concretar, el abandono del «mundo mofador» por ese «mundo compasivo» cortado a su medida es la base de una nueva forma de ascetismo.

Como el asceta cristiano de siglos anteriores, el romántico renuncia al mundo y a sus vanidades para entregarse a una fe total; mas en el caso de éste se trata de su propia secta de «panteísmo egocéntrico». En el capítulo III, notamos los acentos pseudomoralizadores de la preocupación cadalsiana por la vida campestre virtuosa y retirada; y yo cité a Irving Babbitt sobre la frecuencia con que los románticos rousseaunianos hablan de lo egoísta en el tono de la consagración religiosa. Para tomar otro ejemplo, la idea de Tediato de que su «corazón más puro» es una «más digna habitación del Ser Supremo que el mismo templo», hace recordar ciertas nociones sobre los primeros cristianos como la que se expresa en la nostalgia de Feijoo por los «primeros siglos de la Iglesia, cuando los cristianos no tenían otros templos que las cavernas más obscuras, ni otras imágenes de Dios y de sus santos que las que traían grabadas en sus corazones» [53]. La satisfacción gozosa que siente el romántico al proclamar la vanidad del mundo y la fugacidad de la vida humana, recuerda también ese rencoroso placer que algunas veces se trasluce por el tono realmente muy vanidoso de ciertos escritores ascéticos de la Contrarreforma, como fray Hernando de Zárate, el beato Alonso de Orozco y Juan de Salazar, cuando condenan la conducta de sus prójimos.

En una carta a su confidente, Werther hiperboliza así: «¡Oh, Guillermo! la celda del ermitaño, su cilicio y su cinturón de espinas serían un alivio comparados con lo que yo sufro» [54]. Las conmovedoras palabras del principal pasaje ascético de las *Noches lúgubres* ya se han citado íntegras: «Un cuerpo tan débil como el nuestro ... ¿qué puede durar? ¿cómo puede durar?», etc. El considerar su extrañamiento de sus prójimos como una especie de retiro ascético de una sociedad pecadora y efímera, llegó a ser una constante en los románticos; y en el *Diablo mundo,* por ejemplo, Espronceda todavía recurre a la habitual imaginería ascética para representar su enajenación: «¡Y es la historia del hombre y su locura / una estrecha y hedionda sepultura!». O: «¿No ves que todo es humo, y polvo, y viento?» [55]. El cambio de un concepto teocéntrico a un concepto egocéntrico del universo explica cómo Cadalso puede crear la impresión de la autogratificación voluptuosa con las mismas tácticas retóricas que Young, Hervey y los ascetas españoles

---

[53] Feijoo, «Glorias de España», *Obras escogidas,* BAE, LVI, 201a.
[54] Goethe, *Werther,* pág. 58.
[55] Espronceda, *El diablo mundo,* págs. 28-29.

habían usado para expresar terribles censuras; explica por qué Chateaubriand no encontraba bastante personal para su gusto al entonces muy leído poeta de los *Night Thoughts,* y por qué Lunardi veía tan gran diferencia entre los puntos de vista al parecer semejantes de Young y Cadalso.

Para Tediato, que se ha «separado del mundo» igual que Nuño Núñez, el suicidio habría sido el renunciamiento final de las vanidades humanas; porque el suicidio romántico difiere de otros suicidios en el sentido de que representa el último disentimiento en una dialéctica personal con todas las fases de la existencia (el sacrificio final en un ascetismo personal), más bien que un intento de escaparse de cualquier problema concreto o conjunto de problemas concretos. Aunque Tediato no realice sus intenciones suicidas, ya en 1774 ha llegado, al menos filosóficamente, a las últimas consecuencias del amor de sí mismo a lo romántico.

III. TEDIATO EN LA MORADA DE SU ALMA: LA ESTRUCTURA DE LAS «NOCHES LÚGUBRES»

En las *Noches lúgubres,* la brillante técnica de Cadalso parar lograr una estructura artística estriba en una negación sistemática de la realidad —material, humana, espacial y temporal—, la cual sirve para reiterar el hecho de que en el microcosmo de esta obra no existe nada sino el yo de Tediato y aquello que puede ser reflejo de su yo.

Por la forma dialogal de las *Noches* y su división en tres partes, a manera de actos, con «acotaciones» al principio de cada una de ellas, *parece* sugerirse una relación con las obras teatrales. También a primera vista tal comparación parece revelar algo de la naturaleza revolucionaria romántica de la obra. En tiempo de Cadalso, la composición dramática se regía por la poética neoclásica, pero *parece* que en las *Noches* pudiera haber una rebelión contra las «reglas del drama». En lugar de una duración de veinticuatro horas, se nos pide que imaginemos que transcurren tres días —noches— dentro de los confines de la obra, los cuales darían tiempo para el desarrollo de una acción mucho más complicada que las estrictamente unificadas prescritas por las artes poéticas neoclásicas. (Las autoridades neoclásicas más liberales —Luzán entre ellos— aconsejan que no se deje que el lapso de tiempo de una acción dramática pase nunca de cuarenta y ocho horas, y sólo en casos muy especiales quieren que se llegue a este límite). La escena se muda varias veces entre la iglesia («templo»), la cárcel, la casa de Lorenzo y las calles; y mientras que una interpretación muy liberal de la unidad de lugar permitía al dramaturgo imaginar cambios de escena entre varios lugares de la misma ciudad, la mayoría de las autoridades en poética condenaban semejante práctica.

Lo mismo que el tiempo transcurrido y las mutaciones de escena en las *Noches,* el número relativamente grande de personajes que figuran en la obra, sugiere la posibilidad de que pudiera desarrollarse una acción bastante complicada. Mientras que los dramaturgos neoclásicos trataban de limitarse a unos cinco personajes, en las *Noches* el lector encuentra un amante en duelo, un sepulturero, un cadáver, un hombre asesinado, sus asesinos, soldados, magistrados, prisioneros y uno de los hijos del sepulturero. También recordará el lector otras figuras que aunque no aparecen, se mencionan: «los que cuidan de este templo», varios fieles, el perro de Lorenzo (que se toma a la media luz por un fantasma salido de una tumba), los otros hijos de Lorenzo, su padre, su mujer, al menos un transeúnte, y los muertos sepultados en el templo.

Aun cuando Cadalso no se propusiese de modo consciente crear este contraste con las obras dramáticas neoclásicas, no cabe duda de que deseaba que el lector se fijara en la aparente complejidad de los elementos que he destacado aquí. He usado de la comparación con el drama, simplemente porque era una forma «dieciochesca» muy cómoda de subrayar ciertas características que son importantes para el arte de las *Noches*. Incluso en la poesía más lírica (y las *Noches lúgubres*, como obra compuesta en la prosa poética del siglo XVIII, participan de muchas de las características de la poesía lírica), tienen que hacerse ciertas concesiones a los limitados medios de expresión que posee el hombre, criatura limitada por todas partes por un mundo material. Pues ni aun podemos identificarnos con otro «espíritu» a menos que lo imaginemos como revestido con alguna especie de forma humana, como existente en algún lugar, en algún momento y como rodeado de personas y cosas. Pero la función más importante del gran número de circunstancias físicas y temporales que parecen acompañar la acción de las *Noches lúgubres*, es la de entrar en un contraste irónico con la que es de hecho la irrealidad de todos los elementos de esa especie contenidos en la obra. La negación de la realidad que resulta de esto es esencial para la estructura de la obra. Primero quisiera demostrar precisamente cómo se consigue tal negación.

¿Qué sabemos realmente de la iglesia, de la cárcel, de la casa, de las calles que se mencionan en las *Noches?* Es decir, ¿qué datos objetivos, concretos tenemos? Siguiendo el diálogo nos enteramos de pasada, por referencias de una sola palabra, de que la iglesia tiene una «puerta» y «puertas», una «campana», «sepulturas», «losas», «hoyos» preparados para recibir los cuerpos, una «lámpara», un «atrio» y una «imagen» iluminada fija en una de sus paredes exteriores (NL, 7, 9, 12, 13, 15, 18, 19, 20, 21, 22, 28, 55, 56). La cárcel, según descubre el lector por referencias semejantes, tiene «puertas», «paredes», «grillos, cadenas, esposas, cepo, argolla», «cerrojos» en una de las puertas; y casi rompiendo este patrón antidescriptivo —pero no del todo— Tediato observa que en la cárcel «una piedra es mi cabecera, una tabla mi cama, insectos mi compañía» (NL, 47, 48, 49, 53, 54, 55). De la casa de Lorenzo sólo sabemos que tiene una puerta, y aun este detalle único está solamente sugerido, cuando el hijo del sepulturero y Tediato piden a Lorenzo que abra: «Abra usted ... abre», y este último contesta: «bajaré a abrir» (NL, 59). En una palabra, en las *Noches lúgubres,* más bien que lugares, hay *ideas* de lugares, abstracciones intelectuales referentes a meros tipos de lugares. Al oír la palabra *cárcel* ¿quién puede concebir una imagen mental que no incluya paredes, puertas, cerrojos, etcétera? Sobre la iglesia, la cárcel y la casa de Lorenzo no se nos dan más detalles que los que la mera mención de las palabras *iglesia, cárcel* y *casa* traería en seguida a la memoria.

Por otra parte, ¿qué acción hay en las *Noches* en el sentido estricto de *actio,* esto es, movimientos físicos y los sucesos a que dan origen? En la primera noche, en la iglesia, no hay más acción que el intento fracasado de levantar la losa que en el suelo de la iglesia cubre la sepultura de la doncella muerta (NL, 22, 29, 32-33). En la segunda noche la acción se limita a la equivocada detención de Tediato como asesino, su encarcelamiento y su liberación (NL, 47-48, 54). En la tercera noche, de vuelta en la iglesia, no hay acción ninguna; las herramientas del sepulturero se mencionan (NL, 66), pero no se usan. Además, la escasa acción que hay se priva de todo su sentido por no lograrse su propósito: la acción está presente en las *Noches lúgubres* sólo en cuanto objeto de la negación. También por la mayor parte parece negarse la distancia. Al ser conducido de la iglesia a la cárcel, después de sólo uno o dos pasos, Tediato pregunta distraídamente: «¿Estamos ya en la cárcel?» (NL, 45). Negándose la acción, no hay sucesión de acontecimientos unos tras otros; y por lo tanto, también se pierde en gran parte la noción del tiempo. Tediato parece estar suspendido en el vacío, pues las referencias de Cadalso al lugar, al tiempo y a la acción están limitadas al mínimo indispensable para que el lector pueda imaginar al atormentado amante como dotado de alguna especie de existencia. Pero ¿cuál es la razón de esta limitación de las circunstancias de Tediato, la cual, según ya he dicho, se revela primero como un contraste irónico entre la aparente complejidad y la sencillez real de tales elementos?

Describiendo a Tediato como un ser existente en lo que es casi un vacío, donde toda noción de prioridad y causa parece tan vaga como las sombras entre las que se mueve, Cadalso sugiere de forma convincente el aislamiento espiritual del sombrío doliente, que está «encarcelado dentro de sí mismo», para usar las palabras con que se describe a su primo Nuño Núñez (CM, 9). La pregunta «¿Estamos ya en la cárcel?», citada arriba, puesto que se hace cuando Tediato ha andado apenas un paso hacia la cárcel, sirve para evidenciar el grado de su aislamiento del mundo exterior. Unos grados mayores o menores de libertad física son para él tan indistinguibles como poco importantes. La acción real de la obra, o, como la llama la señora Helman, su *pasión,* es la sucesión de los estados de ánimo de Tediato; y el verdadero escenario de esta acción-pasión es el oscuro recinto del alma o el yo del dolorido amante —y he aquí la razón principal de la negación sistemática del mundo exterior en las *Noches.*

El concepto cadalsiano de un lugar espiritual interior dentro del hombre, y del alma, ya como ese lugar, ya como el doliente que reside en ese lugar («frágil habitación de una alma superior» [NL, 53]) parece muy moderno. Sin embargo, es en realidad una adaptación de ciertas comparaciones y ejercicios meditativos que se encuentran en los escritos de los místicos y los ascetas, que también en diferentes páginas suyas habían descrito el alma como castillo, cárcel o prisionera. Influida posiblemente por obras alegóricas como la novela amorosa de Diego de San Pedro, *Cárcel de amor* (1492), Santa Teresa escribe:

> este castillo [del alma] tiene, como he dicho, muchas moradas, unas en lo alto, otras en bajo, otras a los lados; y en el centro y mitad de todas éstas tiene la más principal, que es adonde pasan las cosas de mucho secreto entre Dios y el alma [56].

(Aquí, por ejemplo, el alma es a la vez castillo y habitante.) Cadalso ha suprimido al interlocutor divino; pero el escenario es el mismo, y el drama es análogo, aunque ahora se ha hecho secular.

En un pasaje de los *Ejercicios espirituales,* que para nuestro propósito es igualmente o aún más iluminativo que el de Santa Teresa, San Ignacio de Loyola explica que el penitente debe empezar el primer ejercicio de la primera semana imaginando que su alma está encarcelada en un «lugar» físico, que es su cuerpo:

> El primer preámbulo es composición viendo el lugar... en la contemplación o meditación visible, así como contemplar a Cristo Nuestro Señor... la composición será ver con la vista de la imaginación el lugar corpóreo donde se halla la cosa que quiero contemplar... así como un templo o monte donde

[56] Santa Teresa de Jesús, *El castillo interior o las moradas,* ed. Tomás Navarro Tomás, «Clásicos Castellanos» (Madrid, 1962), pág. 6.

> se halla Jesucristo o Nuestra Señora... En la invisible [esto es, la contemplación simbólica], como es aquí de los pecados, la composición será ver con la vista imaginativa y considerar mi ánima ser encarcerada en este cuerpo corruptible [57].

(Estas últimas palabras son un antecedente directo del concepto cadalsiano del «encarcelamiento dentro de sí mismo».)

Para la primera mitad del siglo XVIII, los escritores profanos ya habían descubierto algunas de las numerosas posibilidades de metáforas que esta «composición de lugar» sugiere. Torres Villarroel, en su autobiografía, confiesa que «iba insensiblemente perdiendo la inocencia, y amontonando una población de vicios y desórdenes en el alma» [58], en donde su espíritu se representa como un lugar habitado. El concepto cadalsiano del lugar y la acción espirituales parece moderno, porque los románticos y otros escritores hasta la Generación del 98 inclusive continuaron interpretando de forma muy parecida esta comparación derivada de la literatura mística y ascética. Sin embargo, para los escritores posteriores, el alma era con tanta frecuencia un paisaje como un lugar cerrado. En la última estrofa de *Soledad del alma,* de Gertrudis Gómez de Avellaneda, se lee: «Siempre perdidas —vagando en su estéril desierto— / ... / gimen las almas ... / ¡Nada hay que pueble o anime su gran soledad! » [59]. (Aquí de nuevo, como en Santa Teresa, el alma es a la vez ocupante y lugar: nómada por el desierto, y desierto.) En el siglo XX Unamuno usa la comparación frecuentemente, por ejemplo en *Nada menos que todo*

---

[57] San Ignacio de Loyola, *Ejercicios Espirituales,* ed. José María Pemán, «Colección Cisneros» (Madrid, 1944), págs. 41-42.

[58] Diego de Torres Villarroel, *Vida,* ed. Federico de Onís, «Clásicos Castellanos» (Madrid, 1954), pág. 44.

[59] Gertrudis Gómez de Avellaneda, *Obras literarias* (Madrid, 1869), I, 377.

un hombre, cuando describe una revelación parcial del carácter de Alejandro Gómez: «Fue como si un relámpago de luz tempestuosa alumbrase por un momento el lago negro, tenebroso de aquella alma, haciendo relucir su sobrehaz» [60].

La luz del mundo exterior tampoco penetra con frecuencia por más de un momento en el alma de Tediato; y cuando penetra, no es nunca más que una luz vacilante: por ejemplo, «esa lámpara que ya iba a extinguirse» (NL, 19; véase también 57). Tediato ve el mundo exterior como lo ve una persona que se halla en estado psicótico. Solamente, de vez en cuando, al entrar en contacto con personas, cosas o sucesos que en algún modo se relacionen con su propia experiencia interior y sus propios sentimientos, se da cuenta Tediato de la existencia de tales fenómenos; e incluso entonces parece incapaz de aprehender la realidad objetiva que posean. Por ejemplo, toma nota de la hora que es, solamente porque tal dato tiene relación con su macabra empresa: «pero dan las dos... ¡Qué sonido tan triste el de esa campana! El tiempo urge. Vamos, Lorenzo» (NL, 12). Además, la campana que da la hora toma el tono del alma del poeta, recordándonos otra vez que el verdadero lugar de la acción es el escenario interior del espíritu del poeta. En los diversos pasajes ya citados, el lector ha visto otros ejemplos de la falta de objetividad de los contactos de Tediato con el mundo exterior. Tediato parece algo más consciente de sus circunstancias físicas en la segunda *Noche,* que en la primera o tercera; mas ello se explica fácilmente, porque en aquélla está en la cárcel, y todo lo que ve allí tiene al menos una relación simbólica con su atormentada sensación de que está encarcelado dentro de sí mismo.

[60] Miguel de Unamuno, *Tres novelas ejemplares y un prólogo,* «Colección Austral» (Buenos Aires, 1943), pág. 139.

La escasa conciencia que Tediato tiene del mundo de carne y hueso que le rodea, se subraya de resultas de otro aspecto ingenioso y peculiarmente moderno del arte de Cadalso. En realidad, a ninguno de los personajes de las *Noches* se le ha dado un nombre —lo cual es otra técnica para negar la realidad externa—. *Tediato* (< *tedio)* no es el nombre de una persona, sino el nombre de un alma afligida por el tedio: un alma que existe sólo en la medida en que está dotada de la facultad de experimentar el tedio y la melancolía. La mayoría de los personajes no tienen nombre de ninguna clase; se los designa simplemente con términos genéricos, como la Justicia, el Carcelero, un Niño, los Asesinos o Autores y Cómplices del Asesinato, los Malhechores y Facinerosos (es decir, los otros prisioneros), etc. *Lorenzo,* el nombre del sepulturero, parece una excepción rotunda a esta regla; pero en realidad se trata de otra especie de término genérico. Por el uso, *Lorenzo* había venido a ser la persona a quien el desolado dirigía sus pensamientos en la pérdida de un ser amado. Como hemos visto antes, *Lorenzo* era el amigo ausente a quien Young se dirigía mientras hablaba del entierro de su hijastra, y *Lorenzo* es también el sepulturero a quien Tediato se dirige mientras intenta desenterrar a su amada.

Por otra parte, es muy lógico que Lorenzo tenga un nombre al parecer más concreto. Aquí la técnica de Cadalso parece presagiar la de García Lorca en *Bodas de sangre.* En esta obra de Lorca, todos los personajes están designados con términos genéricos como la Madre, la Novia, la Suegra, la Vecina, el Novio, el Padre de la Novia, etc., excepto *Leonardo,* que personifica el poder del mal. El pecado, la podre humana, que acaba por vencer a todos los otros personajes de *Bodas de sangre* se caracteriza apropiadamente por el nombre más «físico» que García Lorca ha dado al seductor Leonardo. Ahora bien, el nombre «físico» de Lorenzo, en las *Noches lúgubres,* contrasta con el nombre «espiritual» de Tediato de la misma manera que contrastan los conceptos que Cadalso tiene de sus dos personajes: mientras Tediato es acosado por problemas del espíritu, Lorenzo es regido por sus necesidades materiales de todos los días y por las de su familia. Lorenzo, que es totalmente incapaz de comprender los males espirituales de su interlocutor [61], es uno de esos seres insensibles y poco expresivos de los que los románticos gustaban de rodearse por encontrar en ellos un a manera de trasfondo sobre el cual por contraste podían apreciar más plenamente esas sus propias sensibilidades tan finas. En fin, hasta el más corpóreo de los personajes de las *Noches* sirve para destacar el hecho de que la «acción» de la obra es realmente una pasión —esto es, *passio* o «martirio»— egoísta y seglar del alma.

Teniendo esta idea en cuenta, el lector perspicaz no puede menos de encontrar la conclusión del texto de Cadalso artísticamente feliz. La tercera *Noche* tiene menos de la tercera parte de la extensión que tiene la primera o la segunda, y se corta *in medias res,* después de las palabras de Tediato: «Andemos, amigo, andemos», pronunciadas cuando él y el sepulturero están a punto de tomar sus herramientas para ir a intentar de nuevo desenterrar el cadáver de la que fue una vez hermosa doncella de cabellos dorados. Estas características del texto han sugerido a unos autores desconocidos la idea de «terminarlo», como indicamos antes. Es verdad que Glendinning ha llamado la aten-

---

[61] Como razón muy fuerte para rechazar la posibilidad de que Cadalso pudiera escribir la continuación de la tercera *Noche* que mencionamos antes, Edith Helman subraya la inconsecuencia del hecho de que en ella «Lorenzo aparece completamente 'Tediatizado'» (*Noches lúgubres,* ed. Helman, pág. 48).

ción sobre el hecho de que Cadalso siempre habla de las *Noches lúgubres* como de una obra terminada (NL, lxxii, texto y n. 79). Mas la propiedad artística de la conclusión cadalsiana es un argumento tan bueno como cualquier otro para demostrar que tal final ha sido intencional por parte del poeta.

La locura de Tediato es mucho más contemplativa que impulsiva: por cierto que tal como se le representa en las *Noches,* parece totalmente incapaz de realizar una acción tan violenta como la de quemarse vivo junto con un cadáver. La idea de tal acción le resulta útil a Tediato, porque realza su sentido del drama de su propio yo; y su único consuelo y placer («dulce melancolía») estriban en la contemplación solipsista de ese drama. El suicidarse de verdad privaría a Tediato de tal forma de gratificación psíquica.

Además, la idea de matarse uno a sí mismo porque su amada haya muerto implica cierto grado de generosidad, y la realización de un acto de tal sentido es ajena al carácter de Tediato, porque lo único que él busca en el amor es una como imagen de espejo de su propio ser. Tediato no quiere morir; simplemente se consuela considerando esa posibilidad. La idea de la muerte, en las *Noches lúgubres,* más bien que un elemento de finalidad, es la base de una nueva forma psicótica de vida. La repetición final «Andemos... andemos», el intento continuo pero inacabado de desenterrar el cadáver que ella sugiere, el efecto monótono y espondaico de la repetición verbal mientras la obra va llegando a su final; todo ello parece indicar que Tediato continuará sin interrupción en su autocontemplación egoísta, dentro de la morada de su alma. Si hubiéramos de juzgar por la arquitectura puramente externa de la obra (la extrema brevedad de la tercera *Noche* en contraste con la extensión mucho mayor, y más o menos igual, de las otras dos), no esperaríamos que finalizara donde termina, y la decisión de Cadalso de concluirla en ese lugar bien puede ser un ardid más para sugerir la falta de todo lazo claro entre la realidad externa en la que se desarrolla la acción física y el escenario interior donde sucede la acción-pasión de su poema en prosa. Dondequiera que terminara la «acción» externa de las *Noches,* hay que suponer que Tediato continuaría indefinidamente en la contemplación de su yo.

O morte ipsa mortis tempus miserius!
(Plinio el Joven, *Epistulae,* V, 16)

CAPÍTULO VI

EL HOMBRE DE BIEN, NUÑO Y LA CRÍTICA ROMANTICA EN LAS *CARTAS MARRUECAS*

> Cuando escribí estas cartas para exponer en ellas mis propias reflexiones acerca de la administración pública ... dejé correr mi imaginación, y me entregué a toda la sensibilidad de mi alma, como lo permite una correspondencia familiar.
>
> (Conde de Cabarrús, *Cartas,* Prólogo)

Las *Cartas marruecas* son una colección de cartas imaginarias cambiadas entre Gazel, un joven africano que viaja por España, su maestro Ben-Beley que sigue en Africa, y su amigo español Nuño Núñez. La Introducción de Cadalso toma como modelo parcial el prólogo de Cervantes a la primera parte de su inmortal novela, y este hecho es significativo cuando se trata de precisar el género de las *Cartas marruecas,* aunque la obra difiere de casi todas las novelas al no ofrecer ni siquiera un argumento libremente construido. El título, la forma epistolar y el origen africano de dos de los corresponsales, desde luego sugieren también la relación del libro con las *Lettres persanes* (1721) de Montesquieu, las *Chinese Letters* (título original de *The citizen of the world,* 1760-1761) de Goldsmith y otras obras epistolares dieciochescas en las que se supone que la visión que un no europeo puede tener de un determinado país europeo fomentará juicios caracterizados por la imparcialidad; escritos que tuvieron su origen en *L'espion du Grand Seigneur* o *El espión turco* (París, 1684-1686) de Giovanni Paolo Marana, que se había inspirado en los libros de viajes del siglo XVII. El subjetivismo de la novela de Cervantes y la relativa imparcialidad del ensayo epistolar dieciochesco sugieren también los polos entre los que se desarrolla el conflicto psicológico de Cadalso y la tensión artística de su obra.

I. LA IMPARCIALIDAD Y LA CIUDADANÍA MUNDIAL

> Non sum uni angulo natus; patria mea totus hic mundus est.
>
> (Séneca, *Ad Lucilium Epistulae morales,* XXVIII)

En su Introducción, Cadalso insiste en la imparcialidad de las *Cartas marruecas,* y reitera esta idea varias veces en el cuerpo de la obra, subrayándola todavía en la Carta LXXXVII, que es la cuarta desde el final del libro, así como en la «Nota» que sigue a la última carta. Primeramente toma nota de la nueva moda de «críticas de las naciones más cultas de Europa en las plumas de autores más o menos imparciales» (CM, 3). Después habla específicamente de las *Cartas marruecas* y de la «imparcialidad que reina en ellas», afirmando que «este justo medio es el que debe procurar seguir un hombre que quiera hacer algún uso de su razón» (CM, 6). En la Carta V Gazel declara que ha leído a los historiadores españoles de la conquista de Méjico; pero reflexionando más, dice que «la imparcialidad que profeso pide también que lea lo escrito por los extranjeros» (CM, 21). Según Gazel, para escribir la historia del siglo XVIII haría falta «algún hombre lleno de crítica, imparcialidad y juicio» (CM, 128). Hacia el final de la obra Gazel alaba en Nuño «la imparcialidad que hace tan apreciables sus controversias» (CM, 193).

Parece que Cadalso quisiera evitar cualquier «espíritu de partido» por el motivo, como dice Voltaire, de que «dispone maravillosamente al entusiasmo», y «la cosa más rara es el unir la razón al entusiasmo» [1]. Cadalso habla de una obra suya que queda inédita, en la que no ve sino unos simples «apuntamientos (mal coordinados como producidos por el entusiasmo)» (BMV, 582); y es probable que decidiera no publicarla por miedo de haber cometido en ella alguna de esas «negligencias del entusiasmo» que el doctor Johnson menciona cuando habla del estilo en su *Life of Thomas Yalden* [2].

Los viajeros del siglo XVII, como Tavernier, Bernier y Chardin, cuyos libros sobre el Oriente inspiraron originalmente el género de las cartas críticas pseudoorientales, habían visto en los países exóticos formas de gobierno patriarcales, oligárquicas e imperiales que funcionaban tan bien como cualquiera de las formas monárquicas y republicanas conocidas en Europa; también habían hallado en el Oriente religiones politeístas y monoteístas no cristianas que ejercían sobre la sociedad las mismas sanas influencias morales que el cristianismo. La herencia que los libros de viajes seiscentistas habían dejado al nuevo género de creación

1 Voltaire, *Dictionnaire philosophique*, ed. cit., págs. 181-182.

2 Samuel Johnson, *Lives of the Poets*, «Dolphin Books» (Nueva York, Doubleday, s. a.), II, 66.

inventado por Marana, era una tolerancia racional nacida del casamiento del punto de vista internacional con la observación sistemática de las costumbres locales.

Esta especie de tolerancia supranacional y analítica es el punto de partida de Cadalso, por ejemplo, cuando considera la secular superstición española según la cual Santiago se ha aparecido con frecuencia montado sobre su blanco corcel para guiar a las fuerzas españolas a la victoria en las batallas más peligrosas. Aunque esta creencia «no sea artículo de fe, ni demostración de geometría», ni pueda aceptarse como tal, los escépticos que «pretenden disuadir al pueblo de muchas cosas que cree buenamente, y de cuya creencia resultan efectos útiles al estado, no se hacen cargo de lo que sucedería si el vulgo se metiese a filósofo y quisiese indagar la razón de cada establecimiento», porque si «los hombres... no esperan ni temen estado alguno futuro después de esta vida, ¿en qué creéis que la emplearán? En todo género de delitos, por atroces y perjudiciales que sean» (CM, 193-194). Este argumento puede haberse inspirado en las ideas de Montesquieu sobre el papel de la religión y la fe en la vida de ultratumba, como auxilios de la autoridad civil en la mantención del orden público [3]. Pero me interesa más la observación de Cadalso de que este tema se puede tratar «entre dos hombres racionales de cualquier país o religión... sin entibiar la amistad», y que para mayor seguridad, «debiera guardarse oculto entre pocos individuos de cada república» (loc. cit.). Estas consideraciones revelan los orígenes nada provincianos de la opinión de Cadalso relativa a la superstición sobre Santiago y su caballo blanco.

La expresión más acabada del cosmopolitismo y la imparcialidad del filósofo dieciochesco es la ciudadanía mun-

[3] Montesquieu, *Lettres persanes* y *L'Esprit des lois,* en *Œuvres,* ed. cit., I, 259; II, 724-725.

dial. En un pasaje de las *Lettres persanes,* en el que se presiente la mezcla de cosmopolitismo y humanitarismo tan frecuente en las últimas décadas del siglo, Montesquieu observa que «el corazón es ciudadano de todos los países»[4]. Después de una primera edición publicada por entregas, Goldsmith llamó a su libro *The citizen of the world (El ciudadano del mundo);* y en él advierte que «es el deber de los doctos ... persuadir a los hombres a hacerse ciudadanos del mundo»[5]. Más tarde, en una carta de 1786, dirigida al marqués de Lafayette, George Washington habla de sí mismo como «ciudadano de la gran república de la humanidad en general»; y en *The age of reason,* Thomas Paine declara que esta obra «la concebí como la última oferta que haría a mis conciudadanos de todas las naciones»[6]. Ahora bien, las *Cartas marruecas* de Cadalso se escribieron en este contexto, como podemos ver por las costumbres sociales del corresponsal español Nuño, que frecuenta la compañía de varios extranjeros residentes en Madrid, «los quiere como paisanos suyos», y es «para ellos un verdadero cosmopolita, o sea ciudadano universal» (CM, 178)[7]. El «nuevo diccionario» de Nuño también es digno del hombre docto, tal como lo define Goldsmith, porque la intención de dicho lexicón es la de ser «útil para todos mis hermanos los hombres» (CM, 33); y Cadalso también expresa las mismas opiniones

---

[4] *Ibid.*, I, 228.

[5] Goldsmith, *Citizen of the World,* ed. cit., pág. 52.

[6] *Maxims of Washington,* ed. John F. Schroeder (Mount Vernon, Va., 1953), pág. 324; Thomas Paine, *The Age of Reason* (Nueva York, Thomas Paine Foundation, s. a.), pág. 5.

[7] Ni Katherine Reding, ni Glendinning tuvieron en cuenta para el pasaje citado en el texto, la siguiente fuente concreta y concluyente, en *The Citizen* de Goldsmith: «él no distingue entre un partido y otro; todos los que están marcados con la imagen divina de su Creador son amigos suyos; él es *un nativo del mundo*» (pág. 62).

en sus otras obras puesto «que a todo hombre viviente / ... / le miro siempre como hermano mío» (BAE, LXI, 257b).

En unas líneas anteriores sobre el cosmopolitismo de Nuño, posiblemente inspiradas en un pasaje de *The citizen of the world*, resulta muy evidente el deseo de evitar toda forma de parcialidad. Nuño «tiene por cosa muy accidental el haber nacido en esta parte del globo, o en sus antípodas, o en otra cualquiera» (CM, 12). Algunos años antes, hacia el final de *The citizen of the world*, el filósofo chino Lien Chi Altangi, había escrito lo siguiente: «Por mi parte, no siendo el mundo para mí sino una sola ciudad, no me importa mucho en cuál de sus calles me acontezca residir» [8].

II. EL «HOMBRE DE BIEN»: UNA TRANSACCIÓN HUMANA

Cadalso admiraba tanto los ideales de la imparcialidad y el cosmopolitismo, que los tomó como base para un nuevo concepto del hombre público. Juan Marichal se refiere a este prototipo humano y a algunas de sus características en un ensayo sobre el estilo de Cadalso que aparece registrado en la bibliografía al final de este libro; mas no existe ningún estudio que concierna primariamente a la idea del *hombre de bien* tal como aparece encarnada en los tres corresponsales de las *Cartas marruecas.*

La noción cadalsiana del *hombre de bien* tiene ciertos rasgos en común con el concepto seiscentista francés del *honnête homme:* un sistema moral basado en la «probidad» más bien que en la caridad cristiana; una tendencia raciona-

[8] Goldsmith, *Citizen,* pág. 328.

lista en cuestiones relativas a la religión y la superstición religiosa; una insistencia en la moderación y el justo medio; la subordinación del yo a la sociedad; y la idea de la felicidad para todos los hombres como meta alcanzable a través de la mutua comprensión y la tolerancia[9]. Algunas de estas características parecen referirse también al estoicismo; pero otras, tales como la subordinación del yo a la ley social, antes que a la natural, y la búsqueda activa de la felicidad, en oposición a la indiferencia ante toda forma de placer y dolor, sugieren algo totalmente ajeno a la actitud estoica.

El *hombre de bien* de Cadalso está mucho más cerca del *philosophe* de Diderot, que en muchos aspectos es el *honnête homme* del siglo XVIII. El filósofo de Diderot no se contenta con «una vida oscura y retirada, algunas apariencias exteriores de sabiduría»; por el contrario «la sociedad civil es para él, por decirlo así, una divinidad en la tierra; él la reverencia, la honra con su probidad, con un cumplimiento exacto de sus deberes y con un sincero deseo de no ser un miembro inútil o embarazoso de ella... Cuanta más razón se encuentre en un hombre, más probidad se hallará en él». El filósofo de Diderot es por lo tanto «un hombre honrado *(honnête homme)* que se guía en todas las cuestiones por la razón, y que une a un espíritu de reflexión y precisión las maneras y los rasgos de la sociabilidad ... ¡qué lejos está el insensible sabio de los estoicos de la perfección de nuestro filósofo! Tal filósofo es un hombre, y el sabio de ellos era sólo un fantasma. Ellos se ruborizaban ante lo humano, y él quiere hacer de ello una gloria; ellos querían en su locura aniquilar las pasiones ... en cambio él se esfuer-

---

[9] Véase André Lévêque, «L'Honnête homme et l'homme de bien au XVIIe siècle», *PMLA*, LXXII (1957), 620-632.

za ... en sacar provecho de ellas» [10]. Ahora, partiendo de las cartas de Gazel, Ben-Beley y Nuño, intentaré trazar un retrato compuesto del *hombre de bien* para verificar la relación entre el ciudadano modelo de Cadalso y los otros tipos ideales que he mencionado, y para establecer a la vez uno de los puntos de referencia necesarios para nuestro análisis del conflicto dramático entre los puntos de vista contenidos en las *Cartas marruecas*.

Las características fundamentales del *hombre de bien* se encuentran en el epitafio de Ben-Beley: «Aquí yace Ben-Beley, que fue buen hijo, buen padre, buen esposo, buen amigo, buen ciudadano» (CM, 75). Es interesante que la idea del *hombre de bien* se sugiera también en el epitafio latino que Cadalso compuso para sí mismo, ya que a veces él trataba de encarnar su ideal en su propia vida: «acerca de él una alabanza hay, que debe repetirse y volver a repetirse, a saber, que fue virtuoso y amó a los virtuosos» (... *probus fuit probosque amavit)* (OI, 300). El carácter del *hombre de bien* es, en todos los aspectos, el resultado de una transacción razonada. Por ejemplo, cuando el nuevo tipo humano se halla en presencia de la «pesadez de los viejos» y el «desenfado de los jóvenes», deberá «tomar el medio justo y burlarse de ambos extremos» (CM, 177). «El hombre grande nunca es mayor que cuando se baja al nivel de los demás hombres» (CM, 16); y ésta es una de varias concesiones que resultarían difíciles para el estoico insensible y altanero.

El *hombre de bien* debe evitar todos los extremos al formular juicios sobre los asuntos intelectuales y prácticos. Hacia el final de la Introducción, en un párrafo que no aparece en el manuscrito editado por Dupuis y Glendinning, el mismo Cadalso llega de nuevo a ser modelo del tipo:

---

10 *Encyclopédie, ou Dictionnaire raisonné des sciences, des arts et des métiers*, 3.ª ed. (Liorna, 1770-1775), XII, 446-467.

> yo no soy más que un hombre de bien, que he dado a luz un papel, que me ha parecido muy imparcial, sobre el asunto más delicado que hay en el mundo, cual es la crítica de una nación (CM, 7, variantes).

En la víspera de su vuelta a África, Gazel escribe:

> Mi familia acaba de renovar con otra ciertas disensiones antiguas, en las que debo tomar partido, muy contra mi genio naturalmente opuesto a todo lo que es facción, bando y parcialidad (CM, 199).

Quizá no se pueda sacar ninguna conclusión de ello; pero teniendo en cuenta la admiración de Cadalso por el *Quijote*, es interesante recordar que en su primera aparición en la novela de Cervantes, al justo gobernador futuro, nuevo Salomón por su estilo, Sancho Panza, se le describe como un *hombre de bien* (pte. I, cap. VII).

A veces el *hombre de bien* apetece ese retiro del mundo que atraía al estoico, como cuando Nuño escribe a Ben-Beley: «Dichoso tú, que separado del bullicio del mundo empleas tu tiempo en inocentes ocupaciones» (CM, 62). Sin embargo, la vida rústica patriarcal de un hombre de talento que recibe a Gazel en su lejano retiro, le parece a Nuño totalmente reprensible:

> Pero, Gazel..., ¿no te parece lastimosa para el estado la pérdida de unos hombres de talento y mérito que se apartan de las carreras útiles de la república? ¿No crees que todo individuo está obligado a contribuir al bien de su patria con todo esmero? Apártense del bullicio los inútiles y decrépitos: son de más estorbo que servicio; pero tu huésped y sus semejantes están en la edad de servirla, y deben buscar las ocasiones de ello aun a costa de toda especie de disgustos... Conocerás que aunque [tu huésped] sea hombre bueno, será mal ciudadano (CM, 158-159).

En este episodio Cadalso ha reiterado alegóricamente la distinción de Diderot entre el estoico solitario de la antigüedad y el filósofo-político moderno.

A pesar de tan firme condenación, la carta novelística (LXIX) en la que se describe al «mal ciudadano» visitado por Gazel, así como a su familia, sus servidores, y la gente sencilla y agradecida de la comarca que depende de su generosidad, sin olvidar la inocente belleza del refugio que el huésped se ha construido en plena naturaleza, está llena de la misma clase de sentimentalismo lacrimoso y nostalgia que se encuentran en la descripción de escenas semejantes en las novelas de Rousseau, Marmontel, y posteriormente de Bernardin de Saint-Pierre y el español Montengón. La insinuación de tal nostalgia por la forma de vida de un «mal ciudadano» parece ser que, si bien un apartamiento total es muy censurable, el retirarse de vez en cuando puede ser, no sólo atrayente para el *hombre de bien,* sino también provechoso para su juicio. Se sugiere, pues, otra transacción entre la participación en los asuntos públicos y el alejamiento de ellos. Esta transacción se había anunciado anteriormente en la *Nouvelle Héloïse,* que así quizá haya influido una vez más en Cadalso en el caso de este tema. Rousseau escribe:

> Empiezo a ver las dificultades del estudio del mundo, y ni aún sé qué lugar hay que ocupar para conocerlo bien. El filósofo está demasiado lejos de él, el hombre de mundo está demasiado cerca de él. El uno ve demasiado para poder reflexionar, el otro demasiado poco para poder juzgar el cuadro total [11].

La idea de que sea deseable para el hombre público un justo medio entre el alejamiento y la participación, aparece

[11] Rousseau, *Nouvelle Héloïse,* I, 242-243.

también en la tragedia de Cadalso, el malogrado *Don Sancho García*, cuando Alek, el ministro de Almanzor, considera que «Después de haber vivido algunos años, / meditando mis muchos desengaños, / más cuerdo volveré desde más lejos: / será mejor mi voto en sus consejos» (SG, 30).

La relación del *hombre de bien* con los otros hombres en la sociedad es también una transacción, en este caso entre las ambiciones personales y las necesidades de los demás, pues la figura modelo de las *Cartas marruecas* está concebida también como el *conciudadano*. Esta palabra existía desde hacía varios siglos en las principales lenguas románicas, pero estaba destinada a gozar de una boga especial en un período en el que la norma de la moralidad era la ley natural, como se manifiesta en *todas* las criaturas, más bien que como la revela Dios. Por ejemplo, al definir el *patriotismo*, en una obra compuesta en Francia en más o menos el mismo período que las *Cartas marruecas*, el barón d'Holbach afirma que

> el verdadero patriotismo no puede encontrarse sino en aquellos países donde los ciudadanos libres, gobernados por leyes justas, son felices, están unidos, intentan merecer la estima de sus conciudadanos *(concitoyens)* [12].

En la obra de Cadalso, el corresponsal español, Nuño, ha compuesto un diccionario de orientación ética que pudiera servir como base sobre la que fuera posible

> establecer un nuevo sistema de educación pública, y darme entre todos mis *conciudadanos* más fama y veneración que la que adquirió Confucio entre los suyos por los preceptos de moral que les dejó (CM, 34; el subrayado es mío).

---

[12] Baron d'Holbach, *Éthocratie, ou le gouvernement fondé sur la morale* (Amsterdam, 1776), pág. 288.

La definición cadalsiana del patriotismo se anticipa a la de d'Holbach en la medida en que el escritor español también lo ve como una conciencia social recíproca, más bien que como una norma abstracta para los servicios que el individuo deba a la corporación política bajo cuya autoridad viva. En un sueño descrito en el epílogo de las *Cartas marruecas,* los amigos de Cadalso expresan su temor de que éste imprima algún día una «pesadísima obra» titulada *Elementos del patriotismo,* con la finalidad de «reducir a un sistema las obligaciones de cada individuo del estado a su clase, y las de cada clase al conjunto» (CM, 203).

Cadalso parece estar de acuerdo con Goldsmith en que «la benevolencia universal fue lo que primeramente cimentó la sociedad»[13]; porque él ha estudiado bien a los ricos, los nobles, los sabios y los eruditos, y «en ningún concurso de éstos ha depositado naturaleza el bien social de los hombres». En los corazones de tales hombres no hay lugar para «la mutua benevolencia, el agasajo sincero y la amistad, en fin, madre de todos los bienes sociables». La amistad, único remedio de todos los males sociales según los filósofos del siglo XVIII, se ha de buscar sólo entre los *hombres de bien,* o sea entre esos «hombres que se miran sin competencia» (CM, 82). Cadalso propone a hombres de semejante inclinación filosófica (pues se ajustan a la definición del filósofo que da Diderot) como candidatos para todos los cargos importantes de la nación, confiando en que «tienen la lengua unísona con el corazón» (CM, 24). Esta sinceridad de corazón, tan esencial para la transacción social entre el individuo y sus conciudadanos, puede que sea otra de las virtudes que el *hombre de bien* haya aprendido durante sus breves temporadas de retiro en el campo; pues Cadalso, al

---

[13] Goldsmith, *Citizen,* pág. 71.

expresar la misma idea en sus *Ocios*, nos dice que «Por los campos el sabio / usa de aquel derecho incontrastable / de que su justo labio, / cual siente el corazón, se explique y hable» (BAE, LXI, 259a).

Al abrazar esa transacción típicamente dieciochesca entre las lealtades políticas que se llama ciudadanía universal, Cadalso se influiría tanto por el ideal de la «benevolencia universal», como por el de la imparcialidad. En cualquier caso, la raya entre su patriotismo y su cosmopolitismo se hace algunas veces bastante borrosa: por ejemplo, los amigos extranjeros de Nuño son «como paisanos suyos, pues tales le parecen todos los hombres de bien en el mundo» (CM, 178). Sin embargo, ésta era de las transacciones más difíciles para los *philosophes;* e incluso un escritor mucho menos sentimental que Cadalso, Voltaire, la encontraba dura, y comentaba sardónicamente: «Aquel que quisiera que su patria no fuese nunca más grande ni más pequeña, más rica ni más pobre, sería ciudadano del universo» [14].

Los intentos de Cadalso de aplicarse la moralidad del *hombre de bien* a sí mismo sugieren todavía un paralelo con otra figura de la Ilustración: Benjamín Franklin y su «proyecto de llegar a la perfección moral» [15]. Franklin redactó su «plan para el autoexamen» de modo muy riguroso dándole la forma de una serie de tablas estadísticas para ir apuntando en ellas sus éxitos en sus ejercicios diarios para practicar la virtud. No tenemos una descripción igualmente completa del «sistema» de Cadalso para practicar los principios morales de la *hombría de bien*, nombre abstracto que emplea para designar el conjunto de las ideas personificadas por el *hombre de bien*. Sin embargo, en una carta

14 Voltaire, *Dictionnaire philosophique*, pág. 337.

15 Las citas de Franklin contenidas en las líneas siguientes son de la *Autobiography*, ed. cit., págs. 148-160.

personal, Cadalso sí observa, en tono sin duda excesivamente confiado, que

> si algo he sacado de ver tanto pícaro, ha sido la idea de que por lo mismo he de ser yo más hombre de bien... de esto me he formado un sistema del cual por ningún acontecimiento próspero o adverso me apartaré hasta morir, y... para perfeccionarlo hago un estudio formalísimo (OI, 303).

En sus *Apuntaciones autobiográficas,* al meditar sobre cierto acontecimiento público y las circunstancias que lo acompañaron, Cadalso escribe: «Esta fue la primera experiencia que hice de mi hombría de bien» (AA, 122); y es inevitable que el lector recuerde el «autoexamen» de Franklin, cuando Nuño se declara agradecido a sus amistades por haberle puesto en una situación enormemente difícil, esto es, por «haberme precisado a hacer un examen tan riguroso de mi hombría de bien» (CM, 140). En su *Art of virtue,* que quedó en proyecto igual que los *Elementos del patriotismo* de Cadalso, Franklin habría tratado de «convencer a los jóvenes» de que llevaran vidas caracterizadas por «la probidad y la integridad», que también son las principales virtudes del *hombre de bien.* Hay desde luego muchas diferencias entre Cadalso y Franklin; mas, pese a sus limitaciones, este paralelo es útil como otro indicio de lo típicamente dieciochesco que resulta el concepto cadalsiano del *hombre de bien.*

Cadalso sugiere una y otra vez que con los esfuerzos unidos de muchos *hombres de bien* (es decir, hombres caracterizados por el desinterés y la probidad, cosmopolitas capaces de entender las diferencias regionales, patriotas llenos de fe en la hermandad de todos los hombres, hombres de acción que tienen el hábito de pensar en la tranquilidad, hombres modestos de gran encanto social), España podría alcanzar a las otras naciones de Europa, incluso en una época librepensadora, experimental, humanitaria y de orientación internacional como el siglo XVIII. Hablando por los *hombres de bien* y dirigiéndose a sus contemporáneos de otros países, Nuño proclama con confianza que una generación de jóvenes españoles está al corriente del nuevo orden y que consigue resultados inesperados:

> nos hemos igualado con ustedes, aunque nos llevaban siglo y cerca de medio de delantera. Cuéntese por nada lo dicho, y pongamos la fecha desde hoy, suponiendo que la península se hundió a mediados del siglo XVII y ha vuelto a salir de la mar a últimos del XVIII (CM, 176).

No se trataba de un mero sueño optimista, o por lo menos no parecía que se tratara de tal, mirando la situación de España con la confianza reformadora del despotismo ilustrado, la cual aún no había desaparecido del todo cuatro años después de bajar el benigno y práctico Carlos III a la tumba. En sus *Cartas sobre los obstáculos que la naturaleza, la opinión y las leyes oponen a la felicidad pública*, escritas en 1792, el antiguo consejero de Carlos III y fundador del Banco Nacional de San Carlos (1782), conde de Cabarrús, parece hacerse eco de la doctrina cadalsiana de la amistad y la transacción social entre los *hombres de bien* como solución de todos los males que aquejan al país, según se ve por el siguiente pasaje de cerca del final de la primera de dichas cartas, en el cual hasta el estilo se asemeja mucho al del autor de las *Cartas marruecas:*

> No, amigo mío, la ciencia del gobierno no necesita recónditas doctrinas, ni esfuerzos de entendimiento: está en el corazón de un hombre de bien, que estudiando la naturaleza dentro de sí mismo, como en sus semejantes, los ama tiernamente, y prefiere la felicidad de ellos a todo, y aun a la gloria misma.

¿No sería Cabarrús un ardiente lector de la primera impresión de 1789 de las *Cartas marruecas,* publicadas por entregas en ese año en el *Correo de Madrid?*

III. EL PROBLEMA DE ESPAÑA Y EL YO ROMANTICO DE CADALSO

> El descuido de España lloro, porque el descuido de España me duele.
>
> (Feijoo, *Teatro crítico,* tomo VIII, disc. XII)

> Esta forma epistolar es sumamente análoga a mi genio y al desaliño de mi estilo ... y puede participar sin inconveniente de aquel incesante reflujo de entusiasmo y de indignación que mi situación justifica.
>
> (Conde de Cabarrús, *Cartas,* Prólogo)

Las *Cartas marruecas* contienen también una multitud de observaciones y lamentos que resultan difíciles de conciliar con la fe que tenían en la europeización muchos españoles del reinado de Carlos III. «Los europeos del siglo presente —escribe Cadalso— están insufribles con las alabanzas que amontonan sobre la era en que han nacido... la generación entera abomina de las generaciones que la han precedido. No lo entiendo... No nos dejemos alucinar de la apariencia» (CM, 16). Los escritos de este siglo excesivamente confiado están parodiados ya en la misma Introducción de las *Cartas marruecas.* Los términos de este primer trozo de sátira contra la Ilustración son típicos del estilo y punto de vista de la obra, como ahora veremos. Los libros de antaño se medían «por palmos, como las lanzas» —nos dice Cadalso— mientras que los de los tiempos modernos se miden «por dedos, como los espadines» (CM, 5). En la carta XXXIV, Nuño descubre su escepticismo ante el valor y los efectos de muchas de las complicadas reformas socioeconómicas, promovidas por la Ilustración: «la gente, desazonada con tanto proyecto frívolo, se preocupa contra las innovaciones útiles» (CM, 85).

Además, si un programa de reformas basado en las ideas de la Ilustración se lleva demasiado lejos, puede suponer una amenaza para el conjunto de las cualidades constitutivas o esenciales —«lo esencial»— de la nación española, según se expresa Cadalso (CM, 194), casi anticipándose al concepto de historia interna o psíquica de un pueblo *(intrahistoria)* que Unamuno formuló más de un siglo después en *En torno al casticismo.* La preocupación de Cadalso por la *quidditas* del carácter español es constante; se encuentra, no solamente en sus obras literarias, sino también en sus cartas personales, por ejemplo, cuando se dirige a Manuel López: «si algo se me ha pegado de los muchos países que he visto, ha sido sólo de lo exterior que en nada influye a lo interior» (OI, 303). Más que las ideas en sí, lo que amenaza las cualidades «esenciales» de la nación española son las relucientes abstracciones de la filosofía de la Ilustración:

> Concédote cierta ilustración aparente que ha despojado a nuestro siglo de la austeridad y rigor de los pasados; pero, ¿sabes de qué sirve esta mutación, este oropel que brilla en toda Europa y deslumbra a los menos cuerdos? Creo firmemente que no sirve más que de confundir el orden respectivo, establecido para el bien de cada estado en particular (CM, 17).

Es obvio que Cadalso no está enfrentado con una crisis intelectual como lo estaban los *philosophes* franceses y

Feijoo —ideas viejas que haga falta extirpar, frente a ideas nuevas que importe inculcar. Intelectualmente, Cadalso es un moderno y un liberal entusiasta. Pero se siente desgarrado por una angustiosa crisis de lealtades, una contradicción total entre su lealtad intelectual a su siglo y su más apremiante lealtad emocional a ese indefinible *quid Hispanicum* que encontraba en la tradición nacional. Por una parte, Cadalso se declara crítico imparcial y ciudadano del mundo. Por otra parte, con sus observaciones sobre el posible efecto negativo de la «ilustración aparente» del siglo XVIII en los países individuales de Europa, rechaza completamente la idea dieciochesca de la *Humanidad* como denominador común para juzgar todas las naciones de los hombres.

Las nociones de Cadalso sobre las traducciones son uno de los mejores ejemplos de este conflicto de lealtades. Nuño dice que se puso «a traducir, cuando muchacho, varios trozos de literatura extranjera; porque así como algunas naciones no tuvieron a menos el traducir nuestras obras en los siglos en que éstas lo merecían, así debemos nosotros portarnos con ellas en lo actual» (CM, 112-113). Al sugerir que en la literatura —la historia íntima del alma de una nación— los españoles deberían ahora mirar hacia otros países en busca de modelos, Cadalso casi asiente a la impresión de Gazel de que la nación española es «diferente de todas en no tener carácter propio, que es el peor carácter que puede tener» (CM, 58). Percibiendo luego lo que insinuaban sus palabras, Cadalso debió de sentir que se le imponía su orgullo español, y debió de preguntarse casi en voz alta: Pero, al fin, ¿de dónde han sacado los franceses ese estilo suyo tan sencillo y tan enérgico? Pues contesta a su pregunta tácita en la forma siguiente:

> Creyendo la transmigración de las artes tan firmemente como cree la de las almas cualquiera buen pitagorista, he creído ver en el castellano y latín de Luis Vives, Alonso Matamoros, Pedro Ciruelo, Francisco Sánchez llamado el Brocense, Hurtado de Mendoza, Ercilla, fray Luis de Granada, fray Luis de León, Garcilaso, Argensola [sic: en forma singular], Herrera, Álava, Cervantes y otros, las semillas que tan felizmente han cultivado los franceses de la mitad última del siglo pasado, de que tanto fruto han sacado los del actual (CM, 113).

Y siendo así las cosas, ¿por qué hemos de copiar nosotros a nuestros propios escritores de segunda mano? Por la vehemencia de su reacción, Cadalso llega a una negación total de su posición anterior; porque «prescindiendo de lo que han adelantado [los extranjeros] en física y matemáticas, por lo demás no hacen absolutamente falta las traducciones» (CM, 114). Tendremos que resignarnos a no tener ideas nuevas sobre ninguna disciplina que no sea la física o las matemáticas —insinúa Cadalso en estas líneas—; mas el precio no es demasiado alto, pues se trata de salvaguardar el carácter nacional de nuestra literatura. Si Cadalso daba su aprobación a las traducciones que podían hacerse en el campo de las disciplinas científicas, no era tanto porque éstas beneficiaran a la sociedad, como porque ellas no ponían en peligro el estilo literario español; puesto que

> las voces y frases para tratarlas en todos los países son casi las propias, distinguiéndose éstas muy poco en la sintaxis, y aquéllas sólo en la terminación, o tal vez en la pronunciación de las terminaciones; pero en las materias puramente de moralidad, crítica, historia o pasatiempo, suele haber mil yerros en la traducción por las varias índoles de cada idioma *(ibidem).*

En este contexto, es esclarecedor notar que cuando Cadalso anima a los españoles a entregarse directamente a la experimentación científica, lo hace por motivos espirituales semejantes, más bien que por motivos prácticos, esto es, para apoyar el orgullo titubeante de sus compatriotas por España: «Trabajemos nosotros en las ciencias positivas, para que no nos llamen bárbaros los extranjeros» (CM, 176). Al escribir esta exhortación, Cadalso recordaría posiblemente ciertas palabras que había leído en *The citizen of the world*, de Goldsmith, sobre «España y Flandes, que en las ciencias están retrasados al menos tres siglos con respecto al resto de Europa» [16].

El corazón de Cadalso está en conflicto con su mente; tiende a mirar hacia el resto de Europa en busca de normas críticas, pero siempre vuelve los ojos hacia España como el único contexto en el que su propio espíritu encuentra alguna identidad personal o humana. En 1912, Azorín observaba que Cadalso parece muy moderno si se le examina con los mismos criterios con que juzgamos a otros críticos más recientes que han tratado lo que suele llamarse el *problema de España.* Azorín continúa diciendo que Cadalso se parece específicamente a Larra y a aquellos escritores —como Joaquín Costa— que agrupamos bajo la clasificación de precursores o miembros de la Generación del 98 [17]. Yo creo que la razón más importante de esta semejanza es el hecho de que Cadalso se anticipó a esa lucha entre el corazón y el intelecto que caracterizaría también a dicho grupo de escritores posteriores. A causa de su mayor lealtad al corazón, la crítica de Cadalso, Larra y Unamuno, por ejemplo, nunca llega a ser más que un desesperado gesto personal, con sólo alguna rara excursión por el campo de las ideas puras.

---

[16] Goldsmith, *Citizen*, pág. 278.

[17] Azorín, *Lecturas españolas* [ed. príncipe, 1912], «Colección Austral» (Buenos Aires, 1941), pág. 63.

En *Vuelva usted mañana,* Larra trata de convencer a sus compatriotas de que emulen la puntualidad y la eficacia francesas, que él alegoriza en el aséptico M. Sans-Délai, pero sus palabras no se hacen verdaderamente conmovedoras hasta que llega a la última página y confiesa su propia flema española: por ejemplo, el hecho de que fue retrasando el terminar ese mismo ensayo por más de tres meses. En sus diversas obras, Unamuno habla de la europeización de España, pero también habla de la hispanización de Europa. En el último capítulo de *Del sentimiento trágico de la vida,* Unamuno observa que mientras otros pueblos han dejado sólo teorías, filosofías, libros e instituciones, España ha dejado almas como las de don Quijote y Santa Teresa, y que un alma tal como éstas vale tanto como cualquier institución, tanto como cualquier *Crítica de la razón pura* a lo Kant. Cadalso está muy cerca de Unamuno al considerar la ciencia como un ejemplo de «lo accidental», o sea de esas cosas que no forman parte de la esencia española. También está cerca de Unamuno al recomendar el estudio de las ciencias solamente como un modo de reforzar el orgullo español. Está aún más cerca de Unamuno al rechazar la Ilustración por «el orden respectivo, establecido para el bien de cada estado en particular». Unamuno también encontraba más consuelo en el espíritu de España, en su *intrahistoria,* que en la posibilidad de estimular en los españoles ese tipo de espíritu científico cuya falta en ellos solían censurar los otros pueblos; de ahí su clásica réplica, en el mismo capítulo final: «¡Que inventen ellos!».

Lo que hace que las *Cartas marruecas* sean una valiosa obra literaria, no es su contenido intelectual, sino su enfoque personal: es decir, la angustiada vivencia cadalsiana del *problema de España.* Esta dramática reacción personal frente a los problemas nacionales da nacimiento a un nuevo elemento subjetivo en el ensayo español, y ya en 1917 Azorín lo caracteriza muy hábilmente, en el prólogo a su edición de las *Cartas marruecas:*

> la trascendencia de Cadalso estriba, por lo que respecta a la revolución romántica, en que al hacer la crítica de los valores históricos y sociales, pone frente a ellos, instintiva y fatalmente, el propio yo. Y ésa es toda la vida moderna, que el romanticismo, en literatura y en política, ha preparado: la liberación del individuo. Después de Cadalso, Larra afirma su yo bravía y espléndidamente [18].

Como los artículos de Larra, las *Cartas marruecas* son a la vez crítica y confesión personal de un espíritu en crisis. Con las palabras citadas como primer epígrafe del presente subcapítulo, Feijoo se anticipó a la expresión moderna *Me duele España;* mas ningún escritor español del setecientos sintió más hondamente el doloroso *problema de España* que Cadalso. Ahora quisiera demostrar cómo él incorpora su angustiado yo a su obra, y cómo dota a ésta de una estructura artística única.

En la Introducción a las *Cartas marruecas,* Cadalso nos advierte que no va a detenerse «en decir el carácter de los que las escribieron», porque «esto último se inferirá de su lectura» (CM, 4). Así, el autor sugiere desde el comienzo que hay una dimensión subjetiva en su libro, que ésta ha de buscarse en la caracterización de los corresponsales imaginarios, y que tal caracterización se ha de inferir mientras uno lee, es decir, de la manera en que están expresadas las ideas, o sea del estilo. Ahora bien, puesto que los personajes de ficción son siempre proyecciones de las personalidades de sus creadores, y puesto que el estilo es la impronta que deja en la lengua la personalidad del autor, Cadalso sugiere

[18] Azorín, Prólogo a Cadalso, *Cartas marruecas* (Madrid, 1917), página 13.

de este modo que no ha logrado después de todo ser imparcial, ni separar sus observaciones sobre España en cuanto crítico de sus reacciones subjetivas en cuanto español.

La personalidad de Cadalso no sólo se refleja en todos los corresponsales imaginarios; sino que el propio escritor, apenas disfrazado tras una máscara muy transparente, *es* uno de los corresponsales: el corresponsal español Nuño Núñez. Esto se hace especialmente evidente por la carta XXXIX, en donde Gazel cuenta cómo entró en el cuarto de Nuño una mañana antes que su amigo se hubiera levantado. En la mesa de Nuño acertó a ver un manuscrito titulado *Observaciones y reflexiones sueltas;* y abriéndolo al azar, descubrió que

> era un laberinto de materias sin conexión. Junto a una reflexión muy seria sobre la inmortalidad del alma, hallé otra acerca de la danza francesa, y entre dos relativas a la patria potestad, una sobre la pesca del atún (CM, 93).

Sería difícil encontrar otra descripción más apropiada de los temas y la organización interna de las materias de las mismas *Cartas marruecas.* Las *Observaciones y reflexiones sueltas* de Nuño son el *alter ego* de las *Cartas marruecas,* el disfraz con que la obra penetra en la realidad de su propio microcosmo imaginario, de igual modo que Nuño es el yo hecho personaje de ficción que permite a Cadalso lograr su acceso personal a la esfera de la obra. Lo que Gazel está describiendo, es en realidad una escena de la vida del mismo Cadalso mientras éste estaba creando las *Cartas marruecas;* y esta interpolación autobiográfica es un testimonio bien claro de la verdadera identidad de Nuño. Aquí se funden la ficción y la realidad: Nuño es a la vez el creador que crea su obra, y el personaje creado que la habita.

Por ser creador y a la vez personaje creado, Nuño puede ayudar a poner en claro la relación entre el autor y la obra y la importancia del elemento subjetivo para la forma literaria de las *Cartas marruecas*. Ante todo dejaremos que Nuño responda a las preguntas de su curioso visitante sobre las *Observaciones y reflexiones sueltas:*

> Mira, Gazel; cuando intenté escribir mis observaciones sobre las cosas del mundo y las reflexiones que de ellas nacen, creí también sería justo disponerlas en varias órdenes, como religión, política, moral, filosofía, crítica, etc.; pero cuando vi el ningún método que el mundo guarda en sus cosas, no me pareció digno de que estudiase mucho el de escribirlas. Así como vemos al mundo mezclar lo sagrado con lo profano, pasar de lo importante a lo frívolo, confundir lo malo y lo bueno, dejar un asunto para emprender otro, retroceder y adelantar a un tiempo, afanarse y descuidarse, mudar y afectar constancia, ser firme y aparentar ligereza, así también yo quiero escribir con igual desarreglo (CM, 93-94).

Por la forma libre de su organización interna y por la gran variedad de sus materias, las *Cartas marruecas* (en las que se ve la influencia de la *Encyclopédie* de Diderot) son también enciclopédicas en el mismo sentido en que lo son las misceláneas renacentistas, tales como la *Silva de varia lección* de Pero Mexía, o la *Varia historia* de Luis Zapata de Chaves. Otro antecedente de la organización libre de la obra de Cadalso se encontraba aún más a mano, en Feijoo, que describe la disposición antisistemática de los temas de su *Teatro crítico universal* como la de «un riguroso misceláneo» [19].

---

[19] Feijoo, *Obras*, BAE, LVI, I. Véase José Luis Varela, «La 'literatura mixta' como antecedentes del ensayo feijoniano», *El Padre Feijoo y su siglo* (Oviedo, 1966), I, 79-88.

Sin embargo, la desorganización temática de las *Cartas marruecas* tiene un significado más profundo que la de las misceláneas renacentistas, puesto que no es tan sólo el efecto de una curiosidad desatada que se incline ya en una dirección, ya en otra. Es el resultado y el símbolo de la desilusión que Cadalso experimentó al intentar ser crítico racionalista. Sería totalmente vana cualquier clasificación metódica de los caóticos asuntos e ideas del hombre. La única reacción posible ante el caos humano es la subjetiva: «yo quiero escribir con igual desarreglo». Cadalso no hace más, no puede hacer más que apuntar las reacciones emocionales subjetivas que provocan en él los fenómenos que observa.

> No creas —comenta en otra carta— que yo me pusiese a declamar contra este desarreglo... Me parecería tan infructuosa empresa como la de querer detener el flujo y reflujo del mar o el oriente y ocaso de los astros (CM, 197).

En este comentario, muy cerca del final de las *Cartas marruecas*, el tono del «ilustrado» Cadalso parece casi tan desilusionado como el del cetrino tradicionalista Torres Villarroel al reprobar a Feijoo y procurar desengañarle con unas palabras semejantes: «deje vuesa reverendísima el mundo como se está, que querer enmendarlo es locura»[20].

La incapacidad de Cadalso para ser un crítico imparcial, para hacer otra cosa que no sea reaccionar subjetivamente ante los problemas de España, le lleva a introducir una innovación técnica muy original en el género de las cartas críticas pseudoorientales. Los críticos han observado que la nacionalidad y las opiniones de Nuño hacen obvio que él es el portavoz de Cadalso. Mas no han logrado ver

---

20 Diego de Torres Villarroel, *Obras* (Salamanca, 1752), X, 208.

que Nuño ocupa un lugar tan nuevo en el género en que aparece, que de resultas de ello la técnica de tal género se altera de modo significativo. Las cartas del que viaja por un país extranjero sugieren cierto grado de desprendimiento y objetividad, pero las de un hombre que vive en su propio país, rodeado de cosas familiares, sugieren una identificación personal con los problemas nacionales. No hay ningún personaje paralelo a Nuño Núñez, el sagaz corresponsal español, en las cartas «orientales» de otros países: no hay un corresponsal francés en las *Lettres persanes* de Montesquieu, ni un corresponsal inglés en *The citizen of the world* de Goldsmith. En su prefacio, el «traductor» de las *Lettres persanes* —un francés desde luego— confiesa que «los persas que escriben aquí estaban alojados conmigo; pasábamos la vida juntos... Me comunicaban la mayoría de sus cartas; yo las copiaba» [21]. Sin embargo, el «traductor» nunca aparece en la obra propiamente dicha, ni como corresponsal ni en ninguna otra forma. El anónimo y borroso «caballero vestido de negro», un inglés, que aparece esporádicamente en *The citizen of the world,* desde la carta XIII en adelante, es un antecedente algo más cercano de Nuño Núñez [22]. Pero él no escribe ninguna carta, no nos dice casi nada acerca de sí mismo en los diálogos que se reproducen en las cartas de los corresponsales chinos, y frecuentemente desaparece de la narrativa por un espacio de diez o doce cartas.

Como la gran mayoría de los españoles, Cadalso es incapaz de contemplar cualquier problema de una manera desapasionada, o de evitar hablar sobre sí mismo durante

---

21 Montesquieu, *Œuvres,* I, 131.

22 Katherine Reding fue la primera en señalar esta relación. Véase el artículo ya mencionado *(HR,* II, 227-228).

mucho tiempo; también, como casi todos los españoles, es incapaz de distinguir entre los males de España y su propio modo de experimentarlos. La ya citada frase *Me duele España* se ha usado en tiempos más recientes para describir esta especie de angustiosa relación personal con los problemas nacionales. Cadalso es quizá, dentro del siglo XVIII, el mejor ejemplo del fenómeno que, siguiendo una sugerencia de Aubrey F. G. Bell, Américo Castro ha llamado el «integralismo hispánico», por el cual se da una fusión tan completa entre el yo del español y todo aquello con que se pone en contacto, que la expresión de su opinión sobre cualquier tema se transforma en una reacción subjetiva [23].

Sería difícil encontrar un género literario menos apropiado para los escritores españoles que el de las cartas críticas pseudoorientales del siglo XVIII, las cuales suelen caracterizarse por cierto grado de objetividad y por la exclusión del yo del autor, incluso cuando éste expresa sus propias opiniones. La solución se daba en la introducción de un personaje que fuera a la vez natural de España y un doble psicológico del autor. Es verdad que Nuño escribe sólo diez cartas, mientras Ben-Beley escribe once, y Gazel sesenta y nueve. Mas estos números no significan más que una concesión externa a la forma del género, una concesión encaminada puramente a justificar el título de la obra; porque Nuño —es decir, el elemento de la reacción subjetiva española— está casi siempre presente en una u otra forma, desde la primera carta en adelante: Además de las diez cartas que Nuño escribe, se le cita, se le parafrasea, o se dirigen a él los otros corresponsales, en otras cincuenta

---

[23] Castro, *La realidad histórica de España* (México, 1954), páginas 232 y sigs.

y tres cartas, lo cual quiere decir que desempeña un papel importante en más del setenta y cinco por ciento de todas las cartas, y nunca se le pierde de vista por un espacio de más de tres cartas. Desde la carta III en adelante, Gazel también cita los escritos de Nuño: sus *Observaciones y reflexiones sueltas,* su diccionario de conceptos morales, su *Historia heroica de España,* extractos y análisis de ciertos sucesos históricos escritos por el corresponsal español, etc. La carta XXXIII, de Gazel a Ben-Beley, sólo contiene tres o cuatro líneas escritas por el joven moro: el resto es la copia de una larga carta que ha recibido de Nuño. En las cartas en que no se citan las palabras de Nuño, se parafrasean sus opiniones. Frecuentemente se expresa la conformidad con las opiniones de Nuño, o se busca su aprobación: «Soy del dictamen de Nuño»; «Del mismo dictamen es mi amigo Nuño» (CM, 64, 77), etc. Y casi cada página aporta nuevas acotaciones dialogales como «dice Nuño», «me dijo Nuño», «decía Nuño», «prosiguió Nuño», «suele decirme Nuño», «añadió Nuño», etc. En las *Cartas marruecas* Nuño aparece por todas partes.

Sin embargo, la presencia de Cadalso en estas páginas, disfrazado como autor de una obra semejante a las *Cartas marruecas (Reflexiones* de Nuño = *Cartas* de Cadalso), y la interpolación constante de sus opiniones no serían suficientes para explicar ese nuevo y marcado subjetivismo que ha visto un lector sensible como Azorín. Aún más importante que la presencia del Cadalso crítico y el Cadalso escritor en la obra, es la presencia en ésta del Cadalso hombre. La crítica de España contenida en las *Cartas marruecas* depende tanto de la caracterización del personaje autobiográfico que Cadalso ha creado en Nuño, como del hecho de que el corresponsal español expresa las opiniones del autor. A pesar del intenso interés que ha despertado siempre la personalidad de Cadalso, el aspecto autobiográfico del paralelo Nuño-Cadalso apenas se ha tenido en cuenta en estudios anteriores.

En el capítulo III he citado en parte un pasaje que establece claramente la naturaleza autobiográfica del corresponsal español Nuño. Sin embargo, dichas líneas de la carta XXXIII sólo han merecido una nota muy incompleta en la edición de Tamayo, y ninguna en absoluto en la edición más reciente de Dupuis-Glendinning (aunque otras publicaciones de Glendinning sirven para iluminar en parte el contenido autobiográfico de las palabras que voy a citar a continuación). Gazel está viajando por las provincias españolas, y Nuño le escribe desde Madrid:

> Yo continúo haciendo la vida que sabes, y visitando la tertulia que conoces. Otras pudiera frecuentar, pero ¿a qué fin? He vivido con hombres de todas clases, edades y genios; mis años, mi humor y mi carrera me precisaron a tratar y congeniar sucesivamente con varios sujetos; milicia, pleitos, pretensiones y amores me han hecho entrar y salir con frecuencia en el mundo. Los lances de tanta escena como he presenciado, o ya como individuo de la farsa, o ya como del auditorio, me han hecho hallar tedio en lo ruidoso de las gentes, peligro en lo bajo de la república y delicia en la medianía (CM, 81-82).

La inclinación de Nuño a rehuir la sociedad en que ha desempeñado tantos papeles nos recuerda la costumbre del propio Cadalso de condenar la inanidad de esa vertiginosa vida social de Madrid en la que, por otra parte, siempre estuvo tan a gusto (véase capítulo III, arriba). La actitud guevaresca del retiro contemplativo que Cadalso afecta, se refleja también en el entusiasmo con que Nuño proclama su «delicia en la medianía»; palabras que son una alusión a la oda de Horacio sobre la *aurea mediocritas* y las virtudes de quien «sobrio se priva de un suntuoso palacio que pudiera suscitar la envidia (...caret invidenda / Sobrius aula)» (lib. II, oda 10), o a la célebre *Epístola moral a Fabio*, de autor desconocido del siglo XVII, en la que se trata del mismo tema. La tertulia a que alude Nuño es sin duda la famosa de la Fonda de San Sebastián que frecuentaba Cadalso, y esto resulta tanto más probable cuanto que se encuentran referencias a otros dos miembros del grupo de la Fonda de San Sebastián en otra carta en la que Nuño describe una discusión similar a las que tienen lugar en las tertulias (CM, 178-179). Resultan obvias las dos alusiones a la carrera militar de Cadalso. Los «pleitos» son muy posiblemente una referencia a ciertos litigios que al parecer se habían producido en conexión con su herencia si hemos de juzgar por un pasaje evidentemente trunco de su resumen autobiográfico (AA, 121). Las «pretensiones» son sin duda las instancias repetidas y tantas veces sin fruto que hizo Cadalso para ser ascendido a rangos militares más altos; en cuanto a los «amores» que a Nuño le «han hecho entrar y salir con frecuencia en el mundo», se trata posiblemente de una alusión al destierro de Cadalso de Madrid en 1768; consecuencia de la consternación producida entre las damas de la alta sociedad madrileña por la aparición de la sátira titulada *Calendario manual*[24]. Y finalmente, el «tedio», ocasionado por «los lances de tanta escena» como Nuño ha «presenciado», es la misma emoción que la totalidad de la existencia humana producía en el desencantado autor de las *Noches lúgubres* y las composiciones más románticas contenidas en los *Ocios*.

El nombre del corresponsal español de las *Cartas marruecas* es otra alusión indirecta cadalsiana a la naturaleza autobiográfica de este personaje. Se ha prestado poca o

---

[24] Véase Glendinning, *Vida*, págs. 116-118, 122, 127-128; AA, 124-125.

ninguna atención al hecho de que Nuño declara que es militar de profesión, es decir, que tiene la misma profesión que Cadalso, aunque esto ya está implícito también en el nombre que Nuño recibió de su creador. *Nuño Núñez* fue un héroe castellano del siglo IX a quien varios historiadores desde El Toledano han identificado con Nuño Rasura, el legendario juez de Castilla y abuelo de Fernán González[25]. Al mismo tiempo el nombre de pila *Nuño* recuerda otros notables militares como *Nuño* González de Lara el Bueno, amigo de la infancia de Alonso X el Sabio y más tarde uno de los nobles disidentes de su Corte; y *Núñez* es también el apellido de famosos héroes de la conquista de América como Álvar *Núñez* Cabeza de Vaca y Vasco *Núñez* de Balboa. Así pues, *Nuño Núñez* es un nombre simbólico concebido para sugerir una noción de la quintaesencia del heroísmo español como la que pudiera tener siempre presente un soldado deseoso de emular las grandes hazañas del pasado. Con el nombre *Nuño Núñez* ya se anuncia también el punto de vista emocional de las *Cartas marruecas,* en oposición a su otro punto de vista intelectual. De un escritor que se proyecta en semejante disfraz literario, se puede esperar que romantice el pasado, especialmente el pasado épico (el lector recordará que uno de los escritos de Nuño es una *Historia heroica de España).*

Nuño-Cadalso dice varias veces, en las *Cartas marruecas,* que su interés en el problema de España es el que puede tener un *patriota* o un *buen ciudadano* —términos moderados, circunspectos y racionalistas característicos del siglo de la Ilustración—. Sin embargo, queda tan lejos de realizar estos ideales cívicos como de hacerse *crítico imparcial* o

---

25 Véase Justo Pérez de Urbel, *Historia del condado de Castilla* (Madrid, 1945), I, 163-164, 349.

encarnar en sí mismo cualquiera de los otros valores personificados por la figura del *hombre de bien.* «Yo nací para obedecer —confiesa Nuño orgullosamente—, y para esto basta amar a su rey y a su patria: dos cosas a que nadie me ha ganado hasta ahora» (CM, 33). El buen ciudadano examina y cuestiona las condiciones existentes para poder hacer una contribución útil a unas reformas razonadas y sistemáticas. El vasallo no pone nada en duda: obedece ciegamente. La mentalidad del noble y fiel vasallo aparece también en otras obras de Cadalso, verbigracia, cuando uno de los personajes del *Don Sancho García* afirma su lealtad:

> y si de rey pasando a tirano
> me mata, besaré su regia mano.
> Éstas del buen vasallo son las leyes,
> por más faltas que se hallen en los reyes.
>
> (SG, 21)

La mentalidad de vasallo es la forma que toma el subjetivismo español de Nuño-Cadalso al entrar en conflicto con las opiniones encarnadas por ese ideal imposible que es el *hombre de bien.* Se da un ejemplo especialmente claro cuando Nuño mira el género de la historia heroica francesa en el contexto de la producción total de libros franceses durante el siglo XVIII. Los valores intelectuales del siglo, abrazados con frecuencia por todos los corresponsales, ceden inmediatamente, sin embargo, ante las convicciones afectivas del corresponsal español:

> no tienen los franceses una historia de sus héroes tan metódica como yo quisiera y ellos merecen... En lugar de llenar toda Europa de tanta obra frívola como han derramado a millares en estos últimos años, ¡cuánto más beneméritos de sí mismos serían si nos hubieran dado una obra de esta especie! (CM, 53).

Se nos va haciendo cada vez más evidente que la única relación entre las ideas y las reacciones contenidas en las *Cartas marruecas* es que forman una serie de contradicciones implícitas, que reflejan la polaridad *hombre de bien-vasallo*. El mayor atractivo emocional de las reacciones con respecto a las ideas también tiene su paralelo en el papel dominante de Nuño, el vasallo leal y la encarnación del yo de Cadalso. Se presenta una contradicción del mismo tipo al que me estoy refiriendo, entre las ideas de Cadalso sobre la conmemoración de los hechos de los virtuosos y su admiración por las proezas de los grandes héroes militares: «si en lugar de las historias de los guerreros... se hubiesen escrito con exactitud las vidas de los hombres buenos, tal obra, ¡cuánto más provechosa sería!» (CM, 74). Cadalso dedica toda la carta XXVIII (CM, 73-75) a la fama póstuma y en sus argumentos refleja a menudo las ideas de Montesquieu, Swift, Goldsmith y otros escritores del período de la Ilustración sobre el mismo tema. Afirma que «ninguna fama póstuma es apreciable sino la que deja el hombre de bien», y el lector recordará el tenor del epitafio de Ben-Beley, citado anteriormente. Cadalso observa, además, lo siguiente: «Que un guerrero transmita a la posteridad la fama de conquistador... ¿qué ventajas producirá su nombre? Los siglos venideros sabrán que hubo un hombre que destruyó medio millón de sus hermanos»; lo cual trae al recuerdo la opinión de Goldsmith de que «el alarde del heroísmo en esta era ilustrada se considera justamente como una distinción de muy baja categoría, y la humanidad empieza ahora a contemplar con el debido horror a estos enemigos del hombre» [26]. Sin embargo, se debe recordar que si bien Cadalso dedica tres páginas a desarrollar estas ideas, utiliza

---

[26] Goldsmith, *Citizen*, pág. 105.

el doble de ese número —seis páginas enteras— para una vindicación y elogio de Hernán Cortés (CM, 35-40). Y todavía en otra carta, alaba a Cortés como «héroe mayor que los de la fábula» (CM, 54).

El Cadalso elogiador romántico del pasado épico de España, admira la lealtad castellana —«los castellanos son, de todos los pueblos del mundo, los que merecen la primacía en línea de lealtad» (CM, 68)—, mientras que el Cadalso pensador ilustrado admira la industria y las actividades útiles de los catalanes, que lograron, especialmente en la manufactura textil, notables avances durante la segunda mitad del siglo XVIII [27]. El pensador ilustrado que alienta en Cadalso cambiaría ambas Américas por dos provincias como Cataluña (CM, 106). Mas los talentos de los catalanes, tan esenciales para la introducción de las técnicas del comercio y las manufacturas modernos, no los levantan encima de la categoría de sirvientes para el Cadalso soldado romántico —sirvientes de primera categoría, eso sí, pero sirvientes al fin y al cabo—. «Si yo fuera señor de toda España —reflexiona—..., haría a los catalanes mis mayordomos» (loc. cit.).

En *The citizen of the world,* Goldsmith habla con aversión del típico noble hereditario, que no tiene capacidad ni virtudes propias, y está satisfecho con que «uno de sus antepasados poseyera estas cualidades doscientos años antes de que él viviera»; y en la *Nouvelle Héloïse,* Rousseau afirma que se sentiría muy molesto «si no tuviera otra prueba de mi mérito que la de un hombre que está muerto desde hace quinientos años» [28]. En términos casi idénticos o muy semejantes, Cadalso declara:

---

[27] Véase James Clayburn La Force, Jr., *The Development of the Spanish Textile Industry 1750-1800* (Berkeley y Los Angeles, 1965).

[28] Goldsmith, *Citizen,* pág. 88; Rousseau, *Nouvelle Héloïse,* I, 157.

> Nobleza hereditaria es la vanidad que yo fundo en que, ochocientos años antes de mi nacimiento, muriese uno que se llamó como yo me llamo, y fue hombre de provecho, aunque yo sea inútil para todo (CM, 50)

En cambio, en un conocido pasaje satírico sobre la vanidad de los hidalgos, a través de la pose cadalsiana de crítico imparcial, se trasluce una profunda simpatía humana para con tales aristócratas menores:

> Todo lo dicho es poco en comparación de la vanidad de un hidalgo de aldea. Éste se pasea majestuosamente en la triste plaza de su pobre lugar, embozado en su mala capa, contemplando el escudo de armas que cubre la puerta de su casa medio caída, y dando gracias a la providencia divina de haberle hecho *don* Fulano de Tal. No se quitará el sombrero (aunque lo pudiera hacer sin desembozarse); no saludará al forastero que llega al mesón, aunque sea el general de la provincia o el presidente del primer tribunal de ella. Lo más que se digna hacer es preguntar si el forastero es de casa solar conocida al fuero de Castilla, qué escudo es el de sus armas, y si tiene parientes conocidos en aquellas cercanías (CM, 92).

Se ha señalado antes la notable semejanza entre esta figura y la del caballero a quien sirve Lázaro en el tratado tercero del *Lazarillo de Tormes*, pero este paralelo va más allá del nivel de los detalles descriptivos. Cadalso reacciona ante el triste destino del vanidoso hidalgo pueblerino, como Lázaro ante el de su altanero pero miserable amo, a quien no podía despreciar del todo aun a pesar de sus afecciones: «disimuladamente miraba al desventurado señor mío —nos cuenta Lázaro—..., porque sentí lo que sentía» [29]. La caracterización ambivalente —con simpatía a la par que con in-

[29] *La vida de Lazarillo de Tormes*, ed. Julio Cejador y Frauca, «Clásicos Castellanos» (Madrid, 1959), págs. 170-171.

tención satírica— del hidalgo de aldea es uno de los mejores ejemplos de la preponderancia de lo «romántico» sobre lo crítico en las *Cartas marruecas.* La técnica de esta descripción es esencialmente la misma que la que Cadalso describe alegóricamente en el epílogo autocrítico de las *Cartas marruecas,* al hacer que en un sueño sus amigos le digan: «El estilo jocoso en ti es artificio; tu naturaleza es tétrica y adusta. Conocemos tu verdadero rostro y te arrancaremos la máscara con que has querido ocultarla» (CM, 202-203). La técnica de las *Cartas marruecas,* como la de la novela requiere la participación activa del lector, que frecuentemente tiene que arrancarle la máscara al autor para penetrar el verdadero significado de lo que éste le dice.

Tal técnica también sugiere la enorme potencialidad que tenía Cadalso como escritor creador. En su *Fray Gerundio,* Isla percibe lo que sienten ciertos campesinos analfabetos pero inteligentes, como Bastián Borrego y el familiar del Santo Oficio, al escuchar los idiotas sermones barrocos de fray Gerundio; Galdós percibe los sentimientos interiores de don Frasquito Ponte, el marchito y pintado dandy de *Misericordia,* así como los de otros muchos personajes esencialmente ridículos como don Francisco Bringas, el tacañísimo burócrata y paterfamilias de *La de Bringas,* que elabora con nimio esmero un paisaje funerario todo de los cabellos de una muchacha de quince años recién fallecida, como recuerdo para los desolados padres. La capacidad de presentar un personaje risible como desde dentro, es decir, el arte de convertir un personaje «plano» en uno «redondo», es el primer requisito del novelista moderno, como primero lo probó Cervantes; y si se ha de juzgar por descripciones como la del hidalgo de aldea, Cadalso poseía este talento. Sin duda, tendría también otros talentos en la misma línea, como quizá revele algún día —si sale a luz— su novela perdida *Observaciones de un oficial holandés en el nuevamente descubierto reino de Feliztá* [sic] [30].

La oposición entre lo crítico y lo subjetivo incluso caracteriza las observaciones de Cadalso sobre la industria española. Como crítico imparcial Cadalso se da cuenta de que las artes industriales y el comercio han ejercido sobre los españoles una atracción bastante limitada: «no es mucho que... la continuación de estar con las armas en la mano les haya hecho mirar con desprecio el comercio e industria mecánica» (CM, 15). Por otra parte, como admirador de la España heroica del período de las conquistas, Cadalso se resiste a conceder que ninguna fase de la vida española estuviera subdesarrollada en aquellos tiempos, aun cuando tenga que recurrir a los silogismos como medio de reforzar su fe en la superioridad universal del Siglo de Oro:

> En los tiempos inmediatos a la conquista de América —razona—, no había las fábricas extranjeras en que se refunde hoy el producto de aquellas minas [del Nuevo Mundo español], porque el establecimiento de las dichas fábricas es muy moderno respecto a aquella época; y no obstante esto, había lujo pues había profusión, abundancia y delicadez (respecto que si no lo hubiera habido, entonces no se hubiera gastado sino lo preciso). Luego hubo en aquel tiempo un lujo considerable, puramente nacional (CM, 97-98),

esto es, una industria de lujo puramente nacional. Tal manera de «razonar» representa la rendición del racionalismo crítico al ardor de la fantasía histórica. En una carta anterior, de tono más retórico, aunque escrita desde el mismo punto de vista, Cadalso incluso llega a negar el progreso industrial del siglo XVIII con respecto a los períodos pre-

---

30 La existencia de esta novela y su aparente desaparición se han revelado por la publicación de la autobiografía de Cadalso (AA, 124).

cedentes: «Mil artes se han perdido de los que florecieron en la antigüedad; y los que se han adelantado en nuestra era, ¿qué producen en la práctica, por mucho que ostenten en la especulativa?» (CM, 17). La desaparición de ciertas industrias que España cultivaba en otra época la ve Cadalso menos como objeto de posibles análisis socioeconómicos que como ocasión de lamentaciones elegíacas, según también indica una de las preguntas contenidas en un pasaje de *El buen militar a la violeta,* el cual evidentemente está inspirado en parte en la tradición estilística del *Ubi sunt?:* «¿Qué se han hecho aquellos poderosos ejércitos... ¿Qué la numerosa población que hacía florecer nuestra industria y comercio?» (BMV, 576).

Con el último ejemplo que voy a aducir, se demostrará claramente la importancia de lo épico como metáfora para la representación del elemento subjetivo en las *Cartas marruecas,* porque en este caso aparece cuando menos se espera y donde a primera vista no parece guardar ninguna relación con el tema de que se trata. Me refiero a la reacción de Nuño ante la afectada carta de su hermana, tan plagada de ridículos galicismos y de sintaxis francesa violentamente sobrepuesta a la española (CM, 87-88). Indignado por semejante desfiguración de la noble lengua castellana y tomando un tono reprobatorio, Nuño-Cadalso recuerda a sus contemporáneos las glorias del remoto pasado de Castilla. Lo lógico habría sido que él mencionara los nombres de algunos escritores castellanos de siglos anteriores, puesto que después de todo se trata de reaccionar ante un problema lingüístico y estilístico. Pudo haberse preguntado qué habrían sacado en claro de la extraña jerga de su hermana Gonzalo de Berceo, don Juan Manuel, el arcipreste de Hita, Pero López de Ayala, o Juan de Mena. Mas lo sorprendente es que en esta ocasión Cadalso no busca su «metáfora» en las letras, sino en las armas y, concretamente, en el héroe y campeón legendario de la independencia de Castilla, Fernán González, porque se pregunta «cómo había de entender esta carta el conde Fernán Gonzalo [sic]» (CM, 89).

Las *Cartas marruecas* son la confesión espontánea y contradictoria de un patriota y militar que ha fracasado al intentar servir a su patria también en la calidad de crítico ilustrado. El sentimentalismo nacionalista de Cadalso ha vencido a su intelectualismo cosmopolita. Es un fracasado, pero sólo en el nivel de las reformas sociales prácticas y viables (más cerca de nuestro tiempo, la por otra parte brillante generación reformista del 98 fracasó en el mismo aspecto). En el nivel literario, las *Cartas marruecas* son un enorme éxito, un documento humano de considerable valor artístico que por su forma de expresión, su manera de enfrentarse con el *problema de España* y el cálido atractivo que ejerce sobre el lector, debe compararse con los ensayos de Mariano José de Larra, Joaquín Costa, Ángel Ganivet y Miguel de Unamuno. Cadalso tiene en común con estos escritores el hecho de que en su obra lo *novelístico* —es decir, el estado de ánimo, el sentimiento y la reacción— prevalecen sobre la *lógica* y los *hechos*. Con algunos de estos últimos escritores comparte también otros rasgos que son novelísticos en el sentido más convencional de la palabra; y su uso del ejemplo narrativo (que incluye muchas veces la descripción, la caracterización y el diálogo) hace de él un obvio precursor de Larra; pero el estudio de la influencia de Cadalso sobre Fígaro —un tema fascinante— está todavía por escribir[31]. Lo mismo Montesquieu que Cadalso usan

[31] Desde la publicación de la versión original del presente libro, un alumno mío que promete mucho como hispanista, el señor Donald Schurlknight, ha emprendido en su tesis doctoral el estudio de la influencia de Cadalso sobre Larra.

el término *novela* para caracterizar sus cartas críticas pseudoorientales (CM, 26)[32]; pero mientras en las *Lettres persanes* la *novela* es una narración de intrigas de harén simplemente yuxtapuesta a la crítica, en las *Cartas marruecas* se consigue un gran avance en la dirección del ensayo descriptivo moderno con sus habituales trozos de vida, porque en la obra española la *novela* es el contexto humano total en el que se suscita, se formula y se recibe la crítica.

---

32 Montesquieu, *Œuvres,* I, 129.

CAPÍTULO VII

OBRAS MENORES

El *Calendario manual,* que mencioné cuando hablábamos de la rencilla de Cadalso con las damas de la alta sociedad madrileña, no posee ningún valor artístico; y así no lo comentaré más. Los *Anales de cinco días* tienen un limitado interés literario, pero los análisis de ciertas partes de esta obra contenidos en nuestros capítulos anteriores son suficientes para dar alguna idea de ella. Otra obra menor que no necesita aquí comentario especial es la colección bilingüe, latina y española, de *Epitafios para los monumentos de los principales héroes españoles,* en la que Cadalso propone inscripciones para cincuenta y ocho héroes y acciones heroicas, tales como Numancia, Sagunto, el rey don Pelayo, el Cid, Fernando III, Hernán Cortés, Francisco Pizarro, Gibraltar, etc. (OI, 269-297).

A pesar de su inmediata popularidad y de algún pasaje realmente gracioso, *Los eruditos a la violeta* son también de escaso valor literario; pero los comentaré algo más extensamente, en parte porque ciertas facetas intrigantes de su génesis, forma y técnica pueden ahora iluminarse por primera vez. Quisiera dedicar algunos párrafos a la tragedia *Don Sancho García,* el único ejemplo que ha quedado de lo que escribió Cadalso en un género del que siguió siendo entusiasta a pesar de su rotundo fracaso en él; y también parece apropiado hacer alguna observación sobre las obras menores perdidas o inéditas.

I. LOS «VIOLETOS» Y LA BOGA DE LA ILUSTRACIÓN

Los eruditos a la violeta (1772) son la descripción satírica de una clase o «academia» de siete días de duración en la que el maestro afirma que puede preparar a sus discípulos para que den la impresión de ser sabios universales y puedan así asombrar a los frecuentadores de los salones con sus conocimientos de la «nueva ilustración» (EV, 513) que estaba tan de moda en aquel tiempo: «según la admirable ilustración de nuestro siglo, debe cada erudito a la violeta aspirar a la ciencia universal» (BMV, 566). El plan de estudios se organiza de la manera siguiente: Lunes, vista general de las ciencias; Martes, poética y retórica; Miércoles, filosofía antigua y moderna; Jueves, derecho natural y de gentes; Viernes, teología; Sábado, matemáticas; Domingo, historia, lenguas vivas, blasón, música, viajes y crítica.

El *Suplemento* a *Los eruditos a la violeta consiste* en una serie de traducciones poéticas con comentarios, destinadas a ilustrar las lecciones del martes; cinco cartas de exalumnos del curso —un matemático, un filósofo, un jurista, un teólogo y un viajero— sobre sus aventuras posteriores; y una breve noticia sobre los orígenes y la composición de la obra. Desde el siglo XVIII se ha incluido también en muchas ediciones un análisis satírico de la obra, compuesto por Manuel Santos Rubín de Celis, contemporáneo de Cadalso. Este análisis toma la forma de una conversación entre algunos eruditos a la violeta que sintiéndose heridos por *Los eruditos,* se reúnen, según la ficción, en casa de Don Santos Celis, pseudónimo del autor. *El buen militar a la violeta* es una continuación póstuma de *Los eruditos a la violeta,* aplicada especialmente a la profesión militar.

La frase *a la violeta* de los títulos de estas obras se inspiró en el hecho de que buen número de los petimetres que insistían tanto en lucir sus conocimientos en los salones usaban un agua de colonia cuya fragancia era de violeta (EV, 344). De la frase derivó naturalmente la forma sustantivada *violeto* (o sea, erudito perfumado de violeta), sinónimo de *erudito a la violeta. Los eruditos a la violeta* alcanzaron siete ediciones antes de finalizar el siglo XVIII, pero su éxito popular en ese período se refleja sobre todo por el hecho de que la frase *a la violeta* y el sustantivo *violeto* se incorporaron inmediatamente al léxico popular, debido a lo cual estas expresiones empiezan a aparecer en toda suerte de obras literarias en prosa y verso; y solamente un año después de la primera publicación de *Los eruditos,* se publicó en Madrid una imitación: *Los literatos en Cuaresma,* de Tomás de Iriarte, según cuyo argumento seis amigos representando los papeles de seis célebres literatos —Teofrasto, Cicerón, Cervantes, Boileau, Pope y Tasso— habían de hablar sobre varios problemas de bellas letras en cierta tertulia literaria en los seis domingos de Cuaresma. En su correspondencia privada con Iriarte, el mismo Cadalso aludió veladamente a la posibilidad de que su obra hubiese influido en *Los literatos en Cuaresma.* La salutación de una de las cartas de Cadalso a Iriarte es la siguiente: «El autor de *Los eruditos a la violeta* saluda al autor de *Los literatos en Cuaresma*»; y Cadalso también alude a este paralelo en la carta precedente (OI, 323, 324)[1].

---

[1] Véase también Cotarelo, *Iriarte y su época,* pág. 106.

El maestro de los «violetos» les enseña una manera fácil de simular el dominio de cualquier campo del saber humano. Esta técnica se revela por su consejo sobre el modo de fingir un profundo conocimiento de la *Eneida* simplemente aprendiéndose de memoria un verso de cada parte del poema: «de este modo tomad una flor de cada ramillete por toda la extensión de la obra, y todo el mundo os tendrá por grandes poetas, y tan grandes, que os encargarán acabéis los versos que lo necesitan en la *Eneida*» (EV, 353). El maestro ilustra la técnica destacando los versos o párrafos famosos y singulares que el erudito a la violeta debe conocer de cada una de las numerosas obras literarias, científicas, filosóficas, etc. que pudieran tocarse en las conversaciones de los salones elegantes.

Las ideas del maestro sobre la unidad de las artes y las ciencias dejan escasa duda en cuanto a la especie de «universalidad» que sus discípulos podían a su vez conseguir en sus conocimientos. Como ejemplo de los estrechos lazos que existen entre todas las ramas de la ciencia humana, el maestro señala el hecho de que dos objetos al parecer tan distintos como una obra teatral y un cañón pueden designarse con el mismo nombre: *pieza* (EV, 407). Las páginas más divertidas de la sátira son las primeras, porque el tema de éstas es el de mayor interés para el lector de orientación literaria, y también porque el procedimiento básico de la obra llega muy pronto a ser su mayor defecto: la enumeración sin fin de ejemplos de las frioleras que atraen a los pseudo-intelectuales es una forma de organización que se parece demasiado a la de las modernas tesis doctorales, y después de unas cuantas páginas llega a ser igualmente aburrida que éstas. Además, muchas de las bromas de Cadalso están tan estrechamente relacionadas con su momento histórico, que hoy carecen de gracia. Semejante libro, aunque no carece totalmente de interés, apenas puede llamarse literatura, si entendemos por este término obras que tengan una correlación estéticamente valiosa entre su sentido y su estructura. Sin pretender, por lo tanto, hacer ninguna clase de exégesis literaria de *Los eruditos,* quisiera ahora acercarme al problema de su génesis, forma, técnica satírica y relación con las otras obras de Cadalso.

Se han mencionado como posibles fuentes de *Los eruditos a la violeta, La culta latiniparla* de Quevedo, el *De charlataneria eruditorum* de Mencken, el *Fray Gerundio* de Isla, *Le philosophe soi-disant* de Marmontel, la *Carta dirigida a un amigo en que se le da razón de las facultades y libros de que debe instruirse no sólo un poeta para el teatro, sino cualquiera que aspire a una erudición universal* (Madrid, 1770, 1772) de Juan Manuel de Haedo, y ciertas obras enciclopédicas, así como varios pasajes sobre los pseudointelectuales contenidos en obras de toda suerte de autores desde Feijoo hasta Swift [2]. Sin embargo, el modo en que se organiza el programa de las lecciones diarias en la sátira de Cadalso sugiere una fuente no literaria que nunca se ha considerado. Desde 1748 más o menos, existía en la ciudad de Azcoitia, en Guipúzcoa, una «academia», dedicada a las artes y las ciencias, que iba a ser el origen de las primeras Sociedades Económicas, fundadas en el siglo XVIII, así como del Real Seminario Patriótico de Vergara, que se distinguió mucho en las ciencias. Ahora bien, los «caballeritos de Azcoitia» (de los cuales los más conocidos eran el conde de Peñaflorida, el marqués de Narros y don Manuel Ignacio de Altuna, amigo este último de Rousseau) organizaban sus conversaciones vespertinas y sus experimentos de acuerdo

[2] Véanse Glendinning, *Vida,* págs. 189-190; *Los eruditos a la violeta,* ed. Glendinning, «Biblioteca Anaya» (Salamanca, 1967), páginas 27-32.

con el programa siguiente: Lunes, matemáticas; Martes, física; Miércoles, lectura de obras históricas y traducciones por miembros de la academia; Jueves, un concierto; Viernes, geografía; Sábado, conversación sobre temas actuales; y Domingo, otro concierto [3].

Sería difícil encontrar un modelo más adecuado para el plan de lecciones diarias descrito en *Los eruditos a la violeta,* aunque sí existían otras «academias» similares, si bien menos distinguidas, según se desprende de las siguientes palabras de José Clavijo y Fajardo, en *El pensador matritense:*

> tuve algún tiempo en mucha estimación estas juntas o academias vespertinas que llaman tertulias, y deseé con ansia concurrir a ellas, por lo mucho que me las habían alabado. Las consideraba como una escuela de que podía sacar mucho provecho; porque según había oído decir, se formaban de hombres de letras de todas clases, teólogos, juristas, filósofos, poetas, críticos, etc. que por medio de una amistosa conversación, se comunicaban mutuamente todas las noches las varias especies que habían adquirido con el estudio del día [4].

Por lo tanto, la obra de Cadalso ¿se ha de considerar como una parodia de academias como la de Azcoitia en particular, así como de las afectaciones intelectuales del período de la Ilustración en general? Esta posibilidad parece tanto más fundada cuanto que el maestro de *Los eruditos a la violeta* se refiere a sus clases como a «mi academia» (EV, 413). Glendinning ve un antecedente de *Los eruditos a la violeta* en el hecho de que el conde de Peñaflorida menciona a «unos críticos *a la cabriolé*» en *Los aldeanos críticos,* obra

[3] Véanse Jean Sarrailh, *L'Espagne éclairée de la seconde moitié du XVIIIe siècle* (París, 1954), pág. 224; Julio de Urquijo e Ibarra, *Menéndez Pelayo y los caballeritos de Azcoitia* (San Sebastián, 1952), páginas 11-12.

[4] Clavijo, *El pensador matritense* (Barcelona, 1762-1767), II, 54.

polémica que escribió con ocasión de la publicación en 1758 del *Fray Gerundio* de Isla [5]. Sin embargo, en una de las cartas que el mismo padre Isla escribió replicando a Peñaflorida, hay un antecedente mucho más cercano que los investigadores han pasado por alto. Las palabras de Isla sugieren precisamente la misma clase de imitación burlesca de la academia de Azcoitia que ahora parece que Cadalso veía en sus *Eruditos:*

> Yo voy a encargar en Londres un barómetro, un termómetro, un telescopio, un microscopio, una máquina pneumática, otra eléctrica, y por añadidura una óptica, sin omitir un par de prismas y dos convexos ustorios de bueno y recogido *fuoco;* y después, que se me vengan a echar piernas todos los peripatéticos del mundo. Son unos pelmazos: haré una demostración de ello por el cálculo geométrico, y después pretenderé una plaza de académico honorario en la academia de Azcoitia [6].

Resulta obvio que también desempeñó un papel importante en la composición de *Los eruditos a la violeta* la extensa observación cadalsiana de los verdaderos «eruditos» perfumados de violeta que frecuentaban los salones madrileños, así como de las tácticas de éstos. En su breve noticia autocrítica sobre la obra, Cadalso se refiere a «los ejemplos de tantos como veo y oigo por ese mundo lucir con cuatro miserables párrafos que repiten» (EV, 528). Pero a pesar de tal observación de los modelos reales —técnica cuyas ventajas para la literatura acababan de demostrarse con el *Fray Gerundio* de Isla— no hay auténticos personajes en *Los eruditos a la violeta.* Los tipos pintorescos que podíamos haber esperado encontrar en tal obra, sencillamente no es-

---

[5] *Los eruditos a la violeta,* ed. Glendinning, pág. 31.

[6] José Francisco de Isla, *Obras escogidas,* BAE, XV (1945), 387a.

tán en ella, ni siquiera en las cartas de los exalumnos de la «academia». Cadalso cometió el error de abstraer las extravagantes nociones y trucos de los eruditos a la violeta de su contexto personal y social, y esto le llevó al aburrido procedimiento enumerativo que ya he descrito. Hacia el final de la lección del miércoles, el maestro da a sus discípulos algunos consejos sobre cómo hay que representar el papel de caballero «ilustrado» en los salones; y aunque tampoco hay aquí ninguna descripción individual, se ve por este pasaje cómo habría sido toda la obra, si, en lugar de limitarse tan sólo a reproducir la «erudición» de los violetos, Cadalso hubiera usado sus observaciones directas de los pseudoeruditos reales para crear algunos personajes literarios y dar así al lector la oportunidad de ver a los «sabios universales» activamente ocupados en su juego de impresionar a los ingenuos. El maestro recomienda a sus discípulos que subrayen la idea que quieran exponer

> haciéndoos aire con algún abanico si es verano y calentándoos la espalda a la chimenea si es invierno, o dando cuerda a vuestro reloj, que habréis puesto con el de alguna dama de la concurrencia, o componiéndoos algún bucle que se os habrá desordenado, o mirando las luces de los brillantes de alguna piocha, o tomando un polvo con pausa y profundidad en la caja de alguna señora, o mirándoos a un espejo en postura de empezar el amable (EV, 328).

Pero en conjunto el personaje que más echa de menos el lector es el mismo Cadalso. Santos Celis, eso sí, afirma que «el autor de esa *Violeta* no hizo en su papel otra cosa que retratarse a sí propio»; y al mismo tiempo que se defiende de esta acusación, Cadalso confiesa que en cierto sentido, en *Los eruditos*, «yo mismo... me he retratado con vivísimos colores» (EV, 528, 555). En la obra misma no deja de encontrarse de vez en cuando algún paralelo entre la vida del maestro y la de Cadalso, así como algunos destellos de la forma que iba a tomar más tarde la personalidad literaria de Cadalso. Glendinning ve una alusión al destierro de Cadalso en el hecho de que al comentar las quejas de Ovidio de haber sido abandonado por unos amigos infieles, el maestro confiesa haber experimentado precisamente lo mismo (EV, 448)[7]. El maestro hace ciertas recomendaciones a sus discípulos en vista de que «habéis de procurar comer siempre con grandes, embajadores y poderosos» (EV, 418); y esto posiblemente es una alusión autobiográfica a las relaciones sociales de Cadalso con las grandes familias y las figuras políticas de Madrid. Los atisbos de la personalidad literaria madura de Cadalso que se encuentran en *Los eruditos,* son débiles, como veremos ahora, mas son interesantes por formar parte de la prehistoria de una obra como las *Cartas marruecas.*

Durante el destierro y permanencia de Cadalso en Aragón (1768-1770), su visión del mundo se teñía hasta cierto punto de «las ideas tristes que me sugería el estado en que me hallaba» (AA, 126). Más tarde, en 1771, cuando estaba escribiendo *Los eruditos a la violeta,* no había caído todavía preso de la profunda angustia que le afligiría antes que terminara en 1774 las *Cartas marruecas.* Pero el hecho de que ya en 1771 se anunciaba esa su devoradora inquietud por España, se desprende de ciertas alusiones a una tristeza interior velada por la risa. Más aún: estas alusiones, contenidas en *Los eruditos,* están redactadas ya en los mismos términos estilísticos que Cadalso usaría hacia el final de su vida para expresar la angustia mucho más profunda de esa época.

---

[7] Glendinning, *Vida,* pág. 63.

Los eruditos a la violeta están dedicados a Demócrito y Heráclito, los filósofos patrones de la risa y las lágrimas. Dirigiéndose a estos espíritus antiguos, Cadalso reflexiona que

> la era en que sale a luz este papel merece que resucitéis para reír, el uno a carcajada tendida, y llorar el otro, a moco suelto, sobre la literatura y los literatos, prescindiendo de los muchos otros motivos que diz que hay de llanto y de risa (EV, 341).

El tono de este pasaje es en conjunto impersonal y más moderado que el de aquel de los *Anales de cinco días* en que aparecen los mismos filósofos. Sin embargo, el primero es un claro antecedente del siguiente:

> Si parece que por mi estilo me río de lo que se estila, interiormente lo lloro. Estoy sujeto a las mismas pasiones que Demócrito y Heráclito, sin ser tan filósofo (O, III, 414).

En la Introducción a las *Cartas marruecas*, Cadalso caracteriza al crítico ideal como «sumamente severo y tétrico» (CM, 5). Llama la atención sobre la presencia de estos rasgos en su propia personalidad en la descripción del sueño en el Epílogo. Ya he citado las palabras pronunciadas por los «amigos» de Cadalso en este sueño:

> El estilo jocoso en ti es artificio; tu naturaleza es tétrica y adusta. Conocemos tu verdadero rostro y te arrancaremos la máscara con que has querido ocultarla (CM, 202-203);

pasaje que Marichal considera como representativo de la tensión psicológica o naturaleza doble de Cadalso, tal como aparece en las *Cartas marruecas* [8]. Ahora bien, la misma dualidad se sugiere ya en *Los eruditos a la violeta*, aunque

---

[8] Marichal, *La voluntad de estilo*, pág. 186.

aparece menos definida en esta mera sátira, y el elemento de la angustia o melancolía no es desde luego el que predomina en ella. El personaje «plano» y sin complicaciones —tan distinto de Nuño— que nos ha dado Cadalso en el maestro de los eruditos a la violeta, es incapaz de las emociones lúgubres; pero movido por su miedo al verdadero saber, nos permite en una ocasión una rápida ojeada al «verdadero rostro» del autor, detrás de la máscara estilística de esta «satirilla mordaz y superficial», como describió Cadalso más tarde *Los eruditos a la violeta* (CM, 202). Al principio de la lección del lunes, el maestro confiesa que «me hiela, en fin, el temor de la crítica que me hagan unos hombres tétricos, serios y adustos» (EV, 344). Glendinning ha señalado que algunas veces el maestro sugiere indirectamente las verdaderas opiniones de Cadalso por cierta clase de rodeos, y también ha hecho notar el papel de los viejos estereotipados que aparecen en los episodios que los estudiantes cuentan y que funcionan como portavoces de Cadalso [9]. Mas esa referencia de pasada a las opiniones de los críticos «tétricos, serios y adustos», creo que es, en el cuerpo de *Los eruditos a la violeta,* la única ocasión en que casi se produce la conjunción de la risa con esa otra cualidad que es aún más típica de Cadalso que las opiniones serias: la angustia. El hecho de que la fraseología —los adjetivos— es la misma aquí que la que Cadalso usaría más tarde, tanto en la Introducción como en el Epílogo de las *Cartas marruecas,* no deja lugar a duda en cuanto al significado del presente pasaje de *Los eruditos;* y la notable semejanza estilística de éste a los posteriores también hace evidente su valor histórico como antecedente de ellos. En 1771 Cadalso todavía no había perfeccionado una técnica adecuada para dar forma

[9] Glendinning, *Vida,* págs. 58, 64-66.

literaria a todas las facetas de su carácter, pero empezaba a sentir la necesidad de elaborar tal técnica.

Los eruditos a la violeta también contienen los antecedentes de algunos otros rasgos de las *Cartas marruecas*, tales como su cervantismo, según ha demostrado Alejandro Ramírez Araujo en el artículo mencionado abajo en nuestra bibliografía. Aunque Ramírez Araujo cita numerosos ejemplos de fraseología satírica cervantina en *Los eruditos a la violeta*, quedan todavía otros: por ejemplo, cuando el maestro de los eruditos explica cómo éstos han de defender su opinión sobre la mezquindad de la poesía de Quevedo contra cualquiera que «tuviese el alto y nunca bastantemente execrado atrevimiento de citar sus obras serias» (EV, 362). (El giro de esta frase es marcadamente cervantino, y el adjetivo *alto* en semejante contexto es uno de los trucos de Cadalso para insinuar su verdadera opinión, incluso cuando habla el ridículo maestro.)

El elemento heroico-burlesco también aparece en esta obra primicial en varias formas que Ramírez Araujo no menciona. El maestro de los eruditos a la violeta les asegura que el conocer las biografías de todos los filósofos resulta muy fácil leyendo la *Histoire des philosophes* de Alexandre Savérien donde pueden encontrar «una relación y curioso *romance* de la vida y milagros de cada uno» (EV, 376; el subrayado es mío). Se acostumbra comparar las proezas y logros intelectuales de Feijoo con las hazañas de los grandes conquistadores y caballeros andantes. El mismo Feijoo fue el primero en hacer la comparación; pero para citar un ejemplo moderno, Américo Castro ve en el polígrafo benedictino «algo así como un caballero andante del buen sentido» [10]. Ahora bien, se produce una

[10] Castro, «Algunos aspectos del siglo XVIII», *Lengua, enseñanza y literatura* (Madrid, 1924), pág. 298. Sobre las comparaciones de

curiosa transposición que bordea la parodia cuando la misma comparación se hace desde el punto de vista del maestro de los «violetos», quien odia a Feijoo por su razón y buen sentido: «las obras de Feijoo —aconseja a sus discípulos— os parezcan tan despreciables como los romances de Francisco Esteban» (EV, 425). (Dicho Francisco Esteban, llamado *el Guapo,* representa el tipo popular del matón, y es héroe —antihéroe— de una serie de cinco romances picarescos)[11]. Esto recuerda el tratamiento picaresco de los elementos heroicos y cervantinos en Isla y Fielding; y también es interesante considerar la presente comparación a la luz del tratamiento picaresco cadalsiano del tema del hidalgo arruinado en las *Cartas marruecas,* quiero decir, en esa figura de hidalgo que refleja tan claramente la del escudero caballeresco-picaresco del *Lazarillo de Tormes.*

Esa curiosa especie de sátira antienciclopédica que está implícita en la misma forma de las *Cartas marruecas* también tiene cierto antecedente en *Los eruditos a la violeta.* (El aspecto de las *Cartas marruecas* al que me refiero es la negativa de Nuño-Cadalso a arreglar sus ideas conforme a un orden lógico porque desea dejar que su estilo refleje el caos de los asuntos humanos.) Glendinning y otros han observado que *Los eruditos a la violeta* son antienciclopédicos en el sentido de que un objeto constante de la sátira es la superficialidad intelectual provenida de la profusión de compendios de las ciencias humanas, diccionarios históricos y diccionarios técnicos de las distintas disciplinas que produjo la era de Bayle y Moreri, y luego la Ilustración. Sin embargo, en un solo pasaje de *Los eruditos a la violeta,* la

---

Feijoo de sí mismo con estas figuras, véase Marichal, *La voluntad,* páginas 165-184.

[11] *Romancero general,* ed. Agustín Durán, BAE, XVI (1945), páginas 367 y sigs.

sátira antienciclopédica se hace formal a la vez que temática, y por lo tanto artística. A esta distancia, el famoso dicho de Pierre Bayle «Nous voilà dans un siècle qui va devenir de jour en jour plus éclairé» (Aquí estamos en un siglo que se va a hacer de día en día más ilustrado), parece presagiar la formación de lo que se podría llamar la retórica del enciclopedismo, esto es, la representación estilística de la expectación casi mesiánica que la Ilustración suscitó en los escritores del siglo XVIII.

En sus descripciones del adelanto de las ciencias, los escritores de la Ilustración nos muestran unos amplios panoramas simbólicos que se van extendiendo a un mismo tiempo hacia atrás y adelante en el tiempo, y hacia todos los puntos de la brújula, según la luz del descubrimiento va batiendo en retirada a las sombras de la ignorancia, ya aquí, ya allí, haciéndose cada vez más brillante al moverse hacia el futuro por haber almacenado cada día más conocimientos útiles. Cadalso quizá haya encontrado los modelos para su parodia (1772) de estas descripciones panorámicas en las páginas de un *philosophe* como Diderot, o en los escritos de un inglés como Joseph Priestley. Carl Becker cita un ejemplo especialmente oportuno del *Essay on the first principles of government* (1771) de este último:

> La ciencia, como observa el lord Bacon, siendo *poder*, los poderes humanos, en efecto, se ampliarán; la naturaleza, incluidos sus materiales y sus leyes, estará más a nuestras órdenes; los hombres harán su situación en este mundo considerablemente más holgada y cómoda; es probable que prolonguen su existencia en él, y se harán cada día más felices... Así pues, fuera cual fuera el principio de este mundo, el final será glorioso y paradisíaco [12].

[12] Carl L. Becker, *The Heavenly City of the Eighteenth-Century Philosophers* (New Haven, Conn., 1947), pág. 145.

Puede que Cadalso haya encontrado también un modelo español en las *Memorias literarias de París* (1751), de Ignacio de Luzán:

> No tiene la naturaleza arcano que no se revele, ni secreto que se esconda a la curiosa investigación de los físicos. Los más pequeños insectos, los casi imperceptibles pólipos, las aves, los peces, los metales, las plantas, los cadáveres, los elementos, los planetas, las estrellas, todo se escudriña, todo se averigua, y todo se rinde a la constante porfía de los astrónomos, de los naturalistas, de los matemáticos, de los químicos, de los botánicos y de los anatómicos [13].

La parodia cadalsiana de este estilo se encuentra al principio de la lección del lunes. Por el espacio de un breve párrafo, antes de que Cadalso descienda a esas interminables enumeraciones de trivialidades pedantescas, el lector sospecha que el libro que tiene en las manos resultará ser una sátira de las más graciosas posibles. Y esto es así, porque por un momento se unen el estilo y el contenido en la expresión de la misma idea, como ocurriría más tarde, a lo largo de las *Cartas marruecas.*

> ¡Siglo feliz! ¡Edad incomparable en los anales del tiempo! ¡Envidia de la posteridad admirada y afrenta de la ignorante antigüedad! Rásgase el velo de la ignorancia desde la estrella Sirio hasta la que está *ex diametro* opuesta a ella en la inmensa esfera. Brotan torrentes de ciencia desde ambos polos del mundo. Huyen veloces las tinieblas de la ignorancia, desidia y preocupación de una en otra extremidad de la tierra, y húndense en sus negros abismos, ilustrado todo el orbe por un número asombroso de profundísimos doctores de veinticinco a treinta años de edad (EV, 343-344).

---

13. Luzán, *Memorias literarias de París* (Madrid, 1751), pág. 129.

Todavía otro indicio de la oportunidad de la parodia de Cadalso, así como de la vigencia de la retórica del enciclopedismo en España, es el hecho de que aparece un ejemplo serio de las descripciones panorámicas de la Ilustración en una obra polémica motivada por la publicación de *Los eruditos a la violeta.* Me refiero al *Comentario sobre el doctor festivo y maestro de los eruditos a la violeta* (1773), de Antonio de Capmany. En este papel polémico, en conjunto favorable a la obra de Cadalso, se lee:

> la masa de los conocimientos humanos ha fermentado, se ha acrisolado, se ha perfeccionado en este siglo; se ha derramado el espíritu filosófico, que todo lo ilumina; el espíritu geométrico, que todo lo calcula y ordena; el espíritu experimental, que todo lo analiza; el espíritu crítico, que todo lo examina y juzga; el buen gusto, que todo lo hermosea y escoge, y la sociabilidad, que comunica todas las luces ... ¡Cuán estrecha y mezquina era la fábrica que del universo nos descubrieron los antiguos! [14].

La breve parodia cadalsiana de la retórica enciclopedista no es solamente oportuna. Tal sátira parece casi de vanguardia, porque cerca de veinte años más tarde, en un discurso pronunciado en la apertura de la nueva Real Audiencia de Extremadura, el 27 de abril de 1791, el jurista y poeta Meléndez Valdés, amigo y discípulo de Cadalso, se expresaba todavía en el mismo estilo:

> fundamos este ilustre senado a fines del siglo XVIII, en que las luces y el saber se han multiplicado y propagado ... en que

---

[14] *Comentario sobre el doctor festivo,* en Julián Marías, *La España posible en tiempos de Carlos III* (Madrid, 1963), págs. 200-201. Glendinning ha identificado al autor del *Comentario* en su trabajo «A note on the authorship of the *Comentario sobre el doctor festivo...*», *BHS,* XIII (1966), 276-283. El manuscrito publicado por Marías llevaba únicamente el seudónimo Pedro Fernández.

> todo se discute, todo se profundiza ... en que el ruinoso edificio de los prejuicios y el error cae y se desmorona por todas partes; en que la humanidad y la razón han recobrado sus olvidados derechos, etc.[15].

(Leyendo pasajes como éste, resulta claro para el lector cuáles son los orígenes de aquellas sublimes y al parecer interminables perspectivas espaciales y temporales que se le exhiben en ciertas poesías «ilustradas» de Quintana, como las odas *A la expedición española para propagar la vacuna en América* y *A la invención de la imprenta.)*

La desilusión de Cadalso con respecto a la Ilustración, tan evidente ya por muchos aspectos de *Los eruditos a la violeta,* es también correlativa con su vanguardismo romántico. Hasta el período de Larra no se haría frecuente que los escritores españoles manifestaran un desencanto tan universal ante la Ilustración como había descubierto ya Cadalso en sus diversas obras. En fin, *Los eruditos a la violeta* es una obra a ratos divertida y, aunque no sea una sátira de mérito literario, contiene unos anticipos de las ideas y técnicas que luego permitirían a Cadalso conseguir sus principales éxitos artísticos.

II. EL FRACASO DE CADALSO EN EL TEATRO

Tiene algo de cervantino la perenne aspiración de Cadalso a escribir para el teatro. La primera obra que publicó fue la tragedia *Don Sancho García* (1771). Un año antes se habría representado su tragedia *Solaya, o los circasianos* —ahora perdida—, si no se la hubiera prohibido la censura

---

[15] Meléndez Valdés, *Discursos forenses,* págs. 246-247.

a última hora. Parece que Cadalso estaba resuelto a distinguirse como autor dramático porque, al igual que Cervantes, continuó escribiendo para el teatro a pesar de sus fracasos en él. Incluso escribió una tragedia sobre el mismo tema que la mejor comedia de Cervantes, *El cerco de Numancia.* Se llamaba *La numantina,* pero también se ha perdido esta obra. Cadalso tuvo aún menos éxito que Cervantes en sus intentos de composición dramática. Mas el paralelo resulta intrigante teniendo en cuenta el cervantismo que ha descubierto Ramírez Araujo en las obras de Cadalso. En ambos casos, es demasiado épico, demasiado novelístico, o quizá sencillamente demasiado humano el carácter del escritor para que pueda lograr un éxito con ese tipo de conceptualización o visión esquemática de la vida que requiere el teatro. En todo caso, ya hemos visto que la angustia, la fidelidad al ideal caballeresco, la identificación personal con el destino nacional y otras semejantes cualidades «humanas» se desbordan por todas partes del esquema conceptual que Cadalso quería en un principio imponer a las *Cartas marruecas.*

No se sabe exactamente cuántas obras teatrales escribiría Cadalso. Además del *Don Sancho García,* que sólo he visto en ediciones dieciochescas, escribió *Solaya o los circasianos* y *La numantina,* ambas perdidas, como queda indicado arriba. La existencia de la primera se ha averiguado por documentos oficiales de la censura [16]. Cadalso describe la segunda parcialmente en una carta dirigida a Meléndez Valdés en la cual detalla ciertos manuscritos que confiaba a su amigo al prepararse a partir para una campaña militar. *El cerco de Numancia* no pudo influir en la tragedia cadalsiana de tema numantino, porque la obra de Cervantes no

---

16 Véase Glendinning, *Vida,* págs. 42-43, 183.

se editó por primera vez hasta dos años después de la muerte de Cadalso; pero la tragedia perdida de éste sí se influyó por la de un contemporáneo, según se ve por las siguientes palabras de la referida carta a Meléndez:

> 2. *La numantina.* Tragedia en cinco actos. En el prólogo de ella he puesto cuanto juzgo necesario en materia de teatro. Otra hay sobre el mismo asunto compuesta por el catedrático de poética de San Isidro, y fue la que me dio la idea para ésta (QC, 26)[17].

Glendinning posiblemente tiene razón al afirmar que es *La numantina* a la que se refiere Cadalso en una carta sin fecha a Iriarte, cuando informa a éste de que «hago ánimo de limar una tragedia que iré remitiendo a la censura de usted por actos, pero me temo no estar para ello» (OI, 315). O bien, ¿no puede tratarse acaso de una cuarta tragedia cuyo borrador Cadalso hubiera terminado pero que de hecho nunca se sintiera «estar para» corregir? No es éste el único misterio sin resolver que se topa en la historia de la producción dramática de Cadalso. En una nota antepuesta a la edición de 1785 del *Don Sancho García,* el impresor, refiriéndose a Cadalso, observa que «su nombre solo basta para recomendar el mérito de este drama, no siendo la única producción que ha dado a luz en este ramo de literatura» (SG, páginas preliminares sin numerar). ¿Escribió una quinta obra teatral, o quiere esto decir que alguna de las otras se publicara, aunque no quede ningún dato relativo a tal edición?

[17] El otro dramaturgo y la obra a los que se hace referencia son Ignacio López de Ayala y su *Numancia destruida,* publicada por primera vez en 1775. Antes de su publicación Cadalso pudo oírla leer en la tertulia de la Fonda de San Sebastián (véase Cotarelo, *Iriarte y su época,* pág. 125). Consúltese mi edición de la tragedia de López de Ayala, «Biblioteca Anaya», núm. 94 (Salamanca, 1971).

El *Don Sancho García* fue un fracaso de taquilla durante los cinco días seguidos que se representó en el Teatro de la Cruz de Madrid, a partir del 21 de enero de 1771, y creo que casi ningún lector la consideraría como un éxito artístico tampoco. El número de representaciones que tuvo la tragedia de Cadalso no sería necesariamente indicio de que hubiese fracasado; porque como he señalado en otro lugar, las comedias del Siglo de Oro, lejos de seguir tan populares en el XVIII, como a veces se supone, solían desaparecer del cartel después de sólo uno o dos días [18]. Mas existe un dato cruel que revela el rotundo fracaso del *Don Sancho García:* la cuenta de los escasísimos rendimientos que produjo, pues éstos fueron bajando desde la ya muy baja cifra de 1184 reales el primer día hasta 155 el quinto [19].

Almanzor, el rey moro de Córdoba, ha derrotado a las fuerzas del condado de Castilla, y piensa unir el territorio conquistado al suyo propio casándose con la condesa viuda, doña Ava (interpretada por María Ignacia Ibáñez). Almanzor ha cortejado a doña Ava enamorándola con engaños, pero se niega a casarse con ella a menos que pueda hacerse dueño indiscutible de Castilla quitando de en medio a todos los demás pretendientes. En un mensaje escrito que da a la condesa al principio del primer acto, le pide que mate a su hijo, el conde don Sancho García, que es todavía menor de edad, y más tarde el moro incluso ofrece a la condesa la daga para ello. La consternación de doña Ava al leer el papel y revelar su contenido a su confidente doña Elvira, es tan poco convincente como las protestas de amor que Almanzor le hace. El lector no encuentra nada de angustia verdadera en las palabras de doña Ava al decir ésta

[18] Véase mi estudio «Contra los mitos antineoclásicos españoles», páginas 106-107 (49-50 de *El rapto de la mente).*

[19] Cotarelo, *Iriarte y su época,* pág. 97, nota 3.

que se siente desgarrada entre su pasión por su príncipe moro y su amor por su hijo; porque no hay conflicto posible entre una pasión de intención tan malvada y esa extraña especie de afecto maternal que permite a la madre discutir sin horror ni indignación sobre la mejor manera de asesinar a su hijo. La psicología del hijo tampoco es nada interesante. Sus parlamentos son maduros y valientes hasta el ridículo, si es realmente tan joven e indefenso como el lector llega a creer juzgando por las palabras estudiadamente tiernas de doña Ava cuando habla de él; y don Gonzalo, el tutor de don Sancho, que siempre le acompaña, es una figura borrosa y muy poco memorable. El único personaje de la obra que es un poco atractivo, es Alek, ministro y confidente de Almanzor. Es como un antecedente de Ben-Beley o Nuño Núñez por sus consejos sabios y nada aduladores. Alek es también el único que parece estar realmente indignado ante el plan de asesinar a Sancho, pero es difícil que se centre el interés psicológico de una tragedia en el confidente del rey enemigo.

Almanzor rechaza la solución propuesta por doña Ava, que es la de encarcelar a su hijo de por vida. Sin embargo, el rey moro acepta más tarde el otro plan de la condesa de hacer servir al joven conde una copa de licor envenenado durante una fiesta que ella dirá haber organizado para celebrar el tratado de paz que se va a firmar con el moro en la víspera del retorno de éste a Córdoba. Por equivocación, el sirviente da el licor envenenado a la condesa, la cual, al darse cuenta del error, lejos de arrepentirse, anima a Sancho a beber lo que queda en la copa. Ante la negativa del hijo, en la furia de su frustración, ella apura la copa de veneno. Entonces sintiéndose algo más contrita, utiliza el último aliento que le queda para pronunciar algunas reflexiones morales muy sosas sobre el justo castigo del amor prohibido y la insensibilidad maternal. Para significar que la perdona, Sancho se arrodilla ante su madre y le besa la mano. Al ser revelado como el traidor y mentiroso que es, Almanzor se apuñala a sí mismo, antes que caer prisionero de los castellanos.

No hay en el *Don Sancho García* ningún héroe ni heroína trágica. La caída de doña Ava no se produce por un yerro disculpable o simple flaqueza, como requería la teoría aristotélica, aun cuando Cadalso medio intente explicar la conducta depravada y antimaternal de la condesa como algo que le fue «persuadido» por Almanzor (SG, 59). Tampoco se aprovecha aquí con resultado artístico ninguno de los otros preceptos de la poética clásica. La obra tiene esa clase de solución doble —se castiga a los malvados, y se premia a los virtuosos— que Aristóteles consideraba como característica de la comedia y las tragedias de segundo orden. El efecto producido es que no tienen cabida en la obra de Cadalso el terror y la compasión que se esperan de una tragedia. El logro de la unidad de acción en el *Don Sancho García* no fue difícil; porque prácticamente no hay acción (un crítico ha observado que la situación dramática sigue siendo exactamente la misma desde el primer acto hasta las muertes de doña Ava y Almanzor al final del quinto). Puesto que la obra carece de interés dramático y psicológico, las unidades de tiempo y lugar (que no eran difíciles de lograr merced a la falta de acción), ni sirven al fin de asegurar la verosimilitud ni ayudan a la caracterización subrayando la angustia de ningún personaje o su sensación de estar atrapado o presionado por los acontecimientos, como sucede en otra tragedia del tipo de la *Raquel* de Vicente García de la Huerta.

La observación que más frecuentemente se repite con relación al *Don Sancho García,* a saber, que sus endecasílabos pareados son monótonos, artificiales, de inspiración francesa y, por lo tanto, intolerables en el teatro español, es, paradójicamente, la única crítica injusta que se ha dirigido contra la tragedia de Cadalso. Es muy fácil encontrar cosas malas que decir del *Don Sancho García*, pero es casi igualmente fácil encontrar en la obra versos armoniosos, especialmente cuando Cadalso pone alguna de sus ideas favoritas sobre el patriotismo y las obligaciones del vasallo leal en boca de Alek o don Gonzalo. Además, los endecasílabos pareados se habían usado en ciertos pasajes de las obras de Lope de Vega, Alarcón y Moreto [20]. Pese a las nociones vulgares y los juicios expresados en los manuales, los neoclásicos españoles casi siempre se esforzaban por armonizar sus obras tanto con la herencia española como con la tradición occidental en general. Esto es evidente por el frecuente uso en el teatro neoclásico de las formas métricas nacionales, como el romance de versos octosílabos y el romance heroico o real, esto es, el compuesto de versos endecasílabos; y quiero destacar que el uso de los endecasílabos pareados es sencillamente otro modo de guardar la tradición métrica nacional en la composición dramática (después de todo, los famosos versos pareados del teatro clásico francés son alejandrinos franceses de doce sílabas). Los críticos mal preparados han expresado tantos juicios falsos sobre el lugar que ocupan los versos pareados en la poesía dieciochesca, que es muy difícil apreciar su verdadero sentido histórico. Si Alcalá Galiano hubiese sabido un poco más de la historia de la literatura inglesa, por ejemplo, no se habría atrevido a llamar a Alexander Pope «un hombre de la escuela francesa» sencillamente por haber utilizado los versos

---

[20] Tomás Navarro, *Métrica española* (Nueva York, 1966), pág. 239. Por ejemplo, véase el análisis métrico de Lope de Vega, *El villano en su rincón*, ed. Alonso Zamora Vicente, «Clásicos Castellanos» (Madrid, 1963), págs. lxxii-lxxvi.

pareados[21]. Lo más increíble es que todavía en 1969, en un libro aparecido mientras la edición original del presente estudio ya estaba en prensa, un conocido hispanista norteamericano afirma que en el *Don Sancho García* Cadalso «trata de adaptar el verso alejandrino a la lengua española», de lo cual se deduce que tal crítico ignora que los versos de Cadalso son endecasílabos y que la lengua española tiene su propio alejandrino, aunque sea de catorce sílabas. (Otro aspecto en el que el *Don Sancho García* de Cadalso refleja los patrones de la tragedia neoclásica española más bien que los erróneos conceptos populares sobre el género, es que está basado en un tema español)[22].

Como *Los eruditos a la violeta,* la tragedia *Don Sancho García* también sirve para anunciar ciertos aspectos de las *Cartas marruecas.* He citado algunos pasajes de la tragedia en el capítulo VI, pero quedan otros varios aspectos que vale la pena mencionar. En algunos momentos la relación entre el inocente y joven conde cristiano, su sabio maestro don Gonzalo y el prudente moro Alek, sugiere la del trío Gazel, Ben-Beley y Nuño Núñez, excepto que las nacionalidades están invertidas. La manera que Alek tiene de condenar la ambición política interesada con «el acento severo» y «la dura voz» de la verdad (SG, 17-18) parece presagiar el tono del «crítico imparcial» que se encuentra en ciertos pasajes de las *Cartas marruecas.* Alek parece un precursor del *hombre de bien* cadalsiano, sobre todo cuando confiesa: «no aspiro más que a ser honrado» (SG, 30). Y, finalmente, esa otra característica tan cordial de Nuño —su inquebrantable devoción al rey— también se preludia en la profesión

---

21 Antonio Alcalá Galiano, *Historia de la literatura española, francesa, inglesa e italiana en el siglo XVIII* (Madrid, 1845), pág. 100.

22 Véase mi estudio «Contra los mitos antineoclásicos españoles», página 83 (págs. 33-34 de *El rapto de la mente).*

de principios monárquicos que hace Alek en la misma conversación con la condesa:

> Abomino a los hombres que se atreven
> a dar censura a quien obsequio deben.
> El Rey es como Dios, señora, atiende:
> Quien más lo estudia, menos lo comprende
> (SG, 30)

III. OBRAS MENORES PERDIDAS E INÉDITAS

Han desaparecido un número indeterminado de cartas y obras en verso; y además de las obras perdidas que he mencionado en otros capítulos, tales como la novela *Observaciones de un oficial holandés en el nuevamente descubierto reino de Feliztá,* Cadalso escribió o completó parcialmente otras varias, la mayoría de las cuales seguramente habrían figurado en la categoría de menores. *La linterna mágica,* que Cadalso no terminó, era un «papel» que «iba para el mismo término del de *Los eruditos a la violeta,* aunque un poco más alto de tono» (QC, 27). Tampoco se terminó nunca el ya mencionado *Compendio de arte poética* de Cadalso (loc. cit.). En una carta de 1777, según indiqué arriba, Cadalso revela que estaba trabajando en un libro titulado *Nuevo sistema de táctica, disciplina y economía para la caballería española* (OI, 313). Antes no he hecho más que aludir indirectamente a otras dos obras perdidas: 1) el *Carácter de los principales sujetos que he tratado con las anécdotas más notables de lo que me ha pasado con ellos,* que al parecer contenía semblanzas de veintitrés personas; y 2) su *Diario reservado,* ambas mencionadas en su autobiografía (AA, 134, 142, 143).

A diferencia de las obras que acabo de nombrar, los *Papeles de la campaña,* o *Diario crítico del sitio de Gibraltar,* como otras veces se los ha llamado, se conservan, pero no se han publicado hasta la fecha. La única copia conocida ocupa los folios 194 a 208 del mismo volumen manuscrito del que Ángel Ferrari editó las *Apuntaciones autobiográficas* de Cadalso. El señor Ferrari ha declarado que se propone donar este manuscrito a la biblioteca de la Real Academia de la Historia de Madrid, y ha expresado la esperanza de que esta corporación publique el resto de su contenido. El sitio de Gibraltar del que se trata es el que las fuerzas españolas iniciaron en junio de 1779; y fue precisamente en la reanudación de este sitio, que Cadalso describe, donde él cayó mortalmente herido.

Recientemente, entre unos manuscritos que compró a un librero madrileño, Guy Mercadier identificó una copia de mano ajena de otro inédito cadalsiano que antes se había creído perdido: Se titula *Defensa de la nación española contra la Carta persiana LXXVIII de Montesquieu.* Esta obra, que salió a luz mientras la edición norteamericana del presente libro estaba en prensa, parece estar aludida en la misma carta a Meléndez en la que Cadalso pormenoriza su escritos inéditos:

> 4. Notas a la Carta persiana n. 78 en que el señor presidente Montesquieu se sirve decir un montón de injurias a esta nación, sin conocerla. Éste es un manuscrito que haría fortuna imprimiéndose en un país en que hubiese algo de patriotismo, pero en España de nada bueno serviría y sí tal vez en perjuicio al autor; no tanto en el estado en que la conservo como en el total de donde se extractó este cuadernillo (QC, 26; y más fielmente reproducido en la página 343 del libro de Ximénez de Sandoval sobre Cadalso).

Para los datos bibliográficos relativos a la útil edición del profesor Mercadier, véase nuestra Bibliografía abajo.

CAPÍTULO VIII

LEYENDA, FÓSIL, «CUITADO ANIMAL» E INNOVADOR: EPÍLOGO

Ningún otro escritor español representa el *Zeitgeist* del llamado período prerromántico más completamente que Cadalso. En los géneros poéticos, Meléndez Valdés se acercó mucho más que Cadalso a los Esproncedas del siglo siguiente. Pero Cadalso, con su poesía, había mostrado el camino a Meléndez. Más aún: con las *Cartas marruecas* Cadalso fue también el precursor de los Larras, y con las *Noches lúgubres* fue en un aspecto u otro el antecesor de todos los otros escritores románticos; en efecto, con esta última obra sugirió una serie de posibilidades que ningún español del período romántico decimonónico llegó a realizar.

La figura que Cadalso cortó en la sociedad le revistió también de una personalidad pública muy parecida a la de los románticos posteriores. Las costumbres ordenadas de Meléndez y su sentido del deber hacia su mujer regañona, que era diez años mayor que él —«la más sardesca, cavilosa, pesada, impertinente, maliciosa, insufrible y corrumpente vieja que he conocido jamás»[1], según Moratín— difícilmente le habrían permitido proyectar una imagen romántica. Mas Cadalso era un lingüista consumado, un viajero mundial y un caballero elegante con una educación extranjera a quien el universo reservaba ya muy pocas sorpresas. Entró en la vida como heredero de una enorme fortuna marítima; y al despedirse de ella, estaba ahogado en deudas con el marqués de Castellanos, con Joaquín Oquendo, uno de los favoritos de Aranda, con cierta heredera, con la condesa-duquesa de Benavente (o su administrador Manuel Ascargorta) y con muchos otros (AA, 139). Era el niño mimado de la sociedad madrileña gracias a su atractivo, y era a la vez el terror de las damas gracias a su ingenio. Además de verse favorecido con relaciones más íntimas por algunas de las grandes señoras, era también el amante de la «famosa cómica [María] Ignacia Ibáñez, la mujer del mayor talento que yo he conocido y que tuvo la extravagancia de enamorarse de mí, cuando yo me hallaba desnudo, pobre y desgraciado», según su único comentario conocido sobre ella (AA, 132-133). Cadalso se enorgullecía de sus éxitos en la sociedad; pero como los Byrons, los Mussets y los Larras que vinieron después, la odiaba toda por el tedio que le causaba su ritual uniformidad. Se sentía desilusionado del hombre y al mismo tiempo se atrevía a esperar de la amistad los lazos más puros: «Y la amistad sagrada / hermane nuestros pechos, / como hermanan las musas / nuestros gustos y versos» (BAE, LXI, 274b). En fin, Cadalso fue un romántico tanto en su vida como en sus escritos; pero no porque hubiese una relación directa entre los sucesos de su vida y los que se describen en una obra como las *Noches lúgubres*.

---

[1] Leandro Fernández de Moratín, *Obras póstumas* (Madrid, 1867), II, 305.

En algunos aspectos, los críticos y lectores populares —incluso los enemigos de Cadalso— han evaluado su contribución al romanticismo español más exactamente que los eruditos. Por ejemplo, un tal José Yxart que escribió una breve introducción para una edición de *Obras escogidas* de Cadalso, publicada en Barcelona en 1885, acierta en conjunto en sus juicios sobre la importancia de las innovaciones de Cadalso en las *Noches lúgubres* (aunque demuestra mucha menos sensibilidad en su evaluación de la personalidad literaria total del soldado-escritor):

> Nos parece estar viendo en él [Cadalso] a uno de tantos precursores ignorados del romanticismo melenudo, que ya empezaba a correr por Europa sin que se llamara todavía así. Nos referimos al Cadalso autor de las *Noches lúgubres*. Sorprende, en efecto, ver cómo asoman debajo de la acicalada peluca del escritor a la francesa, las desgreñadas guedejas de un romántico del 37, que remueve los sepulcros, delirante y descompuesto, y se lamenta y gime entre cipreses y lechugas, en enfática prosa, con tales frases e imágenes como no usaron otras en nuestro siglo los románticos (pág. vi).

Aunque Yxart cae en el error habitual de suponer una relación directa entre la acción de las *Noches lúgubres* y los sucesos de la vida de Cadalso, es notable que haga mucho más hincapié en el estilo de la obra como elemento fundamental de su romanticismo. Incluso en las versiones más exageradas de la leyenda de Cadalso y María Ignacia, existe una parte de verdad; pues con ellas es como si se reconociera *alegóricamente* el vanguardismo del autor cuya obra las inspiró. Me refiero a exóticas invenciones como el cuento «Los amores de un poeta» (1893) de Dionisio-Javier de Nogales Delicado y Rendón de Sarmiento, en el que sólo se evita que el acongojado amante se pegue un tiro junto al lecho mortal de la actriz gracias a la intervención violenta del sacerdote y el médico que la asisten [2].

En las páginas de un representante moderno de la tradición crítica popular, hay un detalle *alegórico* que parece sugerir que él ha percibido el lazo orgánico que existe entre las obras neoclásicas de Cadalso y su otras obras románticas. Ramón Gómez de la Serna tiene un ensayo que ya por su título proclama la insostenible interpretación autobiográfica de las *Noches lúgubres* —«El primer romántico de España, Cadalso el desenterrador»—; pero resulta sugerente que en este artículo la sombría y romántica iglesia donde se supone que estaría enterrada María Ignacia se describa como si estuviese en plena vista de la Fonda de San Sebastián donde los poetas neoclásicos se reunían para conversar sobre sus versos:

> La Fonda de San Sebastián donde se reunían *aquellos neoclásicos en los que ya rebullía el romanticismo* daba sobre la plaza del Ángel, precisamente sobre el patio del cementerio de la iglesia en que estaba la tumba de la amada del poeta [3].

Unamuno, el gran romántico del catolicismo y del alma española, quien como parte de su búsqueda de la originalidad, hace sin embargo tal ostentación de despreciar a los románticos y el romanticismo («¿Quién es tu enemigo? El que es de tu oficio» dice el refrán), ha reconocido en cierto sentido su deuda con las *Cartas marruecas* desechándolas arrogantemente como fósil literario [4]. Después de todo, ¿era posible que Unamuno dejara del todo de simpatizar con el

---

[2] Dionisio Javier de Nogales Delicado y Rendón de Sarmiento, *Leyendas y relaciones* (Madrid, 1893), pág. 159.

[3] Gómez de la Serna, *Mi tía Carolina Coronado* (Buenos Aires, 1942), pág. 38.

[4] Unamuno, «Sobre la erudición y la crítica», *Ensayos* (Madrid, 1918), VI, 99.

modo personal cadalsiano de vivir el carácter conflictivo de España? ¿era posible que el Unamuno sondeador del «sentimiento trágico de la vida» rechazara del todo el concepto cadalsiano del «infeliz y cuitado animal llamado hombre» (CM, 190)?

Parece existir desde siempre la idea popular de Cadalso como romántico, y no es en modo alguno deseable desalojar esa impresión; porque sus escritos no son por cierto estoicos, como nos dicen algunos eruditos; ni tampoco una obra como las *Noches lúgubres* es meramente una curiosidad histórica, un ejemplo aislado de prerromanticismo sin lograr del todo, que no tenga un estilo o tono emocional que sea adecuado para los fines del autor, como nos dicen otros. Pero desde luego no es tampoco la veracidad histórica, ni son las lamentaciones delirantes, ni los cuervos, ni los cipreses (de hecho no creo que se mencionen en las *Noches lúgubres* ni cuervos ni cipreses) lo que hace que una obra sea romántica, como sin embargo continúa afirmando el grupo de eruditos que aceptan la conclusión popular. Como he dicho, la conclusión popular no es errónea. Mas sí lo son las premisas que se suelen proponer. En los capítulos anteriores he tratado de suministrar las premisas correctas.

Cadalso es romántico por una serie de razones. La más importante es que, como Goethe en Alemania y Chateaubriand en Francia, fue el primero de su país en escribir de acuerdo con la cosmología romántica, y lo que determina el romanticismo de una obra es la presencia en ella de tal cosmología, y no la de ningún tema, ningún rasgo episódico, ni ningún adorno estilístico concreto; pues estos últimos elementos varían de sentido conforme a la *Weltanschauung* de cada nueva época. El que Cadalso llegara al panteísmo egocéntrico y sintiera el dolor cósmico del romanticismo tan tempranamente en un país que al entrar en el siglo XVIII estaba muy atrasado con respecto a las otras grandes naciones europeas, no se puede explicar tampoco por la supuesta inclinación romántica de toda la literatura española. Aun cuando la literatura española se caracterizara por tal disposición, una disposición para algo no es lo mismo que la cosa en sí. Además, la cosmología romántica de Cadalso en su poesía y en las *Noches lúgubres* no es el producto de ninguna clase de *Volksgeist;* es del género internacional, de origen y evolución filosóficos (porque el romanticismo fue un movimiento muy cosmopolita a pesar de las apariencias de provincianismo que algunas aplicaciones suyas produjeron en todos los países); y el que Cadalso pasara desde el sensualismo a través de todas las fases del desarrollo ideológico romántico en sólo cinco o seis años, entre la época de su destierro en Aragón («Allí empecé a dedicarme a la poesía y compuse la mayor parte de las que publiqué bajo el título de *Ocios de mi juventud*» [AA, 126]) y la composición de las *Noches lúgubres,* es la medida de la brillantez de su logro. Después de todo, Cadalso realizó su evolución romántica para el mismo año en que Goethe publicó su *Werther;* y aunque las bases filosóficas de la cosmología romántica existían antes en Francia y desde 1761 Rousseau ofrecía a los lectores franceses un ejemplo parcialmente desarrollado con su *Nouvelle Héloïse,* Cadalso completó el ciclo evolutivo antes que ningún escritor francés. Tan sólo Inglaterra se anticipa a España en la consecución de un romanticismo moderno, de base filosófica, en oposición al perenne «romanticismo» de tipo popular y folklórico; y hasta podríamos preguntarnos si la misma literatura inglesa ofrece hacia 1774 alguna obra individual que sea tan uniformemente romántica como las *Noches lúgubres.* En cualquier caso, el lector recordará que Cadalso reconoce la primacía de los ingleses al hablar de sus *Noches lúgubres* como obra de ese género que debería leerse bajo el cielo «triste, opaco y caliginoso» de Londres.

El romanticismo de las *Cartas marruecas* es diferente en algunos aspectos. Quizás ni aun sea del todo apropiado aplicarles el término *romántico;* quizás al tratar de esta obra debiera haber dado preferencia a *integralismo hispánico,* término sin asociaciones cronológicas que expliqué arriba; pues por su modo de relacionar su propia persona con cualquier problema nacional que analice en las *Cartas marruecas,* Cadalso se parece a escritores anteriores como Quevedo. Por otra parte, el uso del adjetivo *romántico* en conexión con las *Cartas marruecas* parece justificarse por dos circunstancias importantes: 1) el estoicismo de Quevedo ha desaparecido, y 2) el egocentrismo del punto de vista de las *Cartas marruecas* es mucho más marcado que el de los tratados y ensayos críticos de autores españoles de épocas anteriores (lo cual se debe seguramente a la influencia de otras formas contemporáneas más característicamente románticas). La relación entre el yo de Cadalso y España en las *Cartas marruecas* es análoga a la existente entre su yo y la naturaleza en su poesía o en las *Noches lúgubres.* La realidad nacional se transforma en un gigantesco espejo que refleja los conflictos espirituales de Cadalso, al mismo tiempo que el espíritu del escritor también es como otro espejo más pequeño en el que se reflejan los problemas nacionales. Como efecto de esto, se produce el ya indicado paralelo entre el caos público y el «desarreglo» del estilo de las memorias de Nuño-Cadalso. Finalmente, las *Cartas marruecas* contienen antecedentes directos de las técnicas empleadas en los ensayos de Larra, y éstos todavía suelen clasificarse como románticos.

Hace un siglo Ticknor se adelantó a su tiempo al considerar las *Cartas marruecas* como «probablemente... no destinadas al olvido»[5]; mas desde hace aproximadamente cincuenta años, esta obra se considera como la obra maestra de Cadalso. En la medida en que la literatura es un documento humano, no hay duda de que las *Cartas marruecas* son su obra más importante. Sin embargo, históricamente, es decir, cuando se trata de esas obras que han anunciado un cambio total en la metafísica literaria y en la técnica y el contenido de la literatura, no cabe duda alguna de que la poesía de Cadalso y sus *Noches lúgubres,* consideradas juntas, son sus obras más significativas; y estéticamente, esto es, como obra cuyo valor estriba principalmente en el manejo de su técnica, las *Noches lúgubres* por sí solas son decididamente su más brillante creación (creo que los críticos llegarán ya pronto a valorar las *Noches lúgubres* tan altamente como las *Cartas marruecas,* o acaso aún más altamente). Mas, sea cual sea el mérito particular de cada una de sus obras, sería difícil exagerar la importancia general de Cadalso; pues antes de 1775 se anticipó a todas las innovaciones importantes que aparecieron en la literatura española hasta 1850.

---

[5] George Ticknor, *History of Spanish Literature,* 5.ª ed. americana (Boston, 1883), III, 358.

BIBLIOGRAFÍA

La siguiente bibliografía selecta se ha compilado con el propósito de guiar al lector general. He omitido: 1) ediciones agotadas y raras de las obras de Cadalso, así como ediciones populares que no son fácilmente asequibles; 2) varios libros, monografías y artículos —en español, italiano, francés, alemán e inglés— cuyas interpretaciones de la vida y obras de Cadalso han quedado totalmente invalidadas por las investigaciones recientes, y 3) estudios de naturaleza tan especializada o técnica, que no sirven para evaluar las técnicas literarias de Cadalso: e. g., estudios sobre reflejos de la teoría y las instituciones legales del siglo XVIII en sus obras. Lo omitido es tan anticuado o por otra razón tan inútil, que apenas tiene más interés para el especialista que para el lector general. Sin embargo, en nuestras notas a los capítulos precedentes, el lector encontrará datos bibliográficos referentes a algún trabajo antiguo dedicado a Cadalso, así como a algún estudio en el que se habla de él sólo por incidencia.

FUENTES PRIMARIAS

1) *Ediciones de las obras de Cadalso*

Las mejores o más completas ediciones ahora asequibles son las que se han consultado en la preparación de este libro. Quedan enumeradas en la clave de las siglas que sigue a los prefacios, y remito al lector a esa lista. Otras ediciones aceptables y asequibles, o simplemente asequibles, son:

Cartas marruecas, ed. Juan Antonio Tamayo, «Clásicos Castellanos» (Madrid, Espasa-Calpe, 1935). Texto aceptable aunque inferior al de Glendinning; introducción legible pero anticuada; anotación superficial e incompleta.

Cartas marruecas, «Colección Austral» (Buenos Aires, Espasa-Calpe, 1952). El mismo texto que en la edición precedente; no hay introducción ni notas.

Cartas marruecas, ed. Juan Antonio Tamayo, «Clásicos Ebro» (Zaragoza, 1953). Abreviación del texto de Tamayo de 1935; introducción más general y básica pero todavía anticuada; se añaden algunas notas léxicas nuevas.

Cartas marruecas, ed. Ángeles Cardona y Enrique Rodríguez Vilanova, «Libro Clásico» (Barcelona, Bruguera, 1967). El mismo texto que en las ediciones de Tamayo; introducción menos anticuada pero superficial; anotación muy limitada.

Defensa de la nación española contra la «Carta persiana LXXVIII» de Montesquieu, ed. Guy Mercadier, «Études et Documents» (Toulouse, France-Ibérie Recherche, 1970). Este interesante documento de cuarenta y tres páginas, publicado ahora por primera vez, contiene interesantes ilustraciones de algunas de las interpretaciones que yo he sugerido en el presente estudio.

Los eruditos a la violeta, ed. Nigel Glendinning, «Biblioteca Anaya» (Salamanca, Anaya, 1967). Texto de la edición de 1772, pero no contiene sino la mitad del *Suplemento.* Falta, además, la *Junta de eruditos a la violeta en casa de don Santos Celis;* y tampoco se incluye *El buen militar a la violeta.* La breve introducción da una orientación histórica adecuada para la comprensión de la obra; son suficientes las notas para las partes del texto que se reproducen.

Los eruditos a la violeta, ed. José Luis Aguirre, «Biblioteca de Iniciación Hispánica» (Madrid, Aguilar, 1967). El texto contiene todas las continuaciones de Cadalso, incluso *El buen militar a la violeta;* pero no la *Junta de eruditos a la violeta* de Manuel Santos Rubín de Celis; introducción superficial y caótica; notas de escasa utilidad.

Noches lúgubres, ed. Edith F. Helman, «El Viento Sur» (Santander-Madrid, Antonio Zúñiga, 1951). Texto superior en ciertos pasajes al de Glendinning; la introducción representa la más sensible de las interpretaciones basadas en el concepto autobiográfico de la obra; tratamiento erudito de las fuentes e historia del texto; el apéndice contiene el texto de la «conclusión» de la tercera *Noche* y el de la también anónima *Noche* cuarta. Esta excelente edición se ha reimpreso en la colección «Temas de España» (Madrid, Taurus, 1968).

Noches lúgubres, ed. Joaquín Arce, «Biblioteca Anaya» (Salamanca, 1970). La juiciosa introducción, la bibliografía y las notas resuelven los problemas básicos de orientación histórica y comprensión textual que puede encontrar el lector general. Texto muy cuidado.

Poesías [*Ocios de mi juventud*], ed. Antonio Jiménez-Landi, «Colección Cisneros» (Madrid, Atlas, 1943). Poemas ordenados como en las ediciones del siglo XVIII, excepto que aquellos que se publicaron por primera vez en épocas posteriores se hallan interpolados o añadidos al final sin seguirse al parecer ningún criterio muy claro; prólogo sin valor; no hay notas. El volumen contiene también las *Noches lúgubres.*

FUENTES SECUNDARIAS

1) *Libros sobre Cadalso*

Bremer, Klaus-Jürgen, *Montesquieus «Lettres persanes» und Cadalsos «Cartas marruecas»: Eine Gegenüberstellung von zwei pseudo-orientalischen Briefsatiren,* BNL, Dritte Folge, Band 15 (Heidelberg, Carl Winter Universitätsverlag, 1971). Lo más sólido de esta tesis doctoral es su muy completa comparación temática de las obras de Montesquieu y Cadalso.

Glendinning, Nigel, *Vida y obra de Cadalso,* «Biblioteca Románica Hispánica» (Madrid, Gredos, 1962). La sección biográfica es la mejor, pero las otras contienen valiosa información documental relativa a las obras. Las notas contienen abundantes datos bibliográficos.

Hughes, John B., *José Cadalso y las «Cartas marruecas»* (Madrid, Tecnos, 1969). Contiene los dos artículos de H. descritos abajo; los capítulos restantes también tratan exclusivamente de las *Cartas marruecas.*

Lope, Hans-Joachin, *Die «Cartas marruecas» von José Cadalso. Eine Untersuchung zur spanischen Literatur des XVIII. Jahrhunderts,* Analecta Romanica Heft 35 (Frankfurt am Main, Vittorio Klostermann, 1973). Pese a su subtítulo muy general, esta *Habilitationsschrift* está dedicada exclusivamente a las *Cartas marruecas.* Está dividida en cuatro partes en las que L. se ocupa respectivamente de los antecedentes de la obra, de ésta como análisis de la realidad diociochesca, de sus dimensiones históricas y críticas y de su estructura literaria.

Lunardi, Ernesto, *La crisi del settecento: José Cadalso,* «Romania», Studi di Filologia Neolatina (Génova, 1948). Demuestra sensibilidad para la originalidad de Cadalso, pero contribuye poco a aclarar los orígenes de su romanticismo o la naturaleza y uso de sus técnicas románticas.

Ximénez de Sandoval, Felipe, *Cadalso. Vida y muerte de un poeta soldado* (Madrid, Editora Nacional, 1967). Una biografía fundamentalmente novelística, no erudita, con digresiones sobre los escritos de Cadalso. En el apéndice se reproducen las «Quince cartas inéditas» que X. publicó antes en *Hispanófila.*

2) *Ensayos y artículos sobre Cadalso*

Azorín, «Cadalso», *Lecturas españolas* [ed. príncipe, 1912], «Colección Austral» (Buenos Aires, Espasa-Calpe, 1941), págs. 59-63. Véanse mis comentarios sobre éste y el próximo ensayo en el capítulo VI arriba.

—, «Prólogo» a Cadalso, *Cartas marruecas* (Madrid, Calleja, 1917), páginas 7-13.

Baquero Goyanes, Mariano, «Perspectivismo y crítica en Cadalso, Larra y Mesonero Romanos», *Perspectivismo y contraste (De Cadalso a Pérez de Ayala)*, «Campo Abierto» (Madrid, Gredos, 1963), páginas 11-41. Un interesante análisis de puntos de vista contrastados como técnica crítica.

Blanco Aguinaga, Carlos, «Cadalso en su siglo», *Nuestra década*, t. II de las Publicaciones de la *Revista de la Universidad de México* (México, 1964), págs. 473-477. Un artículo sugerente en el que el autor subraya los anticipos de la «problemática española moderna» contenidos en las *Cartas marruecas*. B. A. ha visto claramente alguna de las contradicciones fundamentales del carácter de Nuño-Cadalso, pero al analizarlas hace quizá demasiado hincapié en el ideal de la vida retirada.

Cox, R. Merritt, «A New 'Novel' by Cadalso», *Hispanic Review*, XLI (1973), 655-668. Un agudo análisis temático y estilístico del elemento de novela epistolar sentimental dieciochesca contenido en el poema cadalsiano *Carta de Florinda a su padre el conde don Julián, después de su desgracia*, así como del romanticismo del mismo poema.

Glendinning, Nigel, «Cadalso, López de la Huerta y 'Ortelio'», *Revista de Literatura*, XXXIII (1968), 85-92. Un nuevo intento de identificar al «Ortelio» mencionado en varias obras de Cadalso (véase también el trabajo de G. citado en la nota 12 al cap. IV, arriba). G. cree ahora que «Ortelio» era José López de la Huerta, autor de un conocido *Examen de la posibilidad de fijar... los sinónimos en la lengua castellana* (Viena, 1789; Madrid, 1799). G. ve ciertas relaciones entre el *Examen* y el «diccionario de Nuño», sobre todo en el caso de varias ideas semejantes sobre la fortuna, el patriotismo y la crítica.

——, «Cartas inéditas de Cadalso a un P. jesuita», *Boletín de la Biblioteca Menéndez Pelayo*, XLII (1966), 97-116. Cartas de 1760 de Cadalso a uno de sus profesores del Real Seminario de Nobles; algunas, escritas en inglés y francés, demuestran su notable dominio de ambos idiomas. G., que interpreta el tono azucarado, sin duda intencionado, de estas cartas como el de un discípulo pío, dócil y sumiso de los jesuitas, no había visto aún la autobiografía de Cadalso en la que éste confiesa que fingía la piedad y una vocación religiosa como astucia para conseguir que su padre le sacase del Seminario. Como apéndice se reproducen las cuentas de los gastos personales de Cadalso durante los años 1758-1760.

—, «New Light on the Circulation of Cadalso's *Cartas marruecas* before its First Printing», *Hispanic Review,* XXVIII (1960), 136-149. Un interesante estudio de cómo las *Cartas* influyeron en otros escritores a través de copias manuscritas, antes de que se autorizara su impresión.

—, «New Light on the Text and Ideas of Cadalso's *Noches lúgubres*», *Modern Language Review,* LV (1960), 537-542. Una demostración convincente de la superioridad textual del manuscrito de las *Noches* que pertenece al British Museum, en el cual el autor basó más tarde su edición.

—, «Structure in the *Cartas marruecas* of Cadalso», *The Varied Pattern: Studies in the Eighteenth Century,* ed. Peter Hughes & David Williams (Toronto, A. M. Hakkert, 1971), págs. 51-76. Un examen de la estructura de la obra en la medida en que ésta se determina por influjos como los problemas de su composición física y la censura, el juego entre los valores absolutos y relativos, el juego entre el optimismo y el pesimismo, la tradición literaria de los géneros críticos en España y Europa, la tensión interna, etc.

—, «The Traditional Story of 'La difunta pleiteada', Cadalso's *Noches lúgubres,* and the Romantics», *Bulletin of Hispanic Studies,* XXXVIII (1961), 206-215, Prueba concluyentemente que el argumento de las *Noches* tiene orígenes folklóricos, pero la suposición del autor de que esto hace que la obra no sea romántica, no se sigue como consecuencia lógica.

Gómez del Prado, Carlos, «José Cadalso, las *Noches lúgubres* y el determinismo literario», *Kentucky Foreign Language Quarterly,* XIII (1966), 209-219. El autor tiene una noción confusa del determinismo y no prueba su tesis.

Helman, Edith F., «*Caprichos* and *monstruos* of Cadalso and Goya», *Hispanic Review,* XXVI (1958), 200-222. Un estudio rico y fascinante de cómo se han influido los *Caprichos* de Goya por las ideas, palabras e imágenes de Cadalso, así como por su actitud ante la realidad. Véase también Edith F. Helman, *Trasmundo de Goya* (Madrid, Revista de Occidente, 1963), passim.

—, «The First Printing of Cadalso's *Noches lúgubres*», *Hispanic Review,* XVIII (1950), 126-134. Un artículo muy informativo sobre el descubrimiento por H. del primer texto impreso de las *Noches,* en el *Correo de Madrid,* en el cual ella basó luego su edición.

——, «A Note on an Immediate Source of Cadalso's *Noches lúgubres*», *Hispanic Review,* XXV (1957), 122-125. La primera y muy convincente demostración de la influencia de *L'Éclipse de lune* de Mercier sobre Cadalso.

Hughes, John B., «Las *Cartas marruecas* y la *España defendida,* perfil de dos visiones de España», *Cuadernos americanos,* marzo-abril 1958, págs. 139-153. Un sugestivo estudio contrastado sobre Cadalso y Quevedo.

——, «Dimensiones estéticas de las *Cartas marruecas*», *Nueva Revista de Filología Hispánica,* X (1956), 194-202. Un excelente estudio del elemento trágico de las *Cartas* y del elemento novelístico de la carta VII en particular.

Maravall, José Antonio, «De la Ilustración al Romanticismo: El pensamiento político de Cadalso», *Mélanges à la mémoire de Jean Sarrailh* (París, 1966), II, 81-96. Una demostración convincente de la influencia de Cadalso sobre los conceptos románticos del nacionalismo y el patriotismo.

Marichal, Juan, «Cadalso: el estilo de un 'hombre de bien'», *La voluntad de estilo* (Barcelona, 1957), págs. 185-197 (publicado por primera vez en *Papeles de Son Armadans,* marzo 1957). Un estudio perspicaz de la esperanza de Cadalso de usar las palabras como puentes de comprensión para la solución de los problemas españoles.

Montesinos, José F., «Cadalso o la noche cerrada», *Cruz y Raya,* abril, 1934, págs. 43-67. El primer estudio moderno del arte de Cadalso en las *Noches.* Ahora anticuado en muchos aspectos, contiene sin embargo ciertos pasajes muy sugestivos.

Ramírez Araujo, Alejandro, «El cervantismo de Cadalso», *Romanic Review,* XLIII (1952), 256-265. Un análisis bien documentado de la influencia de Cervantes sobre Cadalso.

Reding, Katherine, «A Study of the Influence of Oliver Goldsmith's *Citizen of the World* upon the *Cartas marruecas* of José Cadalso», *Hispanic Review,* II (1934), 226-234. Una de las primeras investigaciones de la influencia de la literatura inglesa sobre los escritores españoles durante el siglo XVIII; el único de los antiguos estudios de fuentes que todavía tiene valor.

Saint-Lu, André, «Cadalso et Santiago: Notes à la *Carta marrueca* LXXXVII» *Mélanges à la mémoire de Jean Sarrailh* (París, 1966), II, 313-324. Un examen no muy luminoso del escepticismo religioso de Cadalso y de cómo él enfoca el problema de la superstición religiosa.

Wardropper, Bruce W., «Cadalso's *Noches lúgubres* and Literary Tradition», *Studies in Philology,* XLIX (1952), 619-630. En conjunto un estudio muy sugestivo de la influencia de los escritores del Siglo de Oro sobre Cadalso, aunque algunos de los elementos que Wardropper adscribe a tales escritores tienen desde luego otras fuentes igualmente plausibles.

ÍNDICE ANALÍTICO

ÍNDICE GENERAL

Págs.

BIBLIOTECA ROMÁNICA HISPÁNICA

Dirigida por: DÁMASO ALONSO

I. TRATADOS Y MONOGRAFÍAS

1. Walther von Wartburg: *La fragmentación lingüística de la Romania.* Segunda edición aumentada. 208 págs. 17 mapas.
2. René Wellek y Austin Warren: *Teoría literaria.* Con un prólogo de Dámaso Alonso. Cuarta edición. Reimpresión. 432 págs.
3. Wolfgang Kayser: *Interpretación y análisis de la obra literaria.* Cuarta edición revisada. Reimpresión. 594 págs.
4. E. Allison Peers: *Historia del movimiento romántico español.* Segunda edición. Reimpresión. 2 vols.
5. Amado Alonso: *De la pronunciación medieval a la moderna en español.* 2 vols.
6. Helmut Hatzfeld: *Bibliografía crítica de la nueva estilística aplicada a las literaturas románicas.* Segunda edición, en prensa.
9. René Wellek: *Historia de la crítica moderna (1750-1950).* 3 vols. Volumen IV, en prensa.
10. Kurt Baldinger: *La formación de los dominios lingüísticos en la Península Ibérica.* Segunda edición corregida y muy aumentada. 496 págs. 23 mapas.
11. S. Griswold Morley y Courtney Bruerton: *Cronología de las comedias de Lope de Vega.* 694 págs.
12. Antonio Martí: *La preceptiva retórica española en el Siglo de Oro.* Premio Nacional de Literatura. 346 págs.
13. Vítor Manuel de Aguiar e Silva: *Teoría de la literatura.* 550 págs.
14. Hans Hörmann: *Psicología del lenguaje.* 496 págs.

II. ESTUDIOS Y ENSAYOS

1. Dámaso Alonso: *Poesía española (Ensayo de métodos y límites estilísticos).* Quinta edición. Reimpresión. 672 págs. 2 láminas.
2. Amado Alonso: *Estudios lingüísticos (Temas españoles).* Tercera edición. Reimpresión. 286 págs.
3. Dámaso Alonso y Carlos Bousoño: *Seis calas en la expresión literaria española* (*Prosa - Poesía - Teatro*). Cuarta edición. 446 págs.
4. Vicente García de Diego: *Lecciones de lingüística española (Conferencias pronunciadas en el Ateneo de Madrid).* Tercera edición. Reimpresión. 234 págs.

5. Joaquín Casalduero: *Vida y obra de Galdós (1843-1920)*. Cuarta edición ampliada. 312 págs.
6. Dámaso Alonso: *Poetas españoles contemporáneos*. Tercera edición aumentada. Reimpresión. 424 págs.
7. Carlos Bousoño: *Teoría de la expresión poética*. Premio «Fastenrath». Quinta edición muy aumentada. Versión definitiva. 2 vols.
9. Ramón Menéndez Pidal: *Toponimia prerrománica hispana*. Reimpresión. 314 págs. 3 mapas.
10. Carlos Clavería: *Temas de Unamuno*. Segunda edición. 168 págs.
11. Luis Alberto Sánchez: *Proceso y contenido de la novela hispanoamericana*. Segunda edición corregida y aumentada. 630 págs.
12. Amado Alonso: *Estudios lingüísticos (Temas hispanoamericanos)*. Tercera edición. 360 págs.
16. Helmut Hatzfeld: *Estudios literarios sobre mística española*. Segunda edición corregida y aumentada. 424 págs.
17. Amado Alonso: *Materia y forma en poesía*. Tercera edición. Reimpresión. 402 págs.
18. Dámaso Alonso: *Estudios y ensayos gongorinos*. Tercera edición. 602 págs. 15 láminas.
19. Leo Spitzer: *Lingüística e historia literaria*. Segunda edición. Reimpresión. 308 págs.
20. Alonso Zamora Vicente: *Las sonatas de Valle Inclán*. Segunda edición. Reimpresión. 190 págs.
21. Ramón de Zubiría: *La poesía de Antonio Machado*. Tercera edición. Reimpresión. 268 págs.
24. Vicente Gaos: *La poética de Campoamor*. Segunda edición corregida y aumentada, con un apéndice sobre la poesía de Campoamor. 234 págs.
27. Carlos Bousoño: *La poesía de Vicente Aleixandre*. Segunda edición corregida y aumentada. 486 págs.
28. Gonzalo Sobejano: *El epíteto en la lírica española*. Segunda edición revisada. 452 págs.
31. Graciela Palau de Nemes: *Vida y obra de Juan Ramón Jiménez* (*La poesía desnuda*). Segunda edición completamente renovada. 2 vols.
34. Eugenio Asensio: *Poética y realidad en el cancionero peninsular de la Edad Media*. Segunda edición aumentada. 308 págs.
36. José Luis Varela: *Poesía y restauración cultural de Galicia en el siglo XIX*. 304 págs.
39. José Pedro Díaz: *Gustavo Adolfo Bécquer (Vida y poesía)*. Tercera edición corregida y aumentada. 514 págs.
40. Emilio Carilla: *El Romanticismo en la América hispánica*. Segunda edición revisada y ampliada. 2 vols.

41. Eugenio G. de Nora: *La novela española contemporánea (1898-1967)*. Premio de la Crítica. Reimpresión. 3 vols.

42. Christoph Eich: *Federico García Lorca, poeta de la intensidad*. Segunda edición revisada. 206 págs.

43. Oreste Macrí: *Fernando de Herrera*. Segunda edición corregida y aumentada. 696 págs.

44. Marcial José Bayo: *Virgilio y la pastoral española del Renacimiento (1480-1550)*. Segunda edición. 290 págs.

45. Dámaso Alonso: *Dos españoles del Siglo de Oro*. Reimpresión. 258 págs.

46. Manuel Criado de Val: *Teoría de Castilla la Nueva (La dualidad castellana en la lengua, la literatura y la historia)*. Segunda edición ampliada. 400 págs. 8 mapas.

47. Ivan A. Schulman: *Símbolo y color en la obra de José Martí*. Segunda edición. 498 págs.

49. Joaquín Casalduero: *Espronceda*. Segunda edición. 280 págs.

51. Frank Pierce: *La poesía épica del Siglo de Oro*. Segunda edición revisada y aumentada. 396 págs.

52. E. Correa Calderón: *Baltasar Gracián. Su vida y su obra*. Segunda edición aumentada. 426 págs.

53. Sofía Martín-Gamero: *La enseñanza del inglés en España (Desde la Edad Media hasta el siglo XIX)*. 274 págs.

54. Joaquín Casalduero: *Estudios sobre el teatro español*. Tercera edición aumentada. 324 págs.

55. Nigel Glendinning: *Vida y obra de Cadalso*. 240 págs.

57. Joaquín Casalduero: *Sentido y forma de las «Novelas ejemplares»*. Segunda edición corregida. 272 págs.

58. Sanford Shepard: *El Pinciano y las teorías literarias del Siglo de Oro*. Segunda edición aumentada. 210 págs.

60. Joaquín Casalduero: *Estudios de literatura española*. Tercera edición aumentada. 478 págs.

61. Eugenio Coseriu: *Teoría del lenguaje y lingüística general (Cinco estudios)*. Tercera edición revisada y corregida. 330 págs.

62. Aurelio Miró Quesada S.: *El primer virrey-poeta en América (Don Juan de Mendoza y Luna, marqués de Montesclaros)*. 274 págs.

63. Gustavo Correa: *El simbolismo religioso en las novelas de Pérez Galdós*. Reimpresión, 278 págs.

64. Rafael de Balbín: *Sistema de rítmica castellana*. Premio «Francisco Franco» del C. S. I. C. Segunda edición aumentada. 402 páginas.

65. Paul Ilie: *La novelística de Camilo José Cela.* Con un prólogo de Julián Marías. Segunda edición. 242 págs.

67. Juan Cano Ballesta: *La poesía de Miguel Hernández.* Segunda edición aumentada. 356 págs.

69. Gloria Videla: *El ultraísmo.* Segunda edición. 246 págs.

70. Hans Hinterhäuser: *Los «Episodios Nacionales» de Benito Pérez Galdós.* 398 págs.

71. Javier Herrero: *Fernán Caballero: un nuevo planteamiento.* 346 páginas.

72. Werner Beinhauer: *El español coloquial.* Con un prólogo de Dámaso Alonso. Segunda edición corregida, aumentada y actualizada. Reimpresión. 460 págs.

73. Helmut Hatzfeld: *Estudios sobre el barroco.* Tercera edición aumentada. 562 págs.

74. Vicente Ramos: *El mundo de Gabriel Miró.* Segunda edición corregida y aumentada. 526 págs.

75. Manuel García Blanco: *América y Unamuno.* 434 págs. 2 láminas.

76. Ricardo Gullón: *Autobiografías de Unamuno.* 390 págs.

77. Marcel Bataillon: *Varia lección de clásicos españoles.* 444 págs. 5 láminas.

80. José Antonio Maravall: *El mundo social de «La Celestina».* Premio de los Escritores Europeos. Tercera edición revisada. 188 págs.

81. Joaquín Artiles: *Los recursos literarios de Berceo.* Segunda edición corregida. 272 págs.

82. Eugenio Asensio: *Itinerario del entremés desde Lope de Rueda a Quiñones de Benavente (Con cinco entremeses inéditos de Don Francisco de Quevedo).* Segunda edición revisada. 374 págs.

83. Carlos Feal Deibe: *La poesía de Pedro Salinas.* Segunda edición. 270 págs.

84. Carmelo Gariano: *Análisis estilístico de los «Milagros de Nuestra Señora» de Berceo.* Segunda edición corregida. 236 págs.

85. Guillermo Díaz-Plaja: *Las estéticas de Valle-Inclán.* Reimpresión. 298 págs.

86. Walter T. Pattison: *El naturalismo español (Historia externa de un movimiento literario).* Reimpresión. 192 págs.

88. Javier Herrero: *Angel Ganivet: un iluminado.* 346 págs.

89. Emilio Lorenzo: *El español de hoy, lengua en ebullición.* Con un prólogo de Dámaso Alonso. Segunda edición actualizada y aumentada. 240 págs.

90. Emilia de Zuleta: *Historia de la crítica española contemporánea.* Segunda edición notablemente aumentada. 482 págs.

91. Michael P. Predmore: *La obra en prosa de Juan Ramón Jiménez.* Segunda edición, en prensa.
92. Bruno Snell: *La estructura del lenguaje.* Reimpresión. 218 págs.
93. Antonio Serrano de Haro: *Personalidad y destino de Jorge Manrique* Segunda edición, en prensa.
94. Ricardo Gullón: *Galdós, novelista moderno.* Tercera edición revisada y aumentada. 374 págs.
95. Joaquín Casalduero: *Sentido y forma del teatro de Cervantes.* Reimpresión. 288 págs.
96. Antonio Risco: *La estética de Valle-Inclán en los esperpentos y en «El Ruedo Ibérico».* 278 págs.
97. Joseph Szertics: *Tiempo y verbo en el romancero viejo.* Segunda edición. 208 págs.
98. Miguel Batllori, S. I.: *La cultura hispano-italiana de los jesuitas expulsos.* 698 págs.
99. Emilio Carilla: *Una etapa decisiva de Darío (Rubén Darío en la Argentina).* 200 págs.
100. Miguel Jaroslaw Flys: *La poesía existencial de Dámaso Alonso.* 344 págs.
101. Edmund de Chasca: *El arte juglaresco en el «Cantar de Mío Cid».* Segunda edición aumentada. 418 págs.
102. Gonzalo Sobejano: *Nietzsche en España.* 688 págs.
103. José Agustín Balseiro: *Seis estudios sobre Rubén Darío.* 146 págs.
104. Rafael Lapesa: *De la Edad Media a nuestros días (Estudios de historia literaria).* Reimpresión. 310 págs.
105. Giuseppe Carlo Rossi: *Estudios sobre las letras en el siglo XVIII.* 336 págs.
106. Aurora de Albornoz: *La presencia de Miguel de Unamuno en Antonio Machado.* 374 págs.
107. Carmelo Gariano: *El mundo poético de Juan Ruiz.* 262 págs.
108. Paul Génichou: *Creación poética en el romancero tradicional.* 190 páginas.
109. Donald F. Fogelquist: *Españoles de América y americanos de España.* 348 págs.
110. Bernard Pottier: *Lingüística moderna y filología hispánica.* Reimpresión. 246 págs.
111. Josse de Kock: *Introducción al Cancionero de Miguel de Unamuno.* 198 págs.
112. Jaime Alazraki: *La prosa narrativa de Jorge Luis Borges (Temas-Estilo).* Segunda edición, en prensa.

114. Concha Zardoya: *Poesía española del siglo XX (Estudios temáticos y estilísticos).* Segunda edición muy aumentada. 4 vols.

115. Harald Weinrich: *Estructura y función de los tiempos en el lenguaje.* 430 págs.

116. Antonio Regalado García: *El siervo y el señor (La dialéctica agónica de Miguel de Unamuno).* 220 págs.

117. Sergio Beser: *Leopoldo Alas, crítico literario.* 372 págs.

118. Manuel Bermejo Marcos: *Don Juan Valera, crítico literario.* 256 páginas.

119. Solita Salinas de Marichal: *El mundo poético de Rafael Alberti.* 272 págs.

120. Óscar Tacca: *La historia literaria.* 204 págs.

121. *Estudios críticos sobre el modernismo.* Introducción, selección y bibliografía general por Homero Castillo. Reimpresión. 416 págs.

122. Oreste Macrí: *Ensayo de métrica sintagmática (Ejemplos del «Libro de Buen Amor» y del «Laberinto» de Juan de Mena).* 296 páginas.

123. Alonso Zamora Vicente: *La realidad esperpéntica (Aproximación a «Luces de bohemia»).* Premio Nacional de Literatura. Segunda edición ampliada. 220 págs.

124. Cesáreo Bandera Gómez: *El «Poema de Mio Cid»: Poesía, historia, mito.* 192 págs.

125. Helen Dill Goode: *La prosa retórica de Fray Luis de León en «Los nombres de Cristo».* 186 págs.

126. Otis H. Green: *España y la tradición occidental (El espíritu castellano en la literatura desde «El Cid» hasta Calderón).* 4 vols.

127. Ivan A. Schulman y Manuel Pedro González: *Martí, Darío y el modernismo.* Con un prólogo de Cintio Vitier. Reimpresión. 268 págs.

128. Alma de Zubizarreta: *Pedro Salinas: el diálogo creador.* Con un prólogo de Jorge Guillén. 424 págs.

129. Guillermo Fernández-Shaw: *Un poeta de transición. Vida y obra de Carlos Fernández Shaw (1865-1911).* X + 330 págs. 1 lámina.

130. Eduardo Camacho Guizado: *La elegía funeral en la poesía española.* 424 págs.

131. Antonio Sánchez Romeralo: *El villancico (Estudios sobre la lírica popular en los siglos XV y XVI).* 624 págs.

132. Luis Rosales: *Pasión y muerte del Conde de Villamediana.* 252 páginas.

133. Othón Arróniz: *La influencia italiana en el nacimiento de la comedia española.* 340 págs.

134. Diego Catalán: *Siete siglos de romancero (Historia y poesía).* 224 páginas.

135. Noam Chomsky: *Lingüística cartesiana (Un capítulo de la historia del pensamiento racionalista).* Reimpresión. 160 págs.

136. Charles E. Kany: *Sintaxis hispanoamericana.* 552 págs.

137. Manuel Alvar: *Estructuralismo, geografía lingüística y dialectología actual.* Segunda edición ampliada. 266 págs.

138. Erich von Richthofen: *Nuevos estudios épicos medievales.* 294 páginas.

139. Ricardo Gullón: *Una poética para Antonio Machado.* 270 págs.

140. Jean Cohen: *Estructura del lenguaje poético.* Reimpresión. 228 páginas.

141. Leon Livingstone: *Tema y forma en las novelas de Azorín.* 242 páginas.

142. Diego Catalán: *Por campos del romancero (Estudios sobre la tradición oral moderna).* 310 págs.

143. María Luisa López: *Problemas y métodos en el análisis de preposiciones.* Reimpresión. 224 págs.

144. Gustavo Correa: *La poesía mítica de Federico García Lorca.* 250 páginas.

145. Robert B. Tate: *Ensayos sobre la historiografía peninsular del siglo XV.* 360 págs.

146. Carlos García Barrón: *La obra crítica y literaria de Don Antonio Alcalá Galiano.* 250 págs.

147. Emilio Alarcos Llorach: *Estudios de gramática funcional del español.* Reimpresión. 260 págs.

148. Rubén Benítez: *Bécquer tradicionalista.* 354 págs.

149. Guillermo Araya: *Claves filológicas para la comprensión de Ortega.* 250 págs.

150. André Martinet: *El lenguaje desde el punto de vista funcional.* 218 págs.

151. Estelle Irizarry: *Teoría y creación literaria en Francisco Ayala.* 274 págs.

152. Georges Mounin: *Los problemas teóricos de la traducción.* 338 páginas.

153. Marcelino C. Peñuelas: *La obra narrativa de Ramón J. Sender.* 294 págs.

154. Manuel Alvar: *Estudios y ensayos de literatura contemporánea.* 410 págs.

155. Louis Hjelmslev: *Prolegómenos a una teoría del lenguaje.* Segunda edición. 198 págs.

156. Emilia de Zuleta: *Cinco poetas españoles (Salinas, Guillén, Lorca, Alberti, Cernuda).* 484 págs.

157. María del Rosario Fernández Alonso: *Una visión de la muerte en la lírica española.* Premio Rivadeneira. Premio nacional uruguayo de ensayo. 450 págs. 5 láminas.
158. Ángel Rosenblat: *La lengua del «Quijote».* 380 págs.
159. Leo Pollmann: *La «Nueva Novela» en Francia y en Iberoamérica.* 380 págs.
160. José María Capote Benot: *El período sevillano de Luis Cernuda.* Con un prólogo de F. López Estrada. 172 págs.
161. Julio García Morejón: *Unamuno y Portugal.* Con un prólogo de Dámaso Alonso. Segunda edición corregida y aumentada. 580 páginas.
162. Geoffrey Ribbans: *Niebla y soledad (Aspectos de Unamuno y Machado).* 332 págs.
163. Kenneth R. Scholberg: *Sátira e invectiva en la España medieval.* 376 págs.
164. Alexander A. Parker: *Los pícaros en la literatura (La novela picaresca en España y Europa. 1599-1753).* 220 págs. 11 láminas.
165. Eva Marja Rudat: *Las ideas estéticas de Esteban de Arteaga (Orígenes, significado y actualidad).* 340 págs.
166. Ángel San Miguel: *Sentido y estructura del «Guzmán de Alfarache» de Mateo Alemán.* Con un prólogo de Franz Rauhut. 312 páginas.
167. Francisco Marcos Marín: *Poesía narrativa árabe y épica hispánica.* 388 págs.
168. Juan Cano Ballesta: *La poesía española entre pureza y revolución (1930-1936).* 284 págs.
169. Joan Corominas: *Tópica hespérica (Estudios sobre los antiguos dialectos, el substrato y la toponimia romances).* 2 vols.
170. Andrés Amorós: *La novela intelectual de Ramón Pérez de Ayala.* 500 págs.
171. Alberto Porqueras Mayo: *Temas y formas de la literatura española.* 196 págs.
172. Benito Brancaforte: *Benedetto Croce y su crítica de la literatura española.* 152 págs.
173. Carlos Martín: *América en Rubén Darío (Aproximación al concepto de la literatura hispanoamericana).* 276 págs.
174. José Manuel García de la Torre: *Análisis temático de «El Ruedo Ibérico».* 362 págs.
175. Julio Rodríguez-Puértolas: *De la Edad Media a la edad conflictiva (Estudios de literatura española).* 406 págs.
176. Francisco López Estrada: *Poética para un poeta (Las «Cartas literarias a una mujer» de Bécquer).* 246 págs.
177. Louis Hjelmslev: *Ensayos lingüísticos.* 362 págs.

178. Dámaso Alonso: *En torno a Lope (Marino, Cervantes, Benavente, Góngora, los Cardenios)*. 212 págs.
179. Walter Pabst: *La novela corta en la teoría y en la creación literaria (Notas para la historia de su antinomia en las literaturas románicas)*. 510 págs.
180. Antonio Rumeu de Armas: *Alfonso de Ulloa, introductor de la cultura española en Italia*. 192 págs.
181. Pedro R. León: *Algunas observaciones sobre Pedro de Cieza de León y la Crónica del Perú*. 278 págs.
182. Gemma Roberts: *Temas existenciales en la novela española de postguerra*. 286 págs.
183. Gustav Siebenmann: *Los estilos poéticos en España desde 1900*. 582 págs.
184. Armando Durán: *Estructura y técnica de la novela sentimental y caballeresca*. 182 págs.
185. Werner Beinhauer: *El humorismo en el español hablado (Improvisadas creaciones espontáneas)*. Con un prólogo de Rafael Lapesa. 270 págs.
186. Michael P. Predmore: *La poesía hermética de Juan Ramón Jiménez (El «Diario» como centro de su mundo poético)*. 234 págs.
187. Albert Manent: *Tres escritores catalanes: Carner, Riba, Pla*. 338 páginas.
188. Nicolás A. S. Bratosevich: *El estilo de Horacio Quiroga en sus cuentos*. 204 págs.
189. Ignacio Soldevila Durante: *La obra narrativa de Max Aub (1929-1969)*. 472 págs.
190. Leo Pollmann: *Sartre y Camus (Literatura de la existencia)*. 286 páginas.
191. María del Carmen Bobes Naves: *La semiótica como teoría lingüística*. 238 págs.
192. Emilio Carilla: *La creación del «Martín Fierro»*. 308 págs.
193. Eugenio Coseriu: *Sincronía, diacronía e historia* (*El problema del cambio lingüístico*). Segunda edición, revisada y corregida. 290 págs.
194. Óscar Tacca: *Las voces de la novela*. 206 págs.
195. J. L. Fortea: *La obra de Andrés Carranque de Ríos*. 240 págs.
196. Emilio Náñez Fernández: *El diminutivo (Historia y funciones en el español clásico y moderno)*. 458 págs.
197. Andrew P. Debicki: *La poesía de Jorge Guillén*. 362 págs.
198. Ricardo Doménech: *El teatro de Buero Vallejo (Una meditación española)*. 372 págs.
199. Francisco Márquez Villanueva: *Fuentes literarias cervantinas*. 374 págs.
200. Emilio Orozco Díaz: *Lope y Góngora frente a frente*. 410 págs. 8 láminas.

201. Charles Muller: *Estadística lingüística.* 416 págs.
202. Josse de Kock: *Introducción a la lingüística automática en las lenguas románicas.* 246 págs.
203. Juan Bautista Avalle-Arce: *Temas hispánicos medievales (Literatura e historia).* 390 págs.
204. Andrés R. Quintián: *Cultura y literatura españolas en Rubén Darío.* 302 págs.
205. E. Caracciolo Trejo: *La poesía de Vicente Huidobro y la vanguardia.* 140 págs.
206. José Luis Martín: *La narrativa de Vargas Llosa (Acercamiento estilístico).* 282 págs.
207. Ilse Nolting-Hauff: *Visión, sátira y agudeza en los «Sueños» de Quevedo.* 318 págs.
208. Allen W. Phillips: *Temas del modernismo hispánico y otros estudios.* 360 págs.
209. Marina Mayoral: *La poesía de Rosalía de Castro.* Con un prólogo de Rafael Lapesa. 596 págs.
210. Joaquín Casalduero: *«Cántico» de Jorge Guillén y «Aire nuestro».* 268 págs.
211. Diego Catalán: *La tradición manuscrita en la «Crónica de Alfonso XI».* 416 págs.
212. Daniel Devoto: *Textos y contextos (Estudios sobre la tradición).* 544 págs.
213. Francisco López Estrada: *Los libros de pastores en la literatura española (La órbita previa).* 576 págs. 16 láminas.
214. André Martinet: *Economía de los cambios fonéticos (Tratado de fonología diacrónica).* 564 págs.
215. Russell P. Sebold: *Cadalso: el primer romántico «europeo» de España,* 294 págs.

III. MANUALES

1. Emilio Alarcos Llorach: *Fonología española.* Cuarta edición aumentada y revisada. Reimpresión. 290 págs.
2. Samuel Gili Gaya: *Elementos de fonética general.* Quinta edición corregida y ampliada. Reimpresión. 200 págs. 5 láminas.
3. Emilio Alarcos Llorach: *Gramática estructural (Según la escuela de Copenhague y con especial atención a la lengua española).* Segunda edición. Reimpresión. 132 págs.
4. Francisco López Estrada: *Introducción a la literatura medieval española.* Tercera edición renovada. Reimpresión. 342 págs.
6. Fernando Lázaro Carreter: *Diccionario de términos filológicos.* Tercera edición corregida. Reimpresión. 444 págs.
8. Alonso Zamora Vicente: *Dialectología española.* Segunda edición muy aumentada. Reimpresión. 588 págs. 22 mapas.

9. Pilar Vázquez Cuesta y Maria Albertina Mendes da Luz: *Gramática portuguesa.* Tercera edición corregida y aumentada. 2 vols.
10. Antonio M. Badia Margarit: *Gramática catalana.* 2 vols.
11. Walter Porzig: *El mundo maravilloso del lenguaje.* Segunda edición corregida y aumentada. 486 págs.
12. Heinrich Lausberg: *Lingüística románica.* Reimpresión. 2 vols.
13. André Martinet: *Elementos de lingüística general.* Segunda edición revisada. Reimpresión. 274 págs.
14. Walther von Wartburg: *Evolución y estructura de la lengua francesa.* 350 págs.
15. Heinrich Lausberg: *Manual de retórica literaria (Fundamentos de una ciencia de la literatura).* 3 vols.
16. Georges Mounin: *Historia de la lingüística (Desde los orígenes al siglo XX).* Reimpresión. 236 págs.
17. André Martinet: *La lingüística sincrónica (Estudios e investigaciones).* Reimpresión. 228 págs.
18. Bruno Migliorini: *Historia de la lengua italiana.* 2 vols. 36 láminas.
19. Louis Hjelmslev: *El lenguaje.* Segunda edición aumentada. 196 páginas. 1 lámina.
20. Bertil Malmberg: *Lingüística estructural y comunicación humana.* Reimpresión. 328 págs. 9 láminas.
21. Winfred P. Lehmann: *Introducción a la lingüística histórica.* 354 páginas.
22. Francisco Rodríguez Adrados: *Lingüística estructural.* Segunda edición revisada y aumentada. 2 vols.
23. Claude Pichois y André-M. Rousseau: *La literatura comparada.* 246 págs.
24. Francisco López Estrada: *Métrica española del siglo XX.* 226 páginas.
25. Rudolf Baehr: *Manual de versificación española.* Reimpresión. 444 págs.
26. H. A. Gleason, Jr.: *Introducción a la lingüística descriptiva.* 770 páginas.
27. A. J. Greimas: *Semántica estructural (Investigación metodológica).* 398 págs.
28. R. H. Robins: *Lingüística general (Estudio introductorio).* 488 páginas.
29. Iorgu Iordan y Maria Manoliu: *Manual de lingüística románica.* Revisión, reelaboración parcial y notas por Manuel Alvar. 2 vols.
30. Roger L. Hadlich: *Gramática transformativa del español.* 464 págs.
31. Nicolas Ruwet: *Introducción a la gramática generativa.* 514 págs.
32. Jesús-Antonio Collado: *Fundamentos de lingüística general.* 308 páginas.
33. Helmut Lüdtke: *Historia del léxico románico.* 336 págs.

IV. TEXTOS

1. Manuel C. Díaz y Díaz: *Antología del latín vulgar.* Segunda edición aumentada y revisada. Reimpresión. 240 págs.
2. María Josefa Canellada: *Antología de textos fonéticos.* Con un prólogo de Tomás Navarro. Segunda edición ampliada. 266 páginas.
3. F. Sánchez Escribano y A. Porqueras Mayo: *Preceptiva dramática española del Renacimiento y el Barroco.* Segunda edición muy ampliada. 408 págs.
4. Juan Ruiz: *Libro de Buen Amor.* Edición crítica de Joan Corominas. Reimpresión. 670 págs.
5. Julio Rodríguez-Puértolas: *Fray Iñigo de Mendoza y sus «Coplas de Vita Christi».* 634 págs. 1 lámina.
6. *Todo Ben Quzmān.* Editado, interpretado, medido y explicado por Emilio García Gómez. 3 vols.
7. *Garcilaso de la Vega y sus comentaristas (Obras completas del poeta y texto íntegro de El Brocense, Herrera, Tamayo y Azara).* Edición de Antonio Gallego Morell. Segunda edición revisada y adicionada. 700 págs. 10 láminas.

V. DICCIONARIOS

1. Joan Corominas: *Diccionario crítico etimológico de la lengua castellana.* En reimpresión.
2. Joan Corominas: *Breve diccionario etimológico de la lengua castellana.* Tercera edición muy revisada y mejorada. 628 págs.
3. *Diccionario de Autoridades.* Edición facsímil. 3 vols.
4. Ricardo J. Alfaro: *Diccionario de anglicismos.* Recomendado por el «Primer Congreso de Academias de la Lengua Española». Segunda edición aumentada. 520 págs.
5. María Moliner: *Diccionario de uso del español.* Reimpresión. 2 vols.

VI. ANTOLOGÍA HISPÁNICA

1. Carmen Laforet: *Mis páginas mejores.* 258 págs.
2. Julio Camba: *Mis páginas mejores.* Reimpresión. 254 págs.
3. Dámaso Alonso y José M. Blecua: *Antología de la poesía española. Lírica de tipo tradicional.* Segunda edición. Reimpresión. LXXXVI + 266 páginas.
6. Vicente Aleixandre: *Mis poemas mejores.* Tercera edición aumentada. 322 págs.
7. Ramón Menéndez Pidal: *Mis páginas preferidas (Temas literarios).* Reimpresión. 372 págs.

8. Ramón Menéndez Pidal: *Mis páginas preferidas (Temas lingüísticos e históricos)*. Reimpresión. 328 págs.
9. José M. Blecua: *Floresta de lírica española*. Tercera edición aumentada. 2 vols.
11. Pedro Laín Entralgo: *Mis páginas preferidas*. 338 págs.
12. José Luis Cano: *Antología de la nueva poesía española*. Tercera edición. Reimpresión. 438 págs.
13. Juan Ramón Jiménez: *Pájinas escojidas (Prosa)*. Reimpresión. 264 págs.
14. Juan Ramón Jiménez: *Pájinas escojidas (Verso)*. Reimpresión. 238 págs.
15. Juan Antonio de Zunzunegui: *Mis páginas preferidas*. 354 págs.
16. Francisco García Pavón: *Antología de cuentistas españoles contemporáneos*. Segunda edición renovada. Reimpresión. 454 páginas.
17. Dámaso Alonso: *Góngora y el «Polifemo»*. Quinta edición muy aumentada. 3 vols.
21. Juan Bautista Avalle-Arce: *El inca Garcilaso en sus «Comentarios» (Antología vivida)*. Reimpresión. 282 págs.
22. Francisco Ayala: *Mis páginas mejores*. 310 págs.
23. Jorge Guillén: *Selección de poemas*. Segunda edición aumentada. 354 págs.
24. Max Aub: *Mis páginas mejores*. 278 págs.
25. Julio Rodríguez-Puértolas: *Poesía de protesta en la Edad Media castellana (Historia y antología)*. 348 págs.
26. César Fernández Moreno y Horacio Jorge Becco: *Antología lineal de la poesía argentina*. 384 págs.
27. Roque Esteban Scarpa y Hugo Montes: *Antología de la poesía chilena contemporánea*. 372 págs.
28. Dámaso Alonso: *Poemas escogidos*. 212 págs.
29. Gerardo Diego: *Versos escogidos*. 394 págs.
30. Ricardo Arias y Arias: *La poesía de los goliardos*. 316 págs.
31. Ramón J. Sender: *Páginas escogidas*. Selección y notas introductorias por Marcelino C. Peñuelas. 344 págs.
32. Manuel Mantero: *Los derechos del hombre en la poesía hispánica contemporánea*. 536 págs.

VII. CAMPO ABIERTO

1. Alonso Zamora Vicente: *Lope de Vega (Su vida y su obra)*. Segunda edición. 288 págs.
2. Enrique Moreno Báez: *Nosotros y nuestros clásicos*. Segunda edición corregida. 180 págs.
3. Dámaso Alonso: *Cuatro poetas españoles (Garcilaso - Góngora Maragall - Antonio Machado)*. 190 págs.

6. Dámaso Alonso: *Del Siglo de Oro a este siglo de siglas (Notas y artículos a través de 350 años de letras españolas)*. Segunda edición. 294 págs. 3 láminas.
8. Segundo Serrano Poncela: *Formas de vida hispánica (Garcilaso-Quevedo - Godoy y los ilustrados)*. 166 págs.
9. Francisco Ayala: *Realidad y ensueño*. 156 págs.
10. Mariano Baquero Goyanes: *Perspectivismo y contraste (De Cadalso a Pérez de Ayala)*. 246 págs.
11. Luis Alberto Sánchez: *Escritores representativos de América*. Primera serie. Tercera edición. 3 vols.
12. Ricardo Gullón: *Direcciones del modernismo*. Segunda edición aumentada. 274 págs.
13. Luis Alberto Sánchez: *Escritores representativos de América*. Segunda serie. Reimpresión. 3 vols.
14. Dámaso Alonso: *De los siglos oscuros al de Oro (Notas y artículos a través de 700 años de letras españolas)*. Segunda edición. Reimpresión. 294 págs.
16. Ramón J. Sender: *Valle-Inclán y la dificultad de la tragedia*. 150 páginas.
17. Guillermo de Torre: *La difícil universalidad española*. 314 págs.
18. Angel del Río: *Estudios sobre literatura contemporánea española*. Reimpresión. 324 págs.
19. Gonzalo Sobejano: *Forma literaria y sensibilidad social (Mateo Alemán, Galdós, Clarín, el 98 y Valle-Inclán)*. 250 págs.
20. Arturo Serrano Plaja: *Realismo «mágico» en Cervantes* («*Don Quijote*» *visto desde* «*Tom Sawyer*» *y* «*El Idiota*»). 240 págs.
21. Guillermo Díaz-Plaja: *Soliloquio y coloquio (Notas sobre lírica y teatro)*. 214 págs.
22. Guillermo de Torre: *Del 98 al Barroco*. 452 págs.
23. Ricardo Gullón: *La invención del 98 y otros ensayos*. 200 págs.
24. Francisco Ynduráin: *Clásicos modernos (Estudios de crítica literaria)*. 224 págs.
25. Eileen Connolly: *Leopoldo Panero: La poesía de la esperanza*. Con un prólogo de José Antonio Maravall. 236 págs.
26. José Manuel Blecua: *Sobre poesía de la Edad de Oro (Ensayos y notas eruditas)*. 310 págs.
27. Pierre de Boisdeffre: *Los escritores franceses de hoy*. 168 págs.
28. Federico Sopeña Ibáñez: *Arte y sociedad en Galdós*. 182 págs.
29. Manuel García-Viñó: *Mundo y trasmundo de las leyendas de Bécquer*. 300 págs.

30. José Agustín Balseiro: *Expresión de Hispanoamérica.* Con un prólogo de Francisco Monterde. Segunda edición revisada. 2 volúmenes.
31. José Juan Arrom: *Certidumbre de América (Estudios de letras, folklore y cultura).* Segunda edición ampliada. 230 págs.
32. Vicente Ramos: *Miguel Hernández.* 378 págs.
33. Hugo Rodríguez-Alcalá: *Narrativa hispanoamericana. Güiraldes - Carpentier - Roa Bastos - Rulfo (Estudios sobre invención y sentido).* 218 págs.

VIII. DOCUMENTOS

2. José Martí: *Epistolario (Antología).* Introducción, selección, comentarios y notas por Manuel Pedro González. 648 págs.

IX. FACSÍMILES

1. Bartolomé José Gallardo: *Ensayo de una biblioteca española de libros raros y curiosos.* 4 vols.
2. Cayetano Alberto de la Barrera y Leirado: *Catálogo bibliográfico y biográfico del teatro antiguo español, desde sus orígenes hasta mediados del siglo XVIII.* XIII + 728 págs.
3. Juan Sempere y Guarinos: *Ensayo de una biblioteca española de los mejores escritores del reynado de Carlos III.* 3 vols.
4. José Amador de los Ríos: *Historia crítica de la literatura española.* 7 vols.
5. Julio Cejador y Frauca: *Historia de la lengua y literatura castellana (Comprendidos los autores hispanoamericanos).* 7 vols.

OBRAS DE OTRAS COLECCIONES

Dámaso Alonso: *Obras completas.*

Tomo I: *Estudios lingüísticos peninsulares.* 706 págs.

Tomo II: *Estudios y ensayos sobre literatura.* Primera parte: *Desde los orígenes románicos hasta finales del siglo XVI.* 1.090 págs.

Tomo III: *Estudios y ensayos sobre literatura.* Segunda parte. *Finales del siglo XVI, y siglo XVII.* En prensa.

Juan Luis Alborg: *Historia de la literatura española.*
Tomo I: *Edad Media y Renacimiento.* 2.ª edición. Reimpresión. 1.082 págs.
Tomo II: *Época Barroca.* 2.ª edición. 996 págs.
Tomo III: *El siglo XVIII.* 980 págs.

Homenaje Universitario a Dámaso Alonso. Reunido por los estudiantes de Filología Románica. 358 págs.

Homenaje a Casalduero. 510 págs.

Homenaje a Antonio Tovar. 470 págs.

Studia Hispanica in Honorem R. Lapesa. Vol. I: 622 págs. Vol. II: 634 págs. Vol. III, en prensa.

José Luis Martín: *Crítica estilística.* 410 págs.

Vicente García de Diego: *Gramática histórica española.* 3.ª edición revisada y aumentada con un índice completo de palabras. 624 págs.

Graciela Illanes: *La novelística de Carmen Laforet.* 202 págs.

François Meyer: *La ontología de Miguel de Unamuno.* 196 páginas.

Beatrice Petriz Ramos: *Introducción crítico-biográfica a José María Salaverría (1873-1940).* 356 págs.

Los «Lucidarios» españoles. Estudio y edición de Richard P. Kinkade. 346 págs.

Vittore Bocchetta: *Horacio en Villegas y en Fray Luis de León.* 182 páginas.

Elsie Alvarado de Ricord: *La obra poética de Dámaso Alonso.* Prólogo de Ricardo J. Alfaro. 180 págs.

José Ramón Cortina: *El arte dramático de Antonio Buero Vallejo.* 130 págs.

Mireya Jaimes-Freyre: *Modernismo y 98 a través de Ricardo Jaimes Freyre.* 208 páginas.

Emilio Sosa López: *La novela y el hombre.* 142 págs.

Gloria Guardia de Alfaro: *Estudios sobre el pensamiento poético de Pablo Antonio Cuadra.* 260 págs.

Ruth Wold: *El Diario de México, primer cotidiano de Nueva España.* 294 págs.

Marina Mayoral: *Poesía española contemporánea. Análisis de textos.* 254 págs.

Gonzague Truc: *Historia de la literatura católica contemporánea (de lengua francesa).* 430 págs.

Wilhelm Grenzmann: *Problemas y figuras de la literatura contemporánea.* 388 págs.

Antonio Medrano: *Lingüística inglesa.* 408 págs.

Veikko Väänänen: *Introducción al latín vulgar.* 414 págs.